DEPUIS L'AU-DELÀ

Bernard Werber

DEPUIS L'AU-DELÀ

ROMAN

Albin Michel

© Éditions Albin Michel et Bernard Werber, 2017

À la mémoire de Monique Parent Baccan, la première médium à m'avoir ouvert les portes du passé (en me racontant mes vies antérieures), du futur (en m'évoquant un avenir probable) et des mondes invisibles (en m'expliquant comment fonctionnent les âmes errantes).

Croire ou ne pas croire n'a aucune importance, ce qui est intéressant c'est d'imaginer, de rêver et d'écouter de jolies histoires qui donnent à réfléchir.

Merci Monique de m'en avoir raconté suffisamment pour me donner envie d'en révéler à mon tour quelques-unes…

« Au fond, personne ne croit vraiment à sa propre mort, et dans son inconscient, chacun est persuadé de sa propre immortalité. »

Sigmund Freud

« Je ne parle pas pour convaincre ceux qui ne sont pas d'accord avec mes idées. Je parle pour que ceux qui sont déjà d'accord avec elles réalisent qu'ils ne sont pas seuls. »

Edmond Wells, *Encyclopédie du Savoir Relatif et Absolu*, tome XII

ACTE I

Une découverte étonnante

1.

« Qui m'a tué ? »

2.

À peine réveillé, l'écrivain Gabriel Wells bondit de son lit. Il a enfin trouvé en rêve la première phrase de son prochain roman. Une question simple, qui ouvrira le livre sur l'énigme du décès du narrateur.

« Qui... m'a... tué ? »

Ce démarrage lui semble offrir un paradoxe qui va l'obliger à trouver une intrigue originale. Comment le héros peut-il s'exprimer s'il est déjà trépassé ? Comment *a fortiori* peut-il enquêter sur son propre assassinat ?

Excité par ce nouveau défi, Gabriel Wells ne prend même pas le temps de petit-déjeuner. Il sort de son immeuble et marche d'un bon pas pour rejoindre son bistrot habituel, Le Coquelet. Il y a laissé la veille son ordinateur, sorte de destrier électronique qu'il s'apprête à enfourcher comme chaque matin pour sa séance de galop d'écriture.

Il hâte le pas et se concentre sur la recherche de sa dernière phrase. Car pour lui, un roman n'est rien d'autre qu'une phrase d'ouverture – ce qu'on nomme dans son jargon « l'incipit » – qui conduit à une phrase de fermeture – « l'excipit ».

Reste à trouver le mécanisme d'horlogerie qui gouverne l'intrigue et doit aspirer le lecteur dans un système où il va s'enfoncer jusqu'à progressivement oublier sa propre vie pour ne s'intéresser qu'à celle du héros.

Face à l'habituelle hantise d'échouer, à cette espèce de trac qui le gagne, Gabriel Wells visualise rapidement quelques schémas narratifs classiques.

Une grande histoire d'amour impossible ?

Un secret progressivement révélé ?

Une quête utopique ?

Une trahison suivie d'une vengeance ?

Il faudrait quand même que le tout reste lié à l'énigme posée dans la première phrase, qu'il se répète plusieurs fois pour bien s'en imprégner :

« *Qui... m'a... tué ?* »

L'excitation de cette trouvaille laisse bientôt place au doute. Il pourrait aussi bien commencer par la question suivante, qui introduit une nuance de suspense légèrement différente :

« *Pourquoi suis-je mort ?* »

Jusque-là, l'incipit le plus original qu'il avait trouvé était :

« Tentative de suicide ratée : il tue son frère jumeau en croyant se tuer lui-même. »

Il sourit au souvenir de l'instant où il avait trouvé cette phrase. Puis reprend son sérieux.

« *Qui m'a tué* » ou « *Pourquoi suis-je mort* » ?

Le problème, c'est qu'écrire une histoire impose de faire des choix. Or faire des choix c'est renoncer, et donc forcément prendre le risque d'avoir des regrets.

Finalement il opte pour la première option, qu'il trouve plus dynamique.

Il ne lui reste donc qu'à trouver le dénouement final.

Cela pourrait être la révélation que c'est la femme de ménage l'assassin ?

Trop comédie de boulevard !

Et si le héros comprenait à la fin qu'en fait il n'est pas mort ? Déjà vu...

Et si on découvrait qu'en réalité le héros n'est pas un être humain ? Trop facile.

Rien ne le satisfait, mais Gabriel Wells commence à définir les contours de son personnage central. Il imagine son physique, sa psychologie, lui trouve des faiblesses, des défauts, des vices, des talents. Un prénom et un nom de famille. Il faut lui associer un mystère, quelque chose qui sera progressivement dévoilé au fil des pages.

Il est télépathe ?

Il est somnambule ?

Il a deux cerveaux ?

Tout cela est encore flou à ce stade. Puis, peu à peu, son héros se dessine avec plus de précision dans son esprit : son allure, sa démarche, ses vêtements, son sourire, ses tics. Grâce à son imagination, Gabriel Wells crée un individu à partir du néant.

Il accélère encore sous le coup de l'excitation.

La rue, à cette heure, est déjà très fréquentée. Sans ralentir, il passe devant la pharmacie qui clignote de mille lueurs vertes comme pour hypnotiser le client et le pousser à la consommation de médicaments. Il enjambe un clochard au visage violacé qui dort en travers de la chaussée. Il contourne des déjections canines toutes fraîches et manque de se faire bousculer par un écolier morveux et pressé. Puis il croise une vieille dame affublée d'un bonnet péruvien à pompon rose qui promène un caniche en laisse. Celui-ci tire si fort que la pauvre femme semble faire du ski nautique sur le trottoir.

Il longe ensuite une école où des parents arrivés en avance grondent leurs enfants en priant pour que la cloche qui les en débarrassera toute la journée se dépêche de sonner.

Alors qu'il passe devant un fleuriste, Gabriel Wells s'arrête brusquement. Il a l'impression de ne pas avoir perçu l'odeur des fleurs.

Il s'arrête et les hume toutes.

Il ne sent rien.

Il renifle sa peau. Il renifle ses aisselles. Il renifle l'air. Il renifle la fumée des pots d'échappement des voitures qui passent. Il inspire profondément, approche son nez de tout ce qui est susceptible de diffuser une fragrance et s'aperçoit que son sens olfactif est réduit à néant.

Paniqué à l'idée d'avoir peut-être définitivement perdu l'odorat, il renonce dans l'immédiat à tout autre projet et file directement chez son médecin, le docteur Frédéric Langman, dont le cabinet est au bout de la rue.

3.

DÉBUT DES CONSULTATIONS À 9 H.
SONNEZ. ENTREZ. INSTALLEZ-VOUS.

Dans la salle d'attente du cabinet de son généraliste, Gabriel Wells est seul. Plutôt que de s'asseoir, il renifle le cuir des sièges, les

16

fleurs dans le vase posé sur la table basse, les paumes de ses mains. Mais il ne perçoit toujours rien et sent l'angoisse monter.

Pour penser à autre chose, il tâche de se concentrer sur son prochain roman, son futur héros, sa révélation finale et sa toute dernière phrase.

La sonnette retentit, la porte s'ouvre et une patiente entre. Elle a les cheveux bruns, longs et ondulés, un front haut aux arcades sourcilières parfaitement dessinées, un nez et un menton pointus. Elle porte un chemisier de soie mauve et une jupe longue à fleurs. Ce qui frappe tout de suite Gabriel Wells, c'est son étonnante ressemblance avec son idole, l'actrice américaine des années 1930 Hedy Lamarr.

La jeune femme s'assoit et se plonge aussitôt dans la lecture d'un vieux magazine tout abîmé exposant les déboires sentimentaux de nombreuses célébrités.

Gabriel est intrigué par cette nouvelle arrivante. N'y tenant plus, il tente d'entamer la conversation :

– *Je peux vous demander ce qui vous amène ici, mademoiselle ?*

Tirée de sa lecture d'un article sur un divorce princier, elle affiche une moue désabusée, puis consent à répondre :

– Migraine.

Elle a prononcé le mot sans quitter le journal des yeux.

– *Moi je souffre d'anosmie. C'est une maladie qui entraîne l'absence de perception des odeurs.*

– Non, je ne crois pas que ce soit cela votre problème…

Il est surpris par cette affirmation gratuite de la part d'une personne qu'il ne connaît pas et qui ne lui a même pas accordé un regard depuis son arrivée, mais il n'ose pas répliquer.

Le docteur Langman arrive et demande à la patiente de le suivre. Par galanterie, Gabriel Wells ne fait pas remarquer qu'il est arrivé avant elle.

De nouveau il se concentre sur la recherche de la dernière phrase de son roman, et repense à celles qu'ont utilisées ses auteurs fétiches.

4. ENCYCLOPÉDIE : INCIPIT, EXCIPIT

Incipits célèbres :
« Au commencement, Dieu créa le ciel et la terre. » La Bible.
« Assise à côté de sa sœur sur le talus, Alice commençait à être fatiguée de n'avoir rien à faire. » *Alice au pays des merveilles* de Lewis Carroll.
« En se réveillant un matin après des rêves agités, Gregor Samsa se retrouva, dans son lit, métamorphosé en un monstrueux insecte. » *La Métamorphose* de Franz Kafka.
« C'était à Mégara, faubourg de Carthage, dans les jardins d'Hamilcar. » *Salammbô* de Gustave Flaubert.
« Longtemps, je me suis couché de bonne heure. » *Du côté de chez Swann* de Marcel Proust.
« Aujourd'hui, maman est morte. » *L'Étranger* d'Albert Camus.

Excipits célèbres :
« La vie, voyez-vous, ça n'est jamais si bon ni si mauvais qu'on croit. » *Une vie* de Guy de Maupassant.
« Dire que, quand nous serons grands, nous serons peut-être aussi bêtes qu'eux. » *La Guerre des boutons* de Louis Pergaud.
« Tâchons d'entrer dans la mort les yeux ouverts. » *Mémoires d'Hadrien* de Marguerite Yourcenar.

« C'est ainsi que nous avançons, barques à contre-courant, sans cesse ramenés vers le passé. » *Gatsby le Magnifique* de Francis Scott Fitzgerald.

« Seul l'esprit, s'il souffle sur la glaise, peut créer l'homme. » *Terre des hommes* d'Antoine de Saint-Exupéry.

« Quand on voulut le détacher du squelette qu'il embrassait, il tomba en poussière. » *Notre-Dame de Paris* de Victor Hugo.

Edmond Wells,
Encyclopédie du Savoir Relatif et Absolu, tome XII.

5.

Une fois sa consultation terminée, la jeune femme en jupe à fleurs salue le docteur Langman en virevoltant comme une danseuse et récupère son manteau qu'elle enfile prestement.

Gabriel se lève alors, mais le médecin ne lui prête pas la moindre attention et referme la porte de son cabinet sans même lui proposer d'entrer.

Un peu interloqué, l'écrivain s'approche de la porte close et interpelle son ami :

– *Eh Fred, tu me fais une blague, c'est ça ? C'est moi, Gabriel, Gabriel Wells !*

La jeune femme, qui s'apprêtait à franchir le seuil de la salle d'attente, s'arrête net.

– Vous êtes vraiment Gabriel Wells ? L'écrivain ? demande-t-elle en gardant le dos tourné.

– *Oui, pourquoi ?*

– Cela change tout. Je vais vous aider.

— *M'aider ? M'aider à quoi ?*

Elle revient au centre de la pièce et, toujours sans le regarder, déclare :

— Tout d'abord, il faut que je vous explique votre « maladie ».

— *Vous êtes médecin ?*

Elle sourit d'un air compatissant.

— En quelque sorte. Disons que je suis « médecin des âmes ». Cela a l'avantage de ne pas nécessiter de diplômes. Pour commencer, il faut que vous sachiez que votre problème est plus grave que votre présumée anosmie.

— *J'ai un cancer ?*

— Encore plus grave.

— *Dites-moi la vérité, je peux tout entendre.*

— Hum, c'est encore un peu tôt. Je préfère vous livrer des indices. Ce matin en vous levant, vous n'aviez pas faim, n'est-ce pas ?

— *En effet.*

— Vous êtes rapidement sorti de chez vous, mais vous n'avez parlé à personne, je me trompe ?

— *Le matin au réveil, je ne suis jamais causant.*

— Dehors vous n'avez pas trouvé qu'il faisait froid.

— *Je ne suis pas frileux. Mais arrêtez avec vos énigmes, à la fin ! Quelle est donc cette si mystérieuse maladie ?* demande Gabriel d'un ton de plus en plus impatienté.

Elle regarde ses mains.

— Savez-vous que le mot maladie vient de l'expression « mal à dire » ?

— *Cessez de tourner autour du pot ! Où voulez-vous en venir, bon sang ?*

— Bon, il faut que je m'y prenne différemment. Comment

20

vous expliquer ? En fait… j'ai une bonne et une mauvaise nouvelle. Vous préférez que je commence par laquelle ?

– *La bonne*, répond Gabriel, passablement irrité.

– Je vous ai menti, vous n'êtes pas malade.

– *C'est déjà ça. Et la mauvaise alors ?*

– La mauvaise c'est que… vous êtes mort.

Gabriel lève les sourcils, affiche une mine étonnée, contrariée, dubitative, pour finalement éclater de rire.

La jeune femme laisse échapper un soupir de soulagement :

– Je suis contente que vous le preniez comme ça, j'en ai vu beaucoup qui ne réagissaient pas aussi bien.

– *Si je ris, c'est parce que je ne vous crois pas.*

Elle fait quelques pas, semblant chercher une inspiration.

– Alors on va se livrer à une petite expérience. Je vous propose de faire le test du miroir.

Elle lui fait signe de la rejoindre face à la glace de la salle d'attente, et il constate, à sa grande surprise, que seule s'y réfléchit la jeune femme.

– Tiens, on dirait que votre image a disparu. Comme c'est curieux…, lâche-t-elle.

Il tressaille, à nouveau pris de panique, puis se reprend et sourit.

– *Cela ne prouve rien. Je dois être en train de dormir. Ceci est un rêve. D'ailleurs, cela expliquerait votre présence.*

– Un rêve ? Alors pincez-vous.

Il se tord la peau du bras.

– *Je ne sens rien, tout simplement parce que je rêve que je me pince.*

– Passons au deuxième test, aussi connu sous le nom de « test du feu ».

Elle sort un briquet et lui propose de poser sa main au-dessus de la flamme. Il obtempère et s'aperçoit qu'il ne ressent pas la moindre gêne ni la moindre douleur. Chose étrange, son geste ne génère aucune fumée, ni même de déformation de la flamme.

Il regarde sa paume : aucune marque de brûlure. Une sensation désagréable l'envahit, qu'il surmonte crânement.

– *Dans mes rêves, il m'arrive de ne pas me voir dans les miroirs et de ne pas me brûler en mettant ma main au-dessus d'une flamme. Je fais même ce genre de rêves plusieurs fois par semaine.*

Elle hausse les épaules.

– Alors il reste le test ultime, celui de la chute libre. Montez sur le rebord de la fenêtre et jetez-vous dans le vide.

– *On est quand même au sixième étage...*

– Si vous êtes en train de rêver, cela ne devrait pas poser de problème. Au pire, cela vous réveillera.

Elle ouvre la fenêtre en grand et le vent s'engouffre dans la pièce, faisant voler ses cheveux, mais Gabriel ne sent pas le moindre souffle d'air.

– *Pas de problème.*

Il secoue la tête comme un animal qui s'ébroue, inspire, s'approche de la fenêtre. Il espère qu'elle va l'arrêter mais, au contraire, elle l'encourage à s'avancer encore.

– Quand vous serez en vol, regardez bien autour de vous tous les détails qui ne peuvent pas être le simple fruit d'un songe.

Il aperçoit le sol tout en bas, les toits des voitures, les crânes des piétons.

Il a beau être persuadé de rêver, Gabriel ne peut s'empêcher de ressentir une infime appréhension.

– Tant que vous n'aurez pas sauté, vous ne pourrez pas être certain, insiste la jeune femme.

Il hésite, mais comme il ne veut pas qu'elle croie qu'il recule devant le défi, il monte sur le rebord de la fenêtre, domine son vertige et saute dans le vide en ouvrant largement les bras.

Il chute à toute vitesse, voit les étages défiler, ferme les yeux. Quand il soulève de nouveau ses paupières, il n'a pas encore touché le sol et plane au-dessus de l'avenue.

«*Merde, alors!*» Voilà le mot qui envahit soudain son esprit. La surprise, l'affolement, la déception cèdent peu à peu la place à ce nouveau plaisir d'être libéré de l'apesanteur et de pouvoir voler comme un oiseau.

Le sol défile sous lui. Il a la sensation de glisser sans ressentir le frottement de l'air, effectue un looping, et remonte se poser sur la fenêtre du cabinet médical.

Bouleversé, assailli de sentiments confus et variés qui s'entrechoquent dans sa tête, il lâche un soupir, voudrait dire quelque chose, mais ne parvient qu'à répéter une centaine de fois, sur différentes intonations, cette grossièreté qui occupe ses pensées.

Il paraît que le dernier mot qui vient aux gens avant de mourir est «Maman». Celui qui suit la prise de conscience de sa propre mort commence par la même lettre, mais il n'a rien d'affectueux, lui.

En quelques secondes, il traverse les sept étapes du deuil : choc, déni, colère, marchandage, tristesse, résignation, acceptation. Et chacune d'elles a été ponctuée du même mot grossier.

La jeune femme face à lui semble elle aussi un peu sonnée.

– Ça va? lui demande-t-elle.

– *Bon sang, se pourrait-il que je sois… « vraiment » mort?!*

Il est atterré. Puis il repasse par les sept étapes, mais dans un ordre différent : la colère, le déni, l'acceptation, la résignation, la tristesse, le marchandage, le choc.

– *Ce n'est pas possible! Je suis beaucoup trop jeune pour être mort!*

– Voyez cela de manière positive, monsieur Wells. Je ne sais pas… Considérez que vous vous êtes débarrassé de tout ce qui est superflu, encombrant, fragile, pour ne conserver que l'essentiel : votre esprit.

– *Alors ce serait ça, la fin… ? Je ne vais plus pouvoir écrire…*

– À la bonne heure. Vous avez enfin compris.

Il se laisse tomber dans un fauteuil, hagard.

– *C'est horrible.*

– C'est « différent ».

– *Je suis mort, bon sang ! Je suis mort, mort, mort ! Réellement mort !*

– On y passe tous un jour… Vous, c'est aujourd'hui, maintenant, ici. Pour moi aussi, cela viendra. Plus tard, ailleurs. Je ne suis pas pressée.

Il se relève d'un bond et se place face à elle dont le regard est tourné vers la fenêtre. Il réalise que, depuis le début, elle ne l'a jamais fixé dans les yeux.

– *Mais vous me parlez, vous qui êtes bien vivante. Comment est-ce possible ?*

– Je suis un peu différente des autres femmes…

– *Différente ?*

– Je suis médium. Je peux vous entendre, mais je ne peux pas vous voir. C'est pour ça que je ne vous regarde pas. Je ne sais même pas où vous vous tenez exactement à cet instant, je ressens simplement très nettement votre présence dans mon champ de perception avoisinant.

– *Pourquoi voulez-vous m'aider ?*

– C'est grâce à vous que je suis devenue médium, grâce à la lecture de votre livre *Nous les morts*. C'était la première fois que j'étais véritablement happée par un roman et cela a été une révélation. J'ai refermé le livre avec la certitude d'avoir trouvé ma

24

voie. Je gagne désormais ma vie en dialoguant avec les défunts et je peux vous garantir que le marché est de plus en plus florissant dans ce secteur professionnel un peu particulier... À ma manière, je suis aussi une célébrité. Du moins dans ce quartier.

– *Quel est votre nom ?*

– Lucy. Lucy Filipini.

– *Jamais entendu ce nom-là. Vous êtes bien jeune pour être médium...*

– J'ai 27 ans, et je ne vois pas ce que cela a à voir avec l'âge.

– *J'ai toujours pensé que les médiums étaient plutôt de vieilles dames obèses, habillées en noir et couvertes de bijoux, avec des maquillages très sophistiqués.*

Lucy change soudain de physionomie, comme si elle avait repéré quelque chose : elle fronce les sourcils.

– Mais attendez, attendez.

– *Quoi ?*

– Répétez ce que vous venez de dire.

Elle ferme les yeux pour bien se concentrer.

– *... vieilles dames obèses habillées en noir... ?* répète Gabriel sans comprendre où Lucy veut en venir.

– C'est bien ce qu'il m'avait semblé. Votre voix a un léger écho. Je connais ce phénomène. Peut-être n'êtes-vous finalement pas complètement mort. Vous habitez où ?

– *Un peu plus loin au bout de la rue. Au numéro 21. Pourquoi ?*

– Il n'est peut-être pas trop tard. Parfois, on peut intervenir *in extremis*. À vous entendre, cela me semble encore jouable. Il faut vérifier. Pas de temps à perdre, on fonce chez vous !

La jeune femme s'élance alors et court à toutes jambes, sa robe à fleurs se soulève autour de ses cuisses. Gabriel la suit, rempli de l'espoir fou d'être encore « un peu » vivant...

6.

Ils sont bloqués devant la porte blindée en chêne massif de l'appartement de Gabriel. Problème : il n'a pas la clef. Même s'il porte des vêtements — il en a la preuve en regardant son torse et ses jambes —, il n'a pas de vraies poches, donc pas de trousseau, pas de carte d'identité, pas de porte-monnaie ni de smartphone. En fait, il n'a aucun objet sur lui.

— L'idéal serait que vous ayez une clef cachée sous le paillasson, lance Lucy. Est-ce le cas ?

— *Non, désolé. Jusqu'à maintenant je n'avais jamais songé que je pourrais en avoir besoin le jour où je serais mort.*

— Il faudra vous en souvenir pour vos prochaines vies. Une clef de secours cachée quelque part peut toujours se révéler utile dans des circonstances exceptionnelles. Vous avez un plan B ?

— *Il va falloir attendre la femme de ménage. Vu l'heure, Maria-Concepción ne devrait plus trop tarder. Sinon, on peut aussi appeler les pompiers pour qu'ils défoncent la porte.*

— C'est une idée… Mais vous, vous pouvez la traverser tout de suite puisque vous êtes un pur esprit immatériel.

Gabriel Wells s'aperçoit qu'il n'a pas encore acquis ce réflexe et qu'il est arrêté psychologiquement par les portes. Prenant son courage à deux mains, il franchit l'obstacle en fermant les yeux, comme s'il avait peur que ses pupilles entrent en contact avec les fibres de bois de la porte et la plaque d'acier du blindage.

Il goûte à ce nouveau plaisir d'être devenu un passe-muraille, et comprend qu'on ne peut rien dissimuler à un esprit qui traverse la matière.

Une fois à l'intérieur de son appartement, il se précipite vers sa chambre.

Son corps gît sur le lit. Il est allongé sur le ventre, la tête penchée du côté droit, les yeux grands ouverts et la langue pendante.

– *C'est donc à ça que je ressemble…*, songe l'écrivain en se voyant pour la première fois de l'extérieur.

Il s'examine sous des angles inaccessibles même avec un miroir, observe sa nuque et le sommet de son crâne.

Une pensée lui vient.

En fait, on ne prend véritablement conscience de son corps que lorsqu'on ressent une douleur ou qu'on éprouve un plaisir physique. Quand on a un ongle incarné, on se rappelle que nos ongles poussent ; quand on a une gastro-entérite, on se rappelle qu'on a des intestins ; mais lorsqu'il ne se passe rien de spécial, on ne fait pas attention à tout ça. Pourtant, c'est tellement extraordinaire d'avoir un corps. Et là, de le voir ainsi dans sa globalité, je m'aperçois de la chance que j'avais d'avoir cette enveloppe pour mon esprit.

Gabriel approche son doigt de la pupille de ses yeux et la traverse. Il touche sa bouche, franchit la barrière des dents et de la langue. Il plonge la main dans son crâne, puis la retire d'un coup de son cerveau sans que cela produise aucun bruit.

Il place son visage ectoplasmique en face de son visage de chair, voit ses cils, sa cornée un peu asséchée. Il regarde ses pores, ses narines immobiles, il essaie de se palper, en vain. Il traverse partout sa propre peau et se dit qu'il faut maintenant que des vivants s'en occupent.

Il va retrouver la jeune médium qui l'attend sur le palier.

– *J'ai les yeux ouverts et on dirait que je ne respire plus.*

– Cela ne veut rien dire. J'ai pour ma part tenté d'appeler les pompiers, mais toutes les lignes sont occupées et je tombe en permanence sur un message automatique. Je pense que vous n'êtes pas le seul à avoir choisi de mourir aujourd'hui. Il y a soit un attentat, soit un incendie particulièrement virulent, soit une malencontreuse série de chats bloqués dans des arbres.

Ils attendent donc la femme de ménage. Mais lorsque Maria-Concepción arrive enfin, suspicieuse, celle-ci refuse de laisser entrer l'inconnue.

Gabriel Wells vient à la rescousse :

— *Dites-lui que vous êtes une de mes amies et que vous avez oublié votre téléphone portable chez moi hier soir. C'est déjà arrivé dans le passé...*

Lucy s'exécute et la femme de ménage, surmontant sa méfiance, obtempère et s'attaque aux trois grosses serrures de la porte blindée avant de filer dans la cuisine.

Avisant un impressionnant système d'alarme, la médium se dit que le maître des lieux est un peu paranoïaque. Elle découvre un vaste appartement haussmannien typique des arrondissements chics. Dans le salon sont suspendus des portraits en noir et blanc d'actrices hollywoodiennes, Liz Taylor, Greta Garbo, Audrey Hepburn, mais surtout, de taille plus imposante, plusieurs photos de l'actrice Hedy Lamarr habillée en costume de princesse.

— C'est votre idole ? demande-t-elle.

— *Hedy Lamarr est la plus belle femme du monde et de tous les temps*, se contente de répondre catégoriquement Gabriel Wells.

— C'est peut-être présomptueux, mais j'ai l'impression qu'elle me ressemble.

— *Si je puis me permettre, j'ai autre chose à faire que de jouer au jeu des ressemblances. Faisons vite, je suis par là. Suivez-moi.*

Piquée par la curiosité, la médium ne peut s'empêcher de regarder partout autour d'elle ; elle aperçoit une bibliothèque remplie de plusieurs centaines de livres affublés d'étiquettes écrites à la main : cela va des essais historiques aux livres de cuisine, de la mythologie aux textes de spiritualité, de la poésie classique aux romans contemporains, des livres d'humour aux ouvrages de science-fiction, en passant par des recueils de nouvelles fantastiques, des pièces du théâtre classique, des recueils d'énigmes mathématiques, ainsi que des livres de photographie et de magie.

Gabriel se dépêche et la guide par la voix jusqu'à sa chambre.

– *Par là ! Vite !*

Dans le couloir, Lucy aperçoit des photos d'actrices françaises contemporaines, dont certaines sont dédicacées ou paraphées : « Souvenir d'un week-end enchanteur avec toi, Gaby » ; « Écris-moi un scénario et je te montrerai ce que je sais faire » ; « Fais de moi une star », « À Gaby pour la vie », tous ces textes entourés de petits cœurs ou de smileys tracés au feutre.

– Vous connaissez du beau monde, dites donc !

Plus loin sont entreposées de grandes boîtes en verre contenant des armes – revolvers, couteaux et cordes – accompagnées d'articles de journaux rappelant sur quelles scènes de crime elles ont été récupérées.

– Ce sont les vraies pièces à conviction des procès ? Vous les collectionnez ?

Au lieu de répondre, Gabriel lui répète de le suivre. Se retrouvant face à la porte de ce qu'elle devine être la chambre, elle actionne la poignée et entre. Le corps est là, gisant au milieu des plis de la couette.

La femme de ménage, qui l'a rejointe, découvre le corps sans vie de son patron, les yeux ouverts, la bouche béante. Ses jambes se dérobent sous elle, elle défaille et tombe de tout son long.

Lucy ne perd pas de temps à s'occuper d'elle. Elle retourne le corps de l'écrivain pour tâter son pouls.

Gabriel remarque alors que son cadavre présente de petites taches violacées sur la paume des mains. En cours de criminologie, il avait appris que ces marques, qu'on appelle « pétéchies », sont le signe d'un empoisonnement.

Lucy pose son oreille sur le thorax de Gabriel, puis annonce :

— C'est bien ce que je pensais. Votre pouls est vraiment très faible mais il est bien là.

— *Je dois être dans le coma. Ça veut dire qu'on peut me sauver.*

— On peut probablement encore agir, mais je me permets de vous poser clairement la question : voulez-vous vraiment récupérer cet étui de chair ?

Gabriel observe son cadavre et répond sans hésitation par l'affirmative.

Lucy appelle le Samu, qui arrive rapidement. L'un des urgentistes se dirige vers Maria-Concepción, toujours étendue au sol.

— Non, c'est lui, précise Lucy en désignant le lit.

Son collègue examine rapidement Gabriel et propose de l'emmener immédiatement aux urgences de l'hôpital Pompidou.

Les deux hommes en blouse fluorescente orange embarquent le corps sur une civière, puis l'ambulance démarre en trombe, toutes sirènes et tous gyrophares activés. Gabriel, inquiet, les suit et se place près d'eux à l'avant.

— Tu sais comment mes parents ont choisi mon prénom ? dit celui de droite. Parce que je suis né dans l'ambulance du Samu. En souvenir, ils ont décidé de m'appeler Samuel. Mon destin était tracé.

Ils ont à peine roulé qu'ils doivent ralentir.

— La fille a dit que c'était un écrivain célèbre, lâche son collègue. Tu le connais, toi ?

— Son nom me dit vaguement quelque chose.

— Ce n'est pas cet auteur qui écrit pour les jeunes ?

— Oui, mon fils a lu plusieurs de ses livres je crois. Si j'arrive à le sauver et que je lui rapporte un autographe, ça pourra peut-être l'impressionner.

– Ton fils lit ? Bravo ! Le mien non. Il faut dire que je ne lui donne pas vraiment l'exemple. Je n'ai jamais compris comment on pouvait avoir la patience de lire autant de pages d'affilée ! Rester immobile, à bouger juste les yeux devant du papier rempli de petits caractères... Même pas de photos ni d'images ! Et toi, tu lis ?

– Je suis trop fatigué pour ça. Après le boulot, je m'endors même devant la télévision. Alors je te dis pas ce que ce serait devant un livre...

– Tu regardes quoi ?

– Les séries médicales, *Urgences*, *Grey's Anatomy*, *Docteur House*. Et toi ?

– Moi c'est plutôt les séries policières comme *Les Experts*.

– De toute façon, au final, ces séries ne font que raconter plus ou moins ce qu'on vit tous les jours : des gens qui meurent, et pas toujours de manière banale. C'est pareil dans la réalité, rien que dans notre job, bon sang, qu'est-ce qu'on rencontre comme morts étonnantes !

– C'est quoi, toi, la mort la plus bizarre que tu aies vue ?

Ils poursuivent leur conversation tandis que la route devant eux se dégage enfin. Gabriel les écoute, frustré de ne pas pouvoir intervenir dans ce débat. À cet instant une seule pensée l'obsède :

« *Pourvu qu'ils arrivent à temps pour me sauver.* »

7. ENCYCLOPÉDIE : MORTS INSOLITES CÉLÈBRES

– Le dramaturge grec Eschyle meurt assommé en 456 avant J.-C. Un rapace ayant pris le crâne de l'écrivain pour une pierre lisse et ronde, il jette une tortue vivante dessus pour tenter de briser sa carapace et pouvoir la déguster.

31

– Le philosophe Chrysippe meurt en 205 avant J.-C. lors d'un banquet. Ayant vu un âne manger des figues directement dans le panier réservé aux invités prestigieux, il est saisi d'un fou rire inextinguible qui finit par l'asphyxier.

– Au Iᵉʳ siècle après J.-C., Drusus, fils de l'empereur romain Claude, s'étouffe avec une poire qu'il avait lancée en l'air puis rattrapée avec la bouche pour épater ses amis.

– En 1518, à Strasbourg, une partie de la population est frappée d'une folle envie de danser. En fait, un champignon, l'ergot de seigle, s'était développé dans les réserves de céréales. Or ce champignon (qui entre dans la composition de la drogue dite LSD) a un effet hallucinogène immédiat. Ne sachant comment soigner les victimes, les médecins installent au centre du marché une scène où on les laisse danser, et ils invitent des musiciens pour leur donner le rythme. Plus de 400 personnes dansent et délirent pendant un mois avant de mourir d'accidents cardiaques ou d'épuisement.

– En 1567, Hans Steininger, maire de la ville de Braunau en Autriche, meurt le cou brisé après avoir marché sur sa propre barbe longue de 1,40 mètre.

– En 1599, Nandabayin, roi de Birmanie, meurt d'une crise de fou rire en apprenant que la ville de Venise est une république gouvernée par une assemblée et n'a donc pas de roi.

– En 1601, Tycho Brahe, astronome danois à l'origine de l'astronomie moderne, voyage en carrosse avec l'empereur Rodolphe II. Il est tellement passionné et fier de lui expliquer le mouvement des planètes qu'il n'ose pas demander de s'arrêter pour soulager sa vessie. Sa propre urine empoisonne son sang au point de le tuer.

– En 1687, Jean-Baptiste Lully, compositeur officiel de la

Cour de Louis XIV, se frappe par inadvertance le pied avec la canne qui sert à donner le rythme lors de l'interprétation du *Te Deum* célébrant le rétablissement du roi après une forte grippe. La blessure se gangrène et entraîne sa mort.

– En 1763, l'abbé Prévost, auteur du roman *Manon Lescaut*, est retrouvé gisant au pied d'une statue de Jésus en croix. Alors que le médecin légiste incise son thorax pour découvrir la cause de sa mort, l'écrivain ouvre les yeux, pousse un grand cri et meurt, tué par l'autopsie.

– En 1864, George Boole, mathématicien à l'origine de l'algèbre de Boole, prend froid. Sa femme Mary, adepte de la toute nouvelle homéopathie dont l'un des principes est de « soigner le mal par le mal », arrose son mari d'eau très froide pour le guérir. Il décède le soir même d'une pneumonie.

Edmond Wells,
Encyclopédie du Savoir Relatif et Absolu, tome XII.

8.

Dans sa Smart électrique, Lucy roule à tombeau ouvert dans le sillon laissé par l'ambulance. Soudain, une voix résonne dans l'habitacle.

– *Je peux rester avec vous, mademoiselle ? Je préfère votre conversation à celle des deux ambulanciers. Ils m'exaspèrent, et je ne supporte pas de ne pas pouvoir intervenir. Vous, au moins, vous m'entendez.*

Mais bientôt, elle est forcée de s'arrêter, de nouveau bloquée dans un embouteillage.

– *Pourquoi ils n'utilisent pas le trottoir ?* s'indigne l'écrivain.

– Parce qu'il y a des piétons sur les trottoirs. De toute façon, cela ne sert à rien de vous énerver. Vous pouvez traverser la matière mais pas nous. Nous sommes bloqués.

– *On ne peut pas prendre un hélicoptère ?* demande Gabriel en soupirant. Puis il se reprend : *Excusez-moi, c'est l'émotion. Heureusement que vous êtes là. Mais je n'arrive toujours pas à comprendre pourquoi vous m'aidez, mademoiselle Filipini.*

– Je vous l'ai dit, votre livre a changé ma vie.

– Nous les morts ? *Mais c'est mon plus grand échec commercial ! L'éditeur n'a vendu qu'un dixième du tirage, tout le reste est parti au pilon. Il a dû rester une semaine tout au plus en vitrine des librairies. Il n'a pas eu droit à un seul article dans un seul média. Ainsi meurent les livres qui ne trouvent pas leur public.*

– Il m'a trouvée moi. Et maintenant que je connais mieux le monde invisible, je peux vérifier les informations qu'il contient. Certaines choses que vous dites sont justes, mais il y a beaucoup d'inexactitudes.

La Smart est toujours à l'arrêt. Des klaxons agacés couvrent le bruit de la sirène de l'ambulance. Certains tentent des manœuvres hardies, qui ne font qu'ajouter au chaos ambiant.

– Commençons par les plus importantes. Dans votre ouvrage, vous dites qu'après la mort 90 % des âmes se réincarnent et 10 % deviennent ce que l'on appelle des âmes errantes, catégorie dans laquelle, selon vous, on trouve les suicidés et les gens qui sont encore trop attachés à leur passé.

– *J'ai trouvé ces pourcentages dans* Le Livre des morts tibétain *et dans* Le Livre des morts égyptien.

– C'est exactement l'inverse.

– *Vous êtes sûre ?*

– C'est logique. Tout simplement parce que la plupart des gens sont, comme vous, nostalgiques de leur « étui de chair » et de la légende qu'ils ont construite autour de leur propre personne. Il y a une phrase qui résume cela : « Chacun est prisonnier de l'histoire qu'il se raconte sur lui-même. » On aime tellement son propre passé qu'on n'est pas prêt à y renoncer d'un coup pour redémarrer une nouvelle vie dont on présume, forcément, qu'elle sera moins intéressante que la précédente.

– *J'ai parfois ressenti cela avec certains de mes romans que je ne voulais pas quitter. J'étais bien avec le héros, c'était presque devenu un ami.*

– Donc vous comprenez la stagnation des 90 % d'âmes errantes qui restent attachées à leur ancien moi.

– *Oui. Et je reconnais qu'à force d'écrire des histoires, je perçois mon propre passé comme un roman. Je suis prêt à écouter ce que vous avez à me dire.*

– Il faut que vous sachiez quelles sont les caractéristiques des âmes errantes. Je crois que vous avez déjà pu en vérifier quelques-unes, mais je vais toutes vous les énumérer telles que je les ai listées. Commençons par les avantages :

1. Plus de souffrances physiques.
2. Plus de maladies.
3. Plus de fatigue.
4. Plus besoin de manger.
5. Plus besoin de dormir.
6. Plus de vieillissement.
7. Plus de peur de mourir.
8. Possibilité de voler.
9. Possibilité de traverser la matière.
10. Possibilité d'aller voir et entendre tout ce qu'on veut où

on veut (sans compter qu'on entre gratuitement dans les cinémas, les salles de concert et les musées).

11. Possibilité de choisir son apparence physique et vestimentaire.

12. Possibilité de discuter avec les autres âmes errantes.

13. Possibilité d'être entendu et d'agir sur les vivants qui ne sont pas complètement « étanches » parce qu'ils ont des brèches dans leur aura : drogués, alcooliques, schizophrènes. On y reviendra.

14. Possibilité d'être vu et entendu par les chats.

15. Possibilité de parler aux médiums, enfin les bons…

— Et quels sont selon vous les inconvénients ?

Elle énumère :

1. Plus de sens du toucher.

2. Plus de goût.

3. Plus d'odorat.

4. Plus de sommeil, et donc plus de rêves.

5. Plus de possibilité d'être vu par les vivants.

6. Plus de contact avec la matière. Vous ne pouvez pas vous asseoir sur une chaise ou dormir sur un lit en les sentant. Ça n'a l'air de rien, mais à la longue ça manque.

7. Plus de possibilité de faire l'amour.

8. Plus de possibilité de posséder, d'attraper ou de porter des objets.

9. Plus de possibilité de vous voir dans les miroirs (ça devient vite énervant).

10. Plus de possibilité d'utiliser un ordinateur.

11. Donc plus de possibilité de continuer d'écrire des romans,

puisqu'il est tout aussi impossible de tenir un stylo. J'imagine que cela va vous manquer.

– *C'est un peu comme dans* Ghost, *le film américain des années 1990 ?*

– À ceci près que, dans ce film, il y a encore plus d'erreurs que dans votre roman. Par exemple, à la fin, le fantôme de Patrick Swayze arrive à agir sur la matière et donne des coups de poing à son rival. Il devient ainsi « l'homme invisible » et n'a donc aucun mérite à vaincre ses adversaires ! Alors que dans la réalité, les âmes errantes ne peuvent strictement rien toucher ni bouger. Elles traversent tout.

– *On ne peut même pas faire craquer les armoires, grincer les charnières, claquer les portes ou sonner les pendules dans les châteaux hantés ?*

– Ça, ce sont des clichés qui ont la vie dure, mais voici la règle principale : un esprit qui a quitté un corps ne peut plus avoir la moindre action sur la matière. Tout au plus peut-il influer sur un autre esprit. Et rappelez-vous bien que les corps sont protégés par leur aura, de la même manière que l'atmosphère protège la Terre des météorites et des radiations solaires. Seuls ceux qui ont des trous dans leur aura sont accessibles, c'est-à-dire réceptifs.

L'embouteillage est enfin terminé, l'ambulance progresse et la Smart tente de la suivre au plus près, mais d'autres véhicules réussissent à s'intercaler.

– Dans votre roman, j'ai aussi beaucoup aimé l'*Encyclopédie du Savoir Relatif et Absolu* d'Edmond Wells. Mais comment avez-vous eu l'idée de mettre toute cette documentation à l'intérieur même du livre ?

– *Le « professeur Edmond Wells » était un de mes grands-oncles. Il est mort il y a longtemps. Il avait réellement composé une encyclopédie personnelle qu'il a léguée à ma famille, et je l'ai un jour récupérée pour la lire. Je me suis alors dit que ce serait une bonne chose de diffuser ces informations souvent peu connues.*

– Et il faisait quoi dans la vie, votre grand-oncle ?

– *C'était un entomologiste spécialiste des fourmis, mais il était aussi biologiste, philosophe, historien. Il a appelé cette drôle d'encyclopédie* ESRA, *pour « Encyclopédie du Savoir Relatif et Absolu ». Elle n'a jamais été publiée, mais mes parents en ont toujours parlé comme d'une référence familiale. Et j'y ai trouvé des informations très utiles pour mes romans.*

– Il s'intéressait au spiritisme ?

– *Edmond Wells n'avait pas de mémoire, alors il notait tout ce qu'il trouvait extraordinaire. Pas seulement sur la mort, même s'il semblait de fait très préoccupé par l'« après-vie ». Pour ma part, je me suis essentiellement servi du volume XII, qui parle de spiritualité.*

– La mort, reconnaît-elle, c'est forcément le plus grand mystère de tous les temps.

Ces mots, soudain, rappellent à Gabriel qu'il lui reste peut-être un petit espoir de pouvoir revenir parmi les vivants...

9.

Arrivée à l'hôpital Pompidou, Lucy n'est pas autorisée à suivre l'équipe médicale pour l'intervention. Plus loin, dans la salle de réanimation, le corps pâle de Gabriel Wells reçoit des chocs électriques et des piqûres d'adrénaline directement dans le thorax. Malgré tous les efforts, il ne réagit pas.

– On n'arrivera plus à le récupérer, lâche un médecin.

– *Non, continuez, ne me laissez pas tomber !* s'écrie en vain l'écrivain.

– Il faut encore essayer, insiste l'un des deux hommes en blouse blanche comme s'il l'avait entendu.

– *Bravo ! Bonne décision. Toi, je t'aime bien.*

Les médecins continuent de s'affairer, mais n'y croient plus vraiment.

– Je t'assure qu'il est fichu. On perd notre temps et l'argent du contribuable.

– *Bon sang, restez concentrés !*

– Pas la moindre chance qu'on y arrive…

– Vas-y, choque-le au maximum, et si ça ne marche pas je t'offre un café et un muffin à la cafétéria avant de passer au suivant.

La décharge ne provoque aucune réaction, et c'est ainsi que l'enveloppe charnelle de Gabriel Wells devient définitivement hors d'usage.

– *Cette fois-ci c'est plié. Je suis bel et bien foutu,* songe l'écrivain.

Une question envahit alors son esprit : « *Qu'ai-je fait de ma vie ?* »

À 42 ans, alors qu'il a atteint le chapitre final de son existence, une sorte de bilan s'impose à lui de manière fulgurante.

Je n'en ai pas fait assez. Certes, j'ai écrit des romans, mais j'aurais pu en produire le double si je n'avais pas été aussi fainéant. Deux par an, c'était mon rythme naturel, mais je me suis restreint à un parce que je savais que cela ne fait pas sérieux d'en sortir plus.

J'aurais dû me battre pour que mes livres soient traduits aux États-Unis. J'aurais dû me battre pour que mes romans soient adaptés au cinéma. J'aurais dû participer à des ateliers d'écriture pour expliquer comment je fabriquais mes histoires.

J'aurais aussi dû voyager davantage. Pourquoi ne suis-je jamais allé en Australie, alors que ça a toujours été mon rêve ?

En fait, je suis passé à côté de ma vie parce que je croyais qu'il me restait du temps. Mais là, la mort me tombe dessus, et je m'aperçois que j'ai trop attendu pour accomplir des choses importantes.

J'aurais dû m'occuper davantage de mes parents. J'ai connu plusieurs femmes, mais j'aurais dû me fixer avec une. Pourquoi ne me suis-je jamais marié ? J'attendais la femme parfaite et je ne voulais pas renoncer au plaisir de la nouveauté. J'avais peur de l'engagement.

Pourquoi n'ai-je pas eu d'enfant ? Je me rendais compte qu'il faudrait m'investir dans son éducation et j'ai eu peur d'être un mauvais père.

Je suis mort et j'ai l'impression d'avoir raté ma vie.

On dit : « Si jeunesse savait, si vieillesse pouvait ». On devrait ajouter : « Si les morts pouvaient continuer à vivre encore un peu en profitant de ce qu'ils ont compris à leurs derniers instants »…

Si ces incapables de réanimateurs avaient réussi, j'aurais épousé la première femme qui aurait voulu de moi, je lui aurais fait un enfant dans la foulée, puis nous serions partis faire un tour du monde et j'aurais écrit trois fois plus de livres !

Quelle tragédie de mourir si jeune.

Des infirmiers viennent prendre le relais des réanimateurs. Ils déshabillent son corps, le manipulent et le retournent.

— Tu sais pourquoi on parle de « croque-mort » ? demande l'un d'eux. Parce qu'autrefois, quand on avait un cadavre, on mordait le gros orteil pour vérifier que la personne était bien morte et pas seulement endormie.

— Ben vas-y ! Essaye de lui mordre à celui-là, il a l'air raide.

Maladroit, l'un des infirmiers le laisse tomber. La chute de son enveloppe charnelle produit en tombant le son mat d'un sac de viande.

— Fais gaffe !

— C'est pas comme si ça allait lui faire mal !

Gabriel Wells distingue son dos nu et repère de nouveaux éléments qui le troublent.

– *Eh! Regardez par là, on dirait des taches suspectes! Il faut faire une autopsie!* crie l'écrivain, qui plane au-dessus de la scène.

Mais les vivants ne peuvent pas l'entendre, et les infirmiers sont déjà en train d'envelopper son corps dans une housse, bientôt enfermée dans une armoire réfrigérée.

Mentalement, il dresse une liste :

Indice numéro 1 : pétéchies violettes sur les paumes de main.

Indice numéro 2 : larges taches rondes violacées dans le dos.

Gabriel rejoint Lucy qui est dans la salle d'attente et patiente les yeux fermés.

– *C'est pas le moment de dormir, mademoiselle, ça y est, je suis complètement mort et j'ai vu dans mon dos des traces typiques d'un empoisonnement. Il faut vite faire une autopsie!*

Lucy rouvre lentement les yeux.

– Ne me dérangez jamais quand vous voyez que j'ai les yeux fermés.

– *Mais…*

– Il n'y a pas de « mais ». Vous ne saviez même pas ce que je faisais.

– *Une sieste ?*

– Non, je « déparasitais ». Je vous expliquerai plus tard. Bon, qu'est-ce que vous disiez ?

– *Je veux une autopsie. Les pétéchies violettes que j'avais déjà repérées sur mes paumes, plus les grosses taches que j'ai vues sur mon dos, tout ça ce sont des indices évidents d'empoisonnement. Il faut à tout prix effectuer une autopsie pour le vérifier. Lucy, je vous en prie, exigez ça pour moi !*

La jeune femme soupire, puis se lève pour aller faire la queue devant un guichet surmonté de l'inscription « Réclamations/

Contentieux ». Après une longue attente, une grosse dame lui répond :

— Seul un membre de la famille peut faire une telle demande. Vous êtes de la famille ?

— Non, je suis juste une… amie.

— Dans ce cas…

— *Voilà justement mon frère !* s'exclame alors l'écrivain.

En effet, un homme nerveux, vêtu d'un pardessus chic, entre d'un pas pressé et demande à voir Gabriel Wells.

— Mais c'est votre jumeau ! Pourquoi ne m'avez-vous pas dit que vous en aviez un ? chuchote Lucy.

Elle l'observe de plus près et reconnaît le visage rond des quatrièmes de couverture des romans de Gabriel, le nez terminé par une petite boule, les lèvres fines, les cheveux bruns coupés court.

— *En effet, Thomas et moi sommes jumeaux,* confirme Gabriel. *On est absolument pareils physiquement, mais opposés psychologiquement.*

Le frère de l'écrivain apprend par une femme de l'accueil où il doit se rendre. Lucy veut l'intercepter, mais Gabriel la retient.

— *Attendez ! Il faut d'abord que Thomas surmonte le choc de ma mort, ensuite ce sera plus facile de le convaincre.*

Il suit son frère qui court de service en service avant d'arriver à la morgue. Le tiroir contenant le cadavre de Gabriel coulisse dans un feulement.

Thomas Wells se penche et enlace le corps de son défunt frère jumeau. Il reste longtemps dans cette fusion intime, puis il se relève.

— C'est bien lui, dit-il enfin.

Le médecin légiste demande à Thomas de remplir et signer un formulaire d'identification. Ce dernier essuie une larme et s'exécute. Une fois qu'il a quitté l'hôpital, il sort son téléphone pour appeler ses parents depuis le parking et leur annoncer la nouvelle.

Lucy s'avance pour se placer face à lui.

— Thomas Wells ?

Il ne lui accorde pas la moindre attention, et se contente de murmurer :

— Ce n'est vraiment pas le moment.

— J'ai quelque chose de très important à vous dire à propos de votre frère.

— Qui êtes-vous et que me voulez-vous ?

— Il faut demander que le corps de votre frère soit autopsié.

Intrigué, il la regarde pour la première fois.

— Vous ne m'avez pas dit qui vous êtes, mademoiselle...

— Une amie très proche.

— Sa dernière maîtresse en date ? J'aurais dû m'en douter, vous êtes exactement son genre de femme.

— Juste une amie, mais...

— S'il vous plaît, j'aimerais être seul.

— Je suis désolée de vous embêter mais Gabriel m'a, enfin m'avait, dit que s'il mourait, il souhaitait qu'on procède à une autopsie.

— Quelle drôle d'idée. Et pourquoi donc ?

— *Dites-lui que j'avais de bonnes raisons de croire qu'on allait m'assassiner*, suggère Gabriel.

— Euh... Il pensait qu'on cherchait à l'assassiner.

— *Dites-lui que j'avais reçu des lettres de menaces.*

— Il avait reçu des lettres de menaces... Il savait que quelqu'un voulait l'éliminer, improvise-t-elle.

— Je sais qui est ce « quelqu'un », répond Thomas.

— Ah oui ? Qui donc ?

— Son cœur.

– Pardon ?

– Gabriel avait un grave problème cardiaque : une coronaire bouchée à 75 % par un athérome de cholestérol. Je le sais, car il m'a montré une radio. Il aurait dû faire un pontage, mais il a eu peur de cette opération à cœur ouvert, alors il a préféré écouter ce bon docteur Langman, qui, à mon humble avis, est toujours un peu trop optimiste. Langman lui a dit de faire 45 minutes de sport tous les jours, alors Gabriel s'est mis au sport. Il lui a dit de prendre 0,75 milligramme d'aspirine tous les jours, alors il a pris de l'aspirine. Et voilà le résultat. Ce n'était que du bricolage. Il aurait dû se faire opérer et prendre des médicaments contre le cholestérol. Aux grands maux les grands remèdes. Mais non… Mon cher frère a préféré suivre les conseils de son ami. Cette confiance aveugle lui a coûté cher. Je l'avais pourtant averti. Donc pas de crime, pas de menace, pas d'ennemi caché, seulement un accident cardiovasculaire comme il en arrive à tant de gens.

– *Je vous en prie, insistez, Lucy !* continue Gabriel. *Dites n'importe quoi ! Il faut le convaincre de demander une autopsie.*

– Il avait reçu des menaces de mort très précises. Vous ne devriez pas prendre cela à la légère.

– Je suis désolé de vous l'apprendre, mais Gabriel avait un sérieux problème de paranoïa. Comme beaucoup d'auteurs de polars, d'ailleurs. Alors il imaginait des crimes, des complots, des assassinats, bref, tout ce qui lui servait de matière première pour son travail – simple déformation professionnelle. Le problème, c'est qu'il finissait par croire réellement à ses délires. C'était la grande différence entre nous. Il vivait dans le rêve, moi dans la réalité. Et la réalité, c'est qu'il avait une coronaire bouchée, ce qui a entraîné un infarctus durant son sommeil. Et une fois qu'on est mort, on termine dévoré par les vers (quoique, de nos jours, on soit enfermé dans un cercueil hermétique. Il paraît qu'on ne pourrit même plus, parce qu'il y a trop de conservateurs, d'antibiotiques et de traces de métaux dans la nourriture moderne). Vous voyez, la vérité est toujours décevante. Mais maintenant que j'y pense, je crois que ce serait quand même plus hygiénique de l'incinérer.

— *Non!* crie Gabriel. *Ne le laissez pas m'incinérer, cela rendrait toute autopsie impossible! Il faut le convaincre à tout prix.*

Lucy prend une profonde inspiration et finit par lâcher :

— Je suis sa médium.

Thomas Wells est visiblement surpris. Il la fixe longuement en se demandant s'il s'agit d'une blague et, dans le doute, étouffe une envie de rire.

— Je ne suis pas comme mon frère, réplique-t-il finalement, je suis un vrai scientifique, moi. Je ne crois pas à toutes ces foutaises.

Gabriel fulmine.

— *Qui m'a fichu un frère aussi prétentieux? Il est hors de question qu'il me transforme en tas de cendres alors que mon corps est une mine d'indices!*

— Je suis médium et Gabriel me parle. Il me signale, enfin son esprit me signale, qu'il ne veut surtout pas être incinéré.

Thomas soulève son sourcil droit :

— Vous prétendez qu'il est là maintenant avec nous?

Elle hoche la tête lentement.

— Et il vous demande de me parler, c'est bien ça?

— Exactement.

— C'est absurde.

— C'est pourtant la vérité.

— C'est « votre » vérité. Mais on ne me la fait pas. Les gens de votre espèce ne font que profiter de la naïveté des autres.

Vous ne vous rendez pas compte du mal que vous faites en répandant vos mensonges.

– Ce ne sont pas des…, s'offusque Lucy.

– Je suis non seulement très cartésien, mais aussi, comme mon saint patron, je ne crois que ce que je vois. Déjà, enfant, je ne croyais pas au Père Noël, au Père Fouettard, à la petite souris et tout le tralala.

– Vous devez m'écouter car…

– Je ne crois pas aux fantômes, à Dieu, au diable, aux anges. Je ne crois pas au paradis, ou à l'enfer, à la vie après la mort, à la réincarnation. Je ne crois ni aux extraterrestres, ni aux fées, ni aux lutins, ni aux gnomes, ni aux horoscopes, ni aux tarots, ni aux astrologues, ni aux homéopathes, ni aux énergéticiens, ni aux cartomanciens, même pas aux graphologues ni aux psychanalystes, alors les médiums qui parlent aux morts, autant vous dire que ça me fait doucement ricaner…

– Vous…

– Je suis un scientifique. Je crois à l'expérimentation, qui est source de suffisamment d'émerveillements. Ce monde est simplement ce qu'il a l'air d'être : un monde gouverné par des lois physiques et biologiques incontestables. Il n'y a rien de surnaturel ici-bas. Juste des gens superstitieux par ignorance, qui ont besoin d'imaginer des choses et de croire dans leurs propres délires pour se rassurer, car ils ont peur de la mort. Pourtant les faits sont là. Vérifiables. Indéniables. Connus. Ces faits, les voici : on naît, on grandit, on meurt, on pourrit, on se transforme en poussière et puis, un jour, tout le monde finit par vous oublier. Et c'est très bien comme ça. On n'encombre pas la planète de sa présence. Le seul domaine magique qui nous reste, et c'est déjà bien assez, c'est le rêve : il suffit de fermer les yeux, et en plus ça ne coûte rien.

46

Lucy ouvre la bouche mais, devant le visage buté et narquois de son interlocuteur, elle ne trouve rien à rétorquer.

– Alors écoutez, ma petite demoiselle, vous êtes ravissante, vraiment ravissante… Vous avez la chance de gagner votre vie avec un métier pas trop fatigant qui rapporte beaucoup en exploitant la crédulité des imbéciles, mais respectez ce moment difficile pour moi qu'est la mort de mon frère jumeau.

Tellement de mots se bousculent dans la tête de Lucy que tous restent bloqués dans sa gorge. Alors elle renonce et se contente de soupirer. Puis, tournant le dos à Thomas, elle s'éloigne d'un pas résolu. Gabriel se précipite à sa suite.

– *Je vous en prie, mademoiselle Filipini, n'abandonnez pas si vite. Faites quelque chose. Il ne faut pas que je sois incinéré, il faut qu'on m'autopsie!*

Elle ne répond pas.

– *Mon frère est un crétin imbu de lui-même.*

Elle marche plus vite.

– *Ne me laissez pas tomber. Je vous en supplie. C'est la première fois que je meurs et je ne sais pas quoi faire!*

– Il faut que j'aille nourrir mes chats.

Elle a déjà rejoint sa voiture, démarre et se dirige vers la sortie du parking de l'hôpital.

– *Ayez pitié d'un mort complètement paumé qui veut savoir pourquoi il est décédé!*

Elle affiche un air buté.

– Arrêtez de faire votre victime.

– *De faire ma victime? Mais j'ai été assassiné! C'est normal que je veuille en savoir plus!*

– Nous avons tous nos petits problèmes personnels, ce n'est pas une raison pour enquiquiner les autres avec. Vous imaginez, si tous les gens qui se font assassiner voulaient savoir comment

47

ils ont été tués ? Vous voulez que je vous dise ? C'est de la curiosité malsaine.

Elle klaxonne pour inciter une voiture à dégager de son chemin. Comme Gabriel Wells sent bien qu'elle est agacée, il n'ose plus lui adresser la parole. Pourtant, il veut à tout prix avoir la réponse à cette question par laquelle il hésitait à ouvrir son roman et qui hante désormais son esprit :

Pourquoi suis-je mort ?

10.

Gabriel Wells découvre la demeure de la jeune médium, située à quelques centaines de mètres à peine de la sienne. C'est un hôtel particulier qui ressemble à une maison de poupée. Une grille en fer forgé arbore des motifs de fées et ouvre sur un jardin avec un potager et des arbres fruitiers. La façade de briques de la maison est recouverte de lierre, et une haute cheminée qui fume s'élève au sommet du toit.

À l'intérieur, une dizaine de chats circulent de manière gracieuse. L'un d'eux s'approche de l'écrivain. Ses oreilles dressées et pointues frétillent.

– *Il me voit ?* s'étonne Gabriel.

– Miaou, fait le félin en guise de réponse.

Au-dessus de la cheminée est posée la photo encadrée d'un couple sur un fond de coucher de soleil. Il s'agit de Lucy en bikini et d'un homme bronzé, arborant des biceps et des abdominaux impeccables. Il l'enlace affectueusement.

D'autres photos de ce même couple sont exposées. Ils posent dans des décors paradisiaques près de plages de sable blanc, de forêts de cocotiers ou de bambous. Ils sont souvent en train de s'embrasser ou s'échangent des regards tendres.

Lucy remplit les gamelles des chats, qui accourent la queue dressée comme une antenne. Certains se frottent affectueusement contre ses mollets. Gabriel remarque dans un coin du salon des appareils de musculation, surmontés d'une énorme inscription :

« IL FAUT FAIRE DU BIEN À SON CORPS
POUR QUE SON ÂME AIT ENVIE D'Y RESTER. »

Lucy s'installe en tailleur sur un coussin rond et ferme les yeux. Un canal de lumière s'ouvre au-dessus de sa tête.

Gabriel distingue des âmes errantes qui tournoient au plafond. Ces dernières pénètrent dans son corps au niveau de ses reins, remontent par sa colonne vertébrale jusqu'au sommet de son crâne, puis sont aspirées dans ce rayon lumineux comme s'il s'agissait d'un ascenseur.

Lorsque toutes les entités aux alentours ont disparu, Lucy rouvre les yeux, inspire et expire plusieurs fois, et secoue les mains, comme pour se débarrasser de gouttes d'eau.

– *Maintenant, je peux vous demander ce que c'était que cet étrange rituel ?* lâche-t-il prudemment.

– Dans l'hôpital, il y avait évidemment beaucoup d'âmes errantes. Dès qu'elles m'ont repérée, elles ont voulu que je les aide à « monter ».

– *Comment vous faites ça ?*

– Je reçois des propositions de ma Hiérarchie.

– *Votre Hiérarchie ?*

– Disons que ce sont des âmes élevées qui vivent au-dessus des âmes errantes mais qui restent ici-bas pour gérer au mieux ce qui se passe sur Terre.

Après s'être lavé les mains et rafraîchi le visage dans la salle de bains, la jeune médium, tout en caressant un de ses chats, consent à lui expliquer :

– Vous êtes au premier niveau, appelé « Bas Astral ». Au-dessus, il y a le « Moyen Astral », et encore au-dessus le « Haut Astral ». Ma Hiérarchie me signale les fœtus disponibles pour les âmes errantes qui se sentent prêtes à se réincarner. En général, elle me propose de « bonnes affaires ». Beaucoup le savent, c'est pour ça que dès qu'elles sentent ma présence elles viennent vers moi. Cependant, il y a aussi des âmes errantes récalcitrantes. La Hiérarchie me demande de les convaincre. Parfois je réussis, parfois j'échoue. Il m'est souvent arrivé d'accompagner une âme errante au bord du tunnel de lumière qui mène à la réincarnation et qu'au dernier moment celle-ci refuse de continuer et fasse demi-tour.

Elle hausse les épaules et poursuit :

– C'est la règle absolue : l'esprit garde son libre arbitre. Il faut donc réussir à le convaincre, et c'est pourquoi la Hiérarchie a besoin de moi sur le terrain pour négocier avec diplomatie auprès des hésitants.

Lucy va dans sa cuisine rustique en bois et sort tout un attirail de pilules, de poudres et de sirops.

– *C'est quoi tout ça ?*

– Vitamines, oligo-éléments, huiles essentielles, homéopathie.

– *En fait vous êtes… hypocondriaque. C'est pour ça que je vous ai rencontrée chez le médecin !*

– Je suis consciente du privilège d'être vivante et je me débrouille pour que cela dure le plus longtemps possible. Si vous considérez que c'est être hypocondriaque, grand bien vous fasse. Mais on a bien vu où votre désinvolture au sujet de votre santé vous a mené…

Là-dessus Lucy entreprend de se préparer une salade composée. Elle renifle plusieurs légumes avant de les laver, les éplucher, et les disposer avec ordre sur une assiette. Elle ajoute des germes de luzerne, saupoudre des graines de sésame et assaisonne le tout d'un trait d'huile de noisette.

– Je sais que vous ne sentez rien, que vous n'avez plus de goût ni même besoin de vous nourrir, mais moi si. Et puis ma présence dans des lieux aussi « chargés » m'oblige à déparasiter, ce qui me donne toujours faim.

Elle déguste ses légumes avec un plaisir évident, les faisant croquer sous ses molaires.

Gabriel Wells, placé en lévitation au-dessus d'elle, regarde la jeune femme mâcher, avaler, déglutir. Tout cela lui semble appartenir à une époque révolue, ce qui le rend nostalgique.

Il attend qu'elle ait fini de manger pour poursuivre la conversation :

– *Pouvons-nous reprendre votre enseignement sur le monde du Bas, du Moyen et du Haut Astral ?*

La sonnette retentit alors et interrompt brutalement leur échange.

– Tiens ? Il est en avance, s'étonne Lucy.

– *Qui ? Vous attendez quelqu'un ?*

– Votre travail quotidien c'est d'écrire des histoires, le mien c'est d'en entendre. Désolée, même si j'aime bien vos livres, je ne peux quand même pas vous consacrer tout mon temps. Je vais devoir vous laisser, mon premier client de la journée vient d'arriver. Je sais que je ne peux pas vous mettre dehors, alors je vous demanderai juste, si vous voulez assister à la consultation, de respecter mon travail et surtout de ne pas intervenir. Nous sommes bien d'accord ?

Gabriel tournoie autour d'elle :

– *En fait, je ne connais pas du tout votre métier. Cela*

51

m'intéresse énormément de le découvrir. Votre art s'inscrit-il d'une certaine façon dans la prolongation des sœurs Fox ?

11. ENCYCLOPÉDIE : LES SŒURS FOX

Les trois filles du pasteur Fox sont à l'origine du mouvement spirite moderne.

Elles découvrirent leur vocation en mars 1848, à Hydesville, dans l'État de New York, lorsque les deux cadettes, Kate et Margaret, âgées respectivement de 12 et 15 ans, prétendirent entendre des coups dans la cave de leur maison déjà réputée hantée.

Elles expliquèrent qu'elles arrivaient à communiquer avec un mort qu'elles baptisèrent Splitfoot (« Pied fourchu »), qui s'exprimait en répondant par oui ou par non lorsque les jeunes filles désignaient des lettres de l'alphabet inscrites sur une feuille. L'âme errante prétendait se nommer Charles B. Rosma, et affirmait être un colporteur qu'on avait assassiné cinq ans plus tôt. Son cadavre, expliquait-il, avait été dissimulé par son agresseur dans la cave de la maison où vivait la famille Fox.

On raconte que lorsque les sœurs Fox parvinrent à convaincre des adultes de fouiller la cave, ceux-ci trouvèrent des cheveux et des fragments d'os qui, après expertise, se révélèrent humains. L'affaire aurait fait grand bruit et rendu les sœurs Fox célèbres.

L'aînée, Leah, organisa une tournée aux États-Unis devant des foules de plus en plus nombreuses. Plusieurs personnalités de l'époque commencèrent à relayer leurs croyances. Des centaines, puis des milliers de fans des sœurs Fox prétendirent arriver eux aussi à parler avec les morts. Ce fut l'époque de la grande mode des tables tournantes et du Ouija, cette planchette équipée d'un alphabet qui permet à l'esprit du mort d'épeler ses réponses. Et en 1852, on comptait 3 millions d'adeptes officiels de la cause spirite rien qu'aux États-Unis.

Comme une traînée de poudre, le phénomène s'étendit à l'Angleterre (relayé par Conan Doyle, le créateur de Sherlock Holmes), la France (avec le soutien de Victor Hugo et Alan Kardec, fondateur du spiritisme), la Russie (grâce à Raspoutine) et l'Amérique du Sud.

Les trois sœurs Fox étaient payées des fortunes pour chacune de leurs prestations. En 1852, Kate épousa en Angleterre un riche avocat qui réussit à la convaincre de se faire examiner par un expert anglais dont la spécialité était de mettre au jour les supercheries dans le domaine paranormal : William Crookes. Ce dernier, après avoir assisté à une séance, reconnut qu'il n'y avait pas la moindre possibilité de tricherie.

À la même époque, Margaret se maria à un explorateur qui, cinq ans plus tard, mourut lors de l'un de ses voyages et laissa sa veuve inconsolable. Celle-ci noya son chagrin dans l'alcool.

Quelques mois plus tard, le mari de Kate mourut à son tour, ce qui valut à sa veuve de sombrer elle aussi dans l'alcoolisme.

Les deux cadettes, devenues de vraies ivrognes, se disputèrent avec leur sœur aînée Leah qui gérait le mouvement spirite devenu à ce stade international. Afin de lui nuire, Kate et Margaret décidèrent de remonter sur scène à New York pour révéler la vérité : les claquements signifiant oui ou non, et censés émaner des esprits, étaient en réalité produits par les deux sœurs qui faisaient claquer leurs orteils dans leurs chaussures. Pour appuyer leurs dires, elles firent une démonstration devant un médecin et expliquèrent que Leah les avait forcées à s'exhiber en public dans le seul but de s'enrichir.

Les rationalistes jubilaient, mais le mouvement spirite avait pris trop d'ampleur pour que cet incident suffise à arrêter son essor, ses adeptes allant même jusqu'à avancer que ces aveux avaient été extorqués sous la menace. Kate et Margaret sombrèrent encore plus dans l'alcoolisme et la misère. Margaret tenta néanmoins de relancer sa carrière et remonta sur scène, se récusant à nouveau et affirmant qu'elle possédait de vrais pouvoirs. Mais le regain d'intérêt qu'elle suscita s'émoussa vite, et elle mourut dans le dénuement le plus total en 1893, à l'âge de 55 ans, quelques mois à peine après sa sœur Kate.

En 1904, onze ans après leur décès, des enfants qui jouaient dans la cave de la maison de Hydesville trouvèrent un squelette humain derrière un mur. L'histoire fit grand bruit et permit au mouvement spirite de connaître un nouveau souffle dans le monde.

Edmond Wells,
Encyclopédie du Savoir Relatif et Absolu, tome XII.

12.

Le premier client de Lucy est un homme distingué, vêtu d'un costume trois pièces impeccable. Il est accompagné d'un immense chien, un lévrier afghan. Les deux arrivants ont la même pilosité beige filasse, les même jambes fines et longues, les mêmes yeux brillants, la même dégaine. L'homme porte des chevalières à chaque doigt.

Il se laisse tomber dans un fauteuil comme s'il était épuisé.

– Je m'appelle William Clark. Je suis anglais, et j'ai acheté le château de Mérignac. Or celui-ci est hanté par un fantôme. Je perçois sa présence hostile en ma demeure. Surtout la nuit. Cela perturbe régulièrement mon sommeil, et à chaque fois je réveille ma femme. Notre couple commence à en être affecté. Même mon chien devient nerveux.

L'animal bâille.

– Vous êtes notre dernier recours.

Le client a énoncé l'objet de sa requête sur le même ton que s'il avait cherché à se débarrasser de rats ou de termites. Il précise :

– J'ai déjà fait appel au prêtre exorciste de l'évêché, mais cela n'a pas suffi. On m'a dit que vous étiez la meilleure dans ce genre de situation. Des amis m'ont raconté comment ils avaient bénéficié de vos services et la satisfaction qu'ils en avaient tirée. Il paraît que vous êtes la seule à savoir vraiment parler aux morts. Je vous en supplie, débarrassez-moi de cet importun.

Lucy hoche la tête et ferme les yeux. Elle utilise différents relais pour convoquer l'entité. Enfin apparaît un ectoplasme maigrichon aux allures un peu efféminées, vêtu d'un costume raffiné.

– C'est vous le fantôme du château ? lui demande Lucy.

– *Baron de Mérignac, dix-septième du nom. Je suis l'heureux propriétaire du château*, répond-il sur un ton sec.

– Le nouveau propriétaire veut que vous partiez. Il dit qu'il est chez lui sur ces terres.

– *Quelle affirmation éhontée ! Cela fait au moins huit cents ans et dix-sept générations que ma famille habite ce château, qui se transmet de père en fils. C'est un pur hasard si le dernier rejeton, un bâtard qui plus est, s'est mis à jouer au poker et à dilapider le patrimoine dont il avait hérité. Il est hors de question qu'un étranger, qui n'appartient même pas à notre famille par alliance, me vole mon château. Dites-lui que c'est moi qui souhaite qu'il déguerpisse au plus tôt, et que sinon il va lui arriver des malheurs.*

Gabriel remarque que Lucy a un tressaillement de la paupière gauche, tic qui semble signifier : « Je sens que ça ne va pas être une mince affaire. » Elle toussote dans sa main et lève les yeux vers son client :

– Bon... Monsieur Clark, comme vous me l'avez demandé, j'ai convoqué le fantôme qui hante vos terres. Il a accepté de me parler, et donc de vous parler. Il tient à rappeler qu'il est le baron de Mérignac et qu'il est chez lui dans ce château, puisqu'il appartient à sa famille depuis sept générations.

– *Pas sept, mademoiselle, mais dix-sept. Vous pourriez faire un peu plus attention !*

– Euh oui, pardon, dix-sept générations. Donc *a priori* il ne souhaite pas partir. Il semble en revanche désirer ardemment que ce soit vous qui quittiez les lieux.

– J'ai acheté ce château avec l'argent que j'ai gagné pendant des années de dur labeur dans la finance. J'ai tous les actes notariés. Il m'appartient de droit.

L'aristocrate translucide qui plane au-dessus de la scène hausse les épaules.

– *Ce ne sont que de fines feuilles de papier recouvertes de taches d'encre. Moi je vous parle de blasons aux armes de la famille, d'Histoire, de drames ; vous n'avez aucune idée de tout ce qui s'est réellement passé dans ce château. Mon arrière-grand-mère est morte en* couches sur le lit que cet imbécile veut transformer en bar à whisky. Mon grand-père a combattu les Allemands au fusil depuis la fenêtre du premier étage que ce nouveau propriétaire veut cimenter. Et je ne vous parle même pas du chêne centenaire qu'il veut scier pour construire une piscine à la place! Cet homme est non seulement un voleur, mais un barbare qui n'a aucun respect pour le patrimoine de notre pays. Il est hors de question que je lui abandonne notre domaine. En plus, c'est un Anglais. Il mange du bœuf bouilli avec de la sauce à la menthe. Cela ne m'étonnerait pas que ce soit un descendant des charognes qui ont lâchement tiré leurs flèches sur les chevaliers français, dont mon plus lointain ancêtre faisait partie, durant la bataille d'Azincourt.

— Alors, il a compris qu'il doit me laisser tranquille? insiste le client.

Lucy se penche et murmure, comme pour éviter d'être entendue par l'esprit de l'aristocrate :

— Le baron de Mérignac a répondu en gros que ce n'est pas parce que vous avez donné de l'argent à une agence que vous avez la moindre légitimité à occuper ce lieu.

— Mais c'est chez moi! clame le vivant.

— *Non, c'est chez moi.*

— Ce fantôme doit partir!

— *Alors là il peut toujours se brosser! Jamais au grand jamais je ne partirai!*

— Il dit qu'il ne le souhaite pas pour l'instant…, commente laconiquement Lucy.

Les chats encerclent le chien de l'Anglais. Ils ne cherchent pas à lui faire peur, simplement lui signaler leur présence en nombre. Le lévrier bâille d'une gueule aussi large que profonde afin d'exprimer le désintérêt que lui évoquent ces concurrents dérisoires qu'il pourrait balayer d'un coup de patte.

Lucy cherche ses mots, croisant et décroisant les doigts.

– À mon avis vous devriez négocier, monsieur Clark. Et d'abord, arrêtez de dire « le fantôme ». Les âmes errantes n'apprécient pas. Appelez-le « baron » ou « monsieur le baron ». Peut-être pourriez-vous vous partager le château ? Lui laisser une partie dans laquelle il a ses habitudes et garder le reste ? Je veux bien jouer les intermédiaires concernant ses directives pour les travaux du jardin, notamment une histoire d'abattage d'arbre centenaire qui a l'air de l'énerver.

– Il est hors de question que je négocie quoi que ce soit avec ce nuage de vapeurs toxiques. J'ai déjà négocié avec l'agence immobilière qui m'a vendu ce château trop cher. J'ai mis toutes mes économies dedans et je ne veux pas renoncer à une partie de ce bien pour la laisser à ce nuisible qui n'est même pas palpable !

Lucy étire sa bouche en une grimace contrite et se penche encore un peu plus en avant.

– Je vous en conjure, si vous ne voulez pas que la situation s'envenime, ne l'insultez pas.

– *Il m'a traité de quoi, le rosbif ? De nuage de vapeurs ? De nuisible !? Il s'est vu, ce tas de viande avariée ?*

Gabriel constate avec surprise qu'il existe un racisme anti-morts et aussi anti-vivants, mais il préfère rester en dehors de tout ça.

– Comprenez, monsieur Clark, que la revendication du baron de Mérignac, qui rappelle qu'il est là-bas chez lui, doit aussi être prise en compte.

– Mais il n'a aucun droit face à la justice ! Ce n'est rien d'autre qu'un squatteur !

– Vous voulez lui intenter un procès ? Le faire expulser par un huissier ou par la police ? demande Lucy, narquoise.

– Par vous. C'est vous ma police anti-fantômes. Il faut que vous nettoyiez mon château de ce gêneur.

– Mesurez vos propos, il vous entend. Comment vous faire comprendre... Les conquistadors espagnols, quand ils ont débarqué en Amérique en 1492, avaient eux aussi des papiers officiels leur donnant la propriété des terres où ils accostaient... Mais les Indiens étaient quand même là depuis plusieurs siècles.

– Je ne vois vraiment pas le rapport !

– Pour les conquistadors aussi il fallait nettoyer le pays des sauvages qui le hantaient. N'empêche que, du point de vue des Indiens, ils étaient des étrangers qui arrivaient pour les envahir et leur voler la terre sur laquelle ils étaient nés et où avaient toujours vécu leurs ancêtres. C'est juste une question de point de vue.

William Clark se renfrogne.

– J'y suis, j'y reste. Et puisque vous n'êtes pas capable de m'aider à faire partir ce fantôme, je vais allez consulter un médium un peu plus professionnel. J'ai d'autres noms, des gens moins réputés, certes, mais probablement plus efficaces.

– Vraiment, monsieur Clark, je ne saurais trop vous conseiller de choisir la diplomatie plutôt que l'acharnement, qui n'aboutira à rien. D'ailleurs, je ne suis pas sûre que vous soyez en mesure de gagner à ce petit jeu. Ce fantôme est vraiment chez lui, après tout. Il est sur son territoire, il connaît le terrain.

L'Anglais se lève, outré.

– Vous êtes de son côté, c'est ça ?

– Non, j'essaie de trouver la meilleure solution pour tout le monde.

– C'est un comble ! Je préfère ne pas perdre une seconde de plus ici !

L'homme se lève et le chien, surpris, se lève avec lui, le museau tourné vers la sortie.

— Vous me devez quand même 150 euros pour cette séance, lui indique Lucy.

— Je suis très déçu ! Et croyez bien que vous n'avez pas fini d'entendre parler de moi.

William Clark sort les billets et les jette par terre avec dédain.

Lucy s'adresse à l'âme errante.

— Je suis désolée, j'ai fait tout ce que j'ai pu.

— *Désormais, je n'aurai plus le moindre scrupule à faire en sorte qu'il déguerpisse. Il y a vraiment des gens à qui on a envie de donner tout ce qu'ils n'ont pas eu dans leur enfance.*

— Je ne comprends pas, à quoi faites-vous référence ?

— *À des claques, par exemple.*

— Ne soyez pas trop cruel, dit-elle. Ce n'est qu'un homme à l'esprit obtus.

— *Je vais me contenter de le mettre face à ses propres contradictions.*

Alors qu'elle s'apprête à repartir, l'âme errante du baron remarque l'âme errante de l'écrivain.

— *Touriste ?* demande-t-il.

— *Heu... oui, en quelque sorte. Je suis décédé ce matin.*

— *Vraiment ? Alors préparez-vous à beaucoup de surprises.*

— *Je dois avouer que pour l'instant, je ne m'ennuie pas.*

— *Et pourquoi êtes-vous là ?*

— *Je veux savoir qui m'a tué.*

Le baron lâche avec une moue ironique :

— *Ça c'est bien une préoccupation de « nouveau-mort »...*

Il fait une révérence puis, d'un geste désignant la médium, laisse entendre à Gabriel qu'il est entre de bonnes mains.

13.

Lucy enlève ses chaussures et s'effondre dans un fauteuil. Son portable se met à sonner mais elle ne décroche pas. Tandis que ses chats l'encerclent pour lui lécher les mains, Gabriel s'approche d'elle en tournoyant.

— *Vous devez m'aider, mademoiselle Filipini.*

— Vous n'allez pas me reprocher vous aussi de pas être assez « professionnelle », j'espère.

— *Vous devez agir dans le monde matériel parce que vous seule en êtes capable.*

— Comment ?

— *En enquêtant sur mon meurtre.*

— Je ne suis pas enquêtrice.

— *Je ne peux rien faire sans vous. Je suis comme un poisson-pilote sans requin.*

Elle regarde négligemment son téléphone, qui s'est remis à sonner, pour voir l'origine de l'appel et le repose.

— Finalement, vous vous comportez plutôt bien pour un nouveau-décédé. La plupart des gens s'apitoient sur leur sort et perdent d'un coup leur sens de l'humour. Vous, il vous en reste encore un peu.

Tandis qu'il cherche comment l'amadouer, il se souvient de la phrase qu'elle a prononcée : « Chacun est prisonnier de l'histoire qu'il se raconte sur lui-même. » Il comprend qu'il n'a fait preuve d'aucune compassion à son égard. Depuis le début, il l'utilise, mais il ne s'intéresse pas à elle. Exactement comme tous les clients qui viennent la voir et considèrent égoïstement que leur problème est le plus grave du monde.

— *Racontez-moi votre histoire, mademoiselle Filipini.*

– Tiens, vous vous intéressez soudain à autre chose qu'à votre nombril ?

– *Simple curiosité d'un esprit dont le parcours est terminé pour une personne dont le parcours commence à peine...*

Lucy se rend dans sa chambre, d'où elle rapporte une poupée géante en tissu représentant un clown hilare. Elle la pose en position assise sur le fauteuil.

– Je vais utiliser cette poupée pour savoir où diriger mon regard, et vous, vous n'aurez qu'à placer vos yeux dans les siens pour capter mon regard. Cela rendra notre dialogue plus confortable, pour vous comme pour moi.

La jeune femme fixe alors le clown figé dans son rictus et Gabriel, enfin, a l'impression qu'elle le regarde quand elle lui parle.

– Vous voulez vraiment connaître mon histoire ?

Elle s'enveloppe dans un châle, laisse venir les chats à ses pieds et, tranquillement, commence le récit de sa vie.

14.

« Je suis née en Savoie. Mon père tenait un abattoir de volailles. Ma mère l'aidait à faire sa comptabilité, préparait les repas et tenait la maison. J'étais enfant unique.

À partir de l'âge de 8 ans, j'ai commencé à avoir des migraines à répétition. Je me recroquevillais sur moi-même, je devais rester immobile, enfermée dans l'obscurité, parfois deux jours de suite. Le moindre bruit, la moindre lueur me faisaient sursauter et provoquaient chez moi un terrible mal de crâne. J'entrais dans des phases d'hypersensibilité insupportables.

On m'a emmenée voir tous les médecins des alentours, j'ai

testé tous les médicaments possibles et imaginables, mais il n'y avait aucun remède connu efficace, et mes absences répétées à l'école m'ont fait prendre du retard dans mes études. J'étais toujours la dernière de la classe et, dans le village, j'étais vue comme une sorte d'infirme, sans que les gens sachent vraiment quel était mon problème. On me parlait comme à une handicapée mentale.

Un jour, j'ai dit à mon père que je voulais quitter ce village où personne ne m'appréciait. Il m'a alors raconté l'histoire de la chèvre de M. Seguin. Je m'en souviens encore : "Blanquette disait qu'elle s'ennuyait et en avait assez de la ferme. Alors un soir elle s'échappa pour rejoindre la montagne, où elle rencontra un jeune chamois. Ils s'amusèrent pendant plusieurs heures. La nuit tomba et M. Seguin l'appela avec sa trompe, mais elle ne voulait pas se retrouver à nouveau dans l'espace exigu de son enclos, alors elle resta dans la montagne et fut attaquée par un loup. Elle se battit vaillamment toute la nuit et, au matin, épuisée, elle se laissa dévorer." Mon père a conclu son récit en me disant de ne pas m'en faire pour mon avenir, que je pourrais reprendre la direction de l'entreprise familiale.

Cette fable m'a beaucoup marquée, mais je détestais l'abattoir à volailles, dont l'odeur ignoble imprégnait les vêtements et les cheveux. Alors je suis passée outre ma peur du loup, et dès que j'ai été majeure, je suis partie pour Paris. J'ai trouvé un premier emploi comme serveuse dans un petit restaurant végétarien et une chambre de bonne sous les toits près de la gare de l'Est, au septième étage sans ascenseur avec les toilettes sur le palier.

Le travail était épuisant, mais les clients, généralement des habitués, laissaient de bons pourboires. Un jour s'est présenté un très bel homme, distingué et élégamment vêtu, qui semblait un peu timide. Il était seul, et c'était la première fois qu'il venait dans un restaurant végétarien. Je l'ai initié à cette alimentation différente dans le cadre de laquelle on ne consomme pas de "cadavres". Cette expression l'a fait rire, nous avons sympathisé et nous nous sommes revus en dehors de mes heures de service. Il travaillait dans la finance, une activité très lucrative mais qui lui posait parfois des problèmes éthiques car il doutait de la probité de son patron.

Il s'appelait Samy Daoudi. C'est moi qui ai pris l'initiative de lui prendre la main pour la première fois. Ensuite, nous avons échangé notre premier baiser. À l'époque, je n'avais que 18 ans et j'étais encore vierge. Nous nous sommes vus une dizaine de fois avant d'oser dormir ensemble. Et encore une dizaine de fois avant qu'il n'ose me proposer de faire l'amour. Ce fut un instant extraordinaire, j'avais l'impression qu'il réveillait mon corps engourdi en l'éclairant de l'intérieur. Sa timidité m'amusait beaucoup, il demandait constamment : "Cela ne vous dérange pas ?", comme s'il avait tout le temps peur d'importuner les gens.

Ensuite, tout s'est déroulé comme dans un rêve. Samy m'offrait des fleurs chaque fois qu'on se voyait. Il était attentionné, prévenant, poli, respectueux. Il me répétait « Je t'aime » toute la journée. Il m'a présentée à ses quatre sœurs, avec lesquelles il vivait (sa mère et son père étaient décédés). Pour moi qui étais enfant unique, c'était comme si une nouvelle famille m'adoptait, et j'ai trouvé de vraies amies dans les sœurs de Samy. On s'amusait, on faisait la cuisine, on organisait des dimanches pyjama. Nous sommes partis en vacances tous les six, puis tous les deux. J'étais heureuse et très vite nous avons parlé de vivre ensemble chez lui. Il me tardait de quitter ma petite chambre de bonne. Il disait qu'il comptait m'épouser, qu'il voulait que nous ayons trois enfants, et qu'il ferait tout pour que je puisse arrêter de travailler au restaurant. Lui devait courber l'échine face à son terrible patron encore quelque temps, mais il avait pour projet, dès qu'il aurait réuni suffisamment d'argent, de monter sa propre entreprise de conseil en finance.

À ma connaissance, il n'avait qu'une blessure : l'absence de ses parents. Son père les avait abandonnés après sa naissance. Sa mère, Mounia, était morte alors qu'il avait 14 ans, et il ne s'en était jamais vraiment remis. Il me disait qu'il la revoyait toutes les nuits dans ses songes et qu'il espérait un jour arriver à lui parler, car il croyait aux esprits. Il m'assurait aussi que j'étais exactement le genre de femme qu'elle aurait été fière d'avoir pour belle-fille. Il me parlait tout le temps d'elle. Il disait qu'on aime en fonction de l'amour qu'on a eu dans son enfance, que chaque baiser est comme un jeton que l'on reçoit et que l'on peut utiliser, plus grand, pour jouer au poker de l'amour, et que plus on a de jetons, plus on a de chances de gagner. Lui, il avait reçu énormément d'amour de la part de sa mère, et donc il pouvait en donner en retour.

Un soir, Samy est arrivé avec un air particulièrement soucieux ; il parlait vite, m'a expliqué que son entreprise allait subir un contrôle fiscal qui risquait de les ruiner. Son patron lui avait demandé de dissimuler une valise remplie de documents compromettants. Comme il craignait une perquisition chez lui, il m'a demandé de cacher la valise chez moi. Les jours suivants, la tension est montée. Samy était nerveux, il me parlait de son abominable patron qui allait tous les faire plonger. Puis il a dû partir en voyage précipitamment. Je me rappelle encore la date, c'était un vendredi 13 avril. Il m'a juste dit qu'il y aurait une période où nous ne pourrions pas communiquer, mais qu'il me rappellerait dès son retour. En attendant je devais patienter. Et c'est ce que j'ai fait.

Trois jours plus tard, j'ai été réveillée à 8 heures du matin par des coups à ma porte. C'était la police. Ils se sont précipités à l'intérieur et ont commencé à fouiller jusqu'à ce qu'ils trouvent la valise, que j'avais cachée sous le lit. Ils ont forcé les serrures et découvert dedans des sachets de poudre blanche.

J'ai aussitôt été emmenée dans un fourgon et conduite au commissariat.

Toutes les preuves étaient contre moi, et nous vivions une période de forte répression de la drogue à la suite de la mort par overdose d'un célèbre chanteur de rock. J'ai donc écopé de la peine maximale : huit ans ferme.

"Avec votre air de sainte-nitouche, vous êtes encore plus pernicieuse que les autres, et c'est pourquoi votre sanction doit servir d'exemple", a déclaré le juge. À l'annonce du verdict, mes parents se sont effondrés en larmes. Bien sûr, j'avais essayé de nombreuses fois de joindre Samy, mais j'étais toujours tombée sur son répondeur.

C'est là que j'ai eu ma première rechute de migraine, qui m'a valu de passer une soirée à l'hôpital. Une fois sortie de là, j'ai été enfermée à la prison pour femmes de Rennes. Au début, on me traitait avec respect car les autres détenues voyaient bien que j'étais différente. La seule chose qui m'inquiétait, c'était que le soir on entendait des hurlements au loin. Je ne savais pas si c'étaient des cris de rage, de folie ou de douleur, mais cela faisait courir mon imagination. En discutant avec les autres filles, j'ai appris que se trouvaient parmi mes compagnes de détention une cannibale, une femme qui avait congelé ses enfants mort-nés, et une veuve noire qui avait tué huit de ses maris avec de la mort-aux-rats. Je ne savais pas de qui il s'agissait car toutes, lorsqu'on leur demandait les raisons de leur détention, répondaient : "Trafic de drogue." C'était le seul délit considéré comme "honorable". J'ai pour ma part tenté de faire valoir que j'étais innocente, mais on m'a rétorqué que toutes les détenues ici étaient innocentes, car, je cite, "les vraies coupables ne se font jamais attraper".

Plusieurs filles m'ont appris comment gagner de l'argent à l'atelier de jouets (je fabriquais précisément de grandes poupées de clowns comme celle-ci), comment trouver des bouchons d'oreilles pour ne plus entendre les cris la nuit, mais le conseil le plus important restait de faire du sport pour ne pas devenir folle. Ce qui n'empêchait malheureusement pas mes crises de migraine d'être de plus en plus douloureuses...

Comme les autres filles voyaient bien que j'avais de gros problèmes de santé, j'avais droit à des rations supplémentaires à la cantine, tandis que d'autres me prêtaient du shampooing, du maquillage et du vernis, qu'elles faisaient entrer clandestinement en corrompant les gardiennes. Une codétenue m'avait un jour mise en garde en me disant de veiller à ne pas être trop belle, car cela pouvait m'attirer des ennuis. J'ai d'abord cru à une blague, avant de comprendre que c'était un sage avertissement : d'autres filles s'étaient fait défigurer simplement pour avoir mis un peu trop de rouge à lèvres, ce qui avait créé des jalousies.

Toujours est-il que, progressivement, l'ambiance s'est détériorée, et une bande s'en est prise à moi. Elles se faisaient appeler "Les Hyènes" et leur devise était : "Là où il y a de la Hyène, il y a du plaisir".

La chef des Hyènes, qui répondait au nom de Dolorès, était la plus grande, la plus musclée et la plus charismatique. Elle m'a expliqué que son nom signifiait "douleur" en espagnol et que ce n'était peut-être pas un hasard. J'ai été prise comme bouc émissaire par trois de ses comparses qui comptaient me faire passer l'envie de rester indépendante. Je me sentais comme la chèvre de M. Seguin au milieu d'un troupeau de louves. Traquée dans les couloirs, j'ai cherché un sanctuaire et j'en ai trouvé un dans la bibliothèque. Il n'y avait jamais personne là-bas en dehors d'une gardienne. Pour donner le change, j'ai saisi un ouvrage au hasard sur une étagère. C'était *Nous les morts*.

Moi qui ne m'étais jamais intéressée à la littérature et avais accumulé les mauvaises notes en cours de français, j'avais pour la première fois la sensation que lire était une question de survie. Je n'avais plus le choix, et sous le regard méfiant de la surveillante, je me suis mise à lire vraiment.

Alors que pour moi un livre était forcément ennuyeux, j'ai enfin réussi à franchir le cap des lettres, des mots et des phrases, et soudain est apparu dans ma tête un écran de cinéma sur lequel les personnages du roman se mirent à s'animer et à discuter. J'avais l'impression de basculer dans un monde parallèle. J'entendais les voix des personnages, le bruit du vent, les voitures, les coups de feu, l'orage ; je voyais les visages, je sentais les odeurs, bref tout ce qui était décrit dans votre récit. Si bien que, lorsque la surveillante est venue me signaler qu'il était tard et que la bibliothèque fermait, j'ai regardé la pendule et constaté que deux heures venaient de s'écouler. Deux heures de lecture en continu sans même que je m'en aperçoive ! Deux heures où j'ai vécu accrochée à vos personnages comme un naufragé s'agrippe à une planche !

Je ne voulais plus penser à rien d'autre qu'à votre histoire. J'ai donc demandé si je pouvais rapporter le livre dans ma cellule, et la gardienne a accepté, ravie que l'une d'entre nous lise. J'ai terminé la lecture de votre roman le soir même, en sautant le dîner.

J'ai adoré l'idée de départ de *Nous les morts*, cette équipe scientifique qui cherche à fabriquer un "nécrophone", une machine pour communiquer avec les morts. Vos héros repèrent les infrasons émis par les âmes errantes et arrivent à parler avec les morts de la même manière qu'on tente de communiquer avec les dauphins ou les oiseaux. Plus exactement, ils parlent avec les morts de la manière dont, jadis, on voulait parler avec les extra-terrestres.

J'ai appréhendé votre roman comme un récit d'anticipation, avec la certitude que cela allait se réaliser dans les années à venir. En fait, même si vous aviez mis le mot "roman" sur la couverture, il était évident pour moi que vous aviez, sans le savoir, découvert quelque chose de déterminant. Tout cela me semblait en phase avec mes propres intuitions. Si bien que, le lendemain, alors que Dolorès et ses hyènes m'encerclaient pour me brutaliser, j'ai pointé leur chef du doigt et lui ai déclaré :

"L'âme errante de ta sœur Francesca est là, et elle me dit qu'elle peut communiquer avec toi en m'utilisant comme médium."

J'avais appris par une autre fille qu'elle avait perdu sa sœur suite à une guerre entre bandes rivales des cités. Pour le reste, j'avais reproduit mot à mot un dialogue de votre roman.

Ensuite je suis restée vague, j'ai expliqué que Francesca veillait sur elle, qu'elle l'aimait, qu'elle était fière d'elle. Bref, j'ai impro-visé en gardant en tête une règle d'or : dire aux gens ce qu'ils ont envie d'entendre et leur donner l'impression qu'ils ne sont pas seuls car, dans l'invisible, quelqu'un les protège. Tout le monde a envie d'entendre ça. Je n'ai donné aucune information précise, et… cela a fonctionné !

Dès lors, Dolorès m'a prise sous sa protection en échange d'un dialogue quotidien avec Francesca, ce qui m'a permis d'améliorer ma méthode de communication avec l'au-delà. J'ai commencé à jouer un peu la comédie : je fermais les yeux, grimaçais en faisant semblant d'entendre un esprit. J'ai compris que Dolorès détestait son père, se sentait victime d'une injustice de la vie, qu'elle mépri-sait les êtres faibles. Je me suis mise à adapter plus précisément mon discours, car je voyais bien que ses comparses restaient sceptiques et je craignais que l'une d'elles la fasse définitivement douter de mes talents de médium. Une fois assurée de la protection de ma pire ennemie, j'ai eu d'autres consultations avec d'autres détenues qui cherchaient à dialoguer avec les morts. J'ai compris que toutes ces filles avaient des envies simples : être complimentées, être écoutées, être rassurées sur leur avenir. Pour ne pas répéter à toutes les mêmes phrases, je construisais mon discours à partir de la manière dont la personne se tenait face à moi, jouait avec ses mains, souriait, se recoiffait. Puis j'ai tenté dans un deuxième temps de percevoir l'inconscient de cette personne. Au début, cela n'a pas fonctionné, et j'ai failli plusieurs fois être démasquée ou me contredire, mais j'ai toujours réussi à sauver les apparences.

Après avoir séduit Dolorès puis toutes les Hyènes, ma réputation s'est étendue aux filles des autres bandes. J'ai alors pris conscience que toutes avaient en commun d'avoir volé, blessé ou tué pour essayer de réaliser leurs rêves. Tout ce que j'avais à faire, c'était remettre un peu d'enchantement dans leur vie. Ma mission était simple : apaiser, offrir un peu de sérénité et aider à accepter le passé.

Plus je pratiquais mes séances de spiritisme et plus j'étais douée. Je réunissais le dimanche soir une vingtaine de filles pour faire tourner les tables. Après les détenues est venu le tour des gardiennes, avec toujours les mêmes histoires d'amour impossible, de sentiment d'être victime ou incomprise. Je tempérais leur colère, les rassurais, leur annonçais de "bonnes surprises à venir", sans donner de date précise, improvisais des discours de soutien. Bref, je leur donnais enfin l'impression que quelqu'un les comprenait. Sans le savoir, j'apprenais un métier.

Et puis, un jour, une parole est arrivée directement dans ma tête comme si quelqu'un de l'extérieur me parlait : "Dis à Carolina qu'il faut qu'elle renonce à sa vengeance car c'est cela qui la rend malheureuse. Et, pour la faire renoncer, tu vas lui donner une information qu'elle n'a pas : sa mère est toujours vivante, elle habite à Annecy au 12, rue des Récollets, 3e étage, porte droite. Son numéro de téléphone est dans l'annuaire au nom de Bercail."

L'adresse était si précise que c'était quitte ou double, car si je me trompais, je risquais de perdre tout crédit, mais par chance, la fille a appelé et est tombée sur sa mère qu'elle croyait morte. Ma réputation était définitivement établie et le dernier bastion de sceptiques céda pour venir me consulter.

J'ai encore reçu par la suite deux ou trois messages extérieurs précis, et donc des communications qui me faisaient prendre des risques, mais, chaque fois, les informations se révélèrent justes.

Un soir, la directrice de la prison me convoqua et m'expliqua que cela faisait des mois qu'elle n'arrivait pas à dormir, malgré tous les remèdes qu'elle avait essayés. J'ai remarqué beaucoup de croix, de statues d'anges et de signes de religion dans son bureau, et j'ai improvisé. Je lui ai dit qu'il fallait demander de l'aide aux anges. Un véritable dialogue s'est instauré, elle s'est détendue et a bien dormi la nuit qui suivit notre séance.

Pour me remercier, elle m'a permis de bénéficier d'une cellule individuelle de luxe qui était normalement réservée aux VIP. Tout le confort de l'extérieur était fourni : télévision, ordinateur, ainsi qu'une pièce à part pour mes "consultations". Et au fur et à mesure que mes conditions de vie s'amélioraient, les migraines se sont faites plus rares.

Ainsi, j'ai compris, moi qui suis en effet un peu hypocondriaque, que le meilleur moyen d'avoir une bonne santé, c'est le bonheur. Le malheur, lui, attire la maladie ; c'est un peu comme les banques, qui ne prêtent qu'aux riches et refusent les crédits aux pauvres : une réalité injuste qui, comme une règle secrète, régit tous les destins.

On m'a aussi fourni un téléphone portable avec lequel j'ai tenté de contacter Samy, mais il restait injoignable. Et puis, un matin, lors d'une énième tentative, j'ai entendu : "Le numéro que vous demandez n'est pas attribué." Ce message a provoqué une nouvelle crise de migraine.

À ma grande surprise, ce jour-là, toutes ces filles que j'avais toujours perçues comme des menaces se sont révélées être des soutiens. Comme si cette horde de femmes sauvages avait senti que l'une des leurs était blessée et qu'elles considéraient de leur devoir de me venir en aide. La prison entière, avec ses 878 détenues, était devenue ma vraie famille.

En plus du confort, j'ai pu profiter de multiples services de la part de cette communauté fermée de femmes : ménage, cuisine, massages, coiffure. Toutes étaient aux petits soins pour moi afin d'obtenir des séances de spiritisme. Je n'ai toutefois jamais abusé de mon pouvoir.

Je m'habituais en même temps à recevoir des messages de plus en plus précis venus de l'au-delà. En fait, la difficulté au début était d'entendre correctement, car les morts n'articulent pas forcément bien : ils marmonnent, ou murmurent, sans penser au confort de réception de la médium. Il m'est ainsi arrivé de confondre des mots aux sonorités proches, mais il est toujours difficile d'expliquer à un vivant que le mort qui communique avec lui ne se donne pas la peine de parler avec clarté.

Un jour, j'ai été contactée par une entité qui prétendait "faire partie de la Hiérarchie". Il se nommait Dracon. C'est lui qui m'a expliqué le principe des deux administrations parallèles dans l'au-delà : une qui gère les âmes qui montent se faire réincarner et une qui s'occupe des âmes qui veulent rester sur Terre. Les deux administrations, selon Dracon, marchent de manière similaire avec des "fonctionnaires célestes" qui aident à gérer, filtrer, guider les âmes des humains. Et il m'a proposé de devenir une sorte d'ambassadrice de cette Hiérarchie sur Terre. Ce que j'ai accepté sans hésitation.

Il me demandait parfois de discuter avec une âme errante pour la convaincre de se réincarner. Pour ce faire, il me soumettait des propositions de fœtus devant naître au sein de familles aisées, ce qui m'aidait à argumenter auprès des morts pour qu'ils abandonnent leur ancienne individualité humaine.

Quand j'échouais, Dracon ne me faisait pas de reproches, et il me répétait que chacun garde son libre arbitre et que rien ne peut forcer les esprits à faire quoi que soit contre leur volonté. La peur de l'inconnu est puissante chez eux et l'envie d'évoluer souvent étouffée. Dracon me rappelait que ce que je leur demandais était quand même de renoncer à tout ce qui les définissait, pour être "autre chose, ailleurs, autrement". Cela a constitué pour moi une grande leçon d'humilité : accepter le libre arbitre des esprits et ne pas les juger.

Je me suis donc appliquée à accomplir au mieux ma mission et, en retour, Dracon me donnait toutes les informations que je souhaitais pour avoir prise sur mes "clients" vivants. C'est aussi lui qui m'a appris à déparasiter.

Évidemment, j'ai essayé d'obtenir par Dracon des informations sur mon Samy, mais il ne m'a jamais répondu, ni pour me dire où il se trouvait ni même pour me signaler s'il était vivant ou mort. Il se contentait de dire que c'était en dehors de ses "attributions".

Quoi qu'il en soit, ma coopération avec la Hiérarchie par l'entremise de Dracon marchait bien, presque trop bien.

Normalement, j'aurais dû bénéficier d'une remise de peine pour bonne conduite et ne passer que trois ans en prison (au nom de la politique de désengorgement des prisons surpeuplées), mais la directrice tenait trop à moi et à mes talents, qui l'aidaient toujours à dormir. Elle a donc préféré octroyer des réductions de peine à plusieurs criminelles multirécidivistes plutôt que de me laisser partir. Ce n'est que lorsqu'elle a eu épuisé tous les recours qu'elle a finalement consenti à me libérer par une belle matinée d'août.

Mon départ a été un déchirement pour toutes les filles de la prison. Pour l'occasion, elles m'ont organisé, avec l'accord de la direction, une grande fête dans les murs de la centrale. Certaines détenues ont alors annoncé qu'elles allaient se comporter de manière exemplaire pour sortir plus vite et me retrouver à l'extérieur. Plusieurs filles m'ont remis des cadeaux, des pulls qu'elles avaient tricotés elles-mêmes, des gâteaux, des bijoux confectionnés par leurs soins, des petits tableaux où elles m'avaient représentée en sainte. C'était un peu Noël. Gardiennes comme détenues m'ont embrassée les unes après les autres. C'est Dolorès qui m'a étreinte en dernier en me chuchotant à l'oreille : "Viens quand même nous voir de temps en temps, et si tu ne peux pas, passe-nous au moins un coup de fil, on a toutes besoin de toi, tu sais."

Au moment où j'ai franchi la porte de la prison, beaucoup se sont mises à pleurer. J'avais le fol espoir que Samy serait là, à m'attendre dehors pour me faire une surprise, mais il n'y avait personne. Je suis allée dans le bistrot le plus proche et j'ai essayé de lui téléphoner, m'étant souvent demandé si le téléphone de la prison n'avait pas été spécialement trafiqué pour m'empêcher de contacter mon amoureux. J'ai de nouveau entendu : "Le numéro que vous demandez n'est pas attribué."

Je suis retournée à son adresse, le 19, boulevard de Strasbourg, mais le concierge m'a appris que M. Daoudi n'était jamais revenu depuis ce fameux vendredi 13 avril, huit ans auparavant. Ses sœurs non plus d'ailleurs. Il n'avait même pas laissé d'adresse pour faire suivre le courrier. Je me suis dit que c'était sans doute lié à son patron véreux et je me suis sentie soulagée d'avoir été arrêtée à sa place.

À ma sortie de prison, on m'avait donné l'argent que j'avais gagné en travaillant à l'atelier de jouets, mais je savais qu'il me fallait vite retrouver un emploi. Le restaurant végétarien n'a pas voulu me reprendre : cela n'était pas bon pour leur image d'employer une ex-prisonnière. Dans tous les autres endroits où j'ai postulé, on m'a aussi fait comprendre que mon passé de détenue jouait en ma défaveur. Ce fut la même chose pour trouver un lieu de vie, tous les bailleurs réclamant un casier judiciaire vierge. Sans abri et sans travail, je ne voyais pas comment j'allais pouvoir m'en sortir. J'ai passé ma première nuit sous un pont et échappé de justesse à une agression de la part d'un groupe de clochards alcoolisés. Puis j'ai trouvé le lendemain un abri près de la gare de l'Est et, là encore, j'ai failli être détroussée par d'autres SDF. Des proxénètes m'ont alors offert de me "protéger". Le troisième jour, il s'est mis à neiger ; j'avais froid et je commençais presque à regretter la prison : au moins là-bas j'avais un logement chauffé, des repas corrects, des amies, tandis que désormais, ma liberté m'exposait aux caprices de la météo et aux agressions en tous genres. J'ai donc envoyé un message à Dracon et décidé que le premier élément insolite que je verrais me donnerait la clé pour m'en sortir. C'est à cet instant précis que j'ai aperçu un prospectus sur un pare-brise. Dessus était inscrit, je me le rappellerai toujours :

PROFESSEUR MAMADOU M'BA.
GRAND MÉDIUM DIPLÔMÉ
DE L'UNIVERSITÉ DE DAKAR.
30 ANS D'EXPÉRIENCE. 100 % DE RÉUSSITE.

Vous souffrez de timidité, d'impuissance sexuelle, de surpoids ? Vous ne gagnez jamais aux jeux de hasard ? Vous voulez vous faire aimer comme l'enfant de sa mère ? Examen du sexe pour avoir de la force en amour. Mamadou M'Ba connaît des potions magiques. Protège contre les ennemis, contre la folie, contre les accidents de voiture, contre les mauvais esprits. Récupère les fiancées qui se sont enfuies avec d'autres hommes, les chiens et les chats égarés. Parle avec des proches disparus. Obtient des augmentations de salaire. Guérit le sida par téléphone. Répare les motos russes. Satisfait ou remboursé. Je prête serment sur l'honneur de ne pas trahir mes clients. Tarifs spéciaux pour les chômeurs, les étudiants, les syndicalistes, les veuves et les invalides de guerre.

Une fois que j'ai eu surmonté mes premières réserves, j'ai contacté ce professeur M'Ba si polyvalent, qui a accepté de me recevoir sur-le-champ. C'était un très vieux monsieur sénégalais aux cheveux crépus grisonnants, habillé en boubou orange, mauve et vert, dont le torse arborait des colliers dorés et des médailles militaires. Son visage était à moitié caché sous de grosses lunettes aussi épaisses que des culs de bouteille. Quand il souriait, on voyait ses dents en or.

Au lieu de lui demander de m'aider, je lui ai proposé mes services en lui expliquant mon "talent". Il s'est tout de suite montré enthousiaste et m'a engagée comme assistante sans m'interroger ni sur mon casier judiciaire, ni sur mes diplômes, proposant même de m'héberger et de me nourrir.

J'ai appris par la suite qu'au moment de notre rencontre, il venait de se faire cambrioler par un de ses clients et que sa quasi-cécité ne lui permettait plus d'assurer sa propre sécurité. C'est pour cette raison que ma présence lui a paru non seulement agréable mais aussi indispensable. D'ailleurs, le client qui l'avait dévalisé est revenu ce jour-là avec deux acolytes pour terminer son pillage. Mais le revolver factice que j'ai alors brandi (prêté par Mamadou) a suffi à leur faire rebrousser chemin.

Il ne m'a pas fallu travailler longtemps avec ce marabout sénégalais pour constater qu'il n'en était qu'à ce que je nommais le "premier stade" : celui de la psychologie par l'observation et l'écoute. Il offrait à ses clients des amulettes avec un rouleau de papier où étaient inscrites des formules dans sa langue mater-nelle : "passion amoureuse", "richesse", "santé de fer"… Grâce à ces petites formules rassurantes, il obtenait des résultats qui satisfaisaient ses clients, souvent naïfs et superstitieux – un mélange d'effet placebo et de méthode Coué.

J'ai rapidement pris le relais pour ses clients les plus exigeants, et lui ai proposé d'organiser des séances de spiritisme qui ont très vite eu beaucoup de succès.

Mamadou me laissait 50 % des bénéfices pour le traitement des clients que je recevais individuellement et 100 % pour les séances collectives de spiritisme. C'était un homme très sympa-thique, et nous n'avions pas besoin de beaucoup parler pour nous comprendre. Nous étions convenus d'un code un peu particulier ; la même phrase, en fonction de nos intonations, revêtait mille significations différentes. Ainsi, sa formule "Vous ne trouvez pas qu'il fait froid dans ce pays ?" pouvait vouloir dire soit que le client était sinistre, soit qu'il faudrait penser à préparer le repas. Quant à la mienne : "Vous devriez mieux vous couvrir", elle signifiait aussi bien "Fichez-le dehors très vite", "Vous pouvez vous reposer, je m'occupe de tout", ou "Je vais chercher de l'aide".

Quand j'ai eu mis suffisamment d'argent de côté, j'ai remercié le vieux marabout et lui ai dit que je souhaitais désormais travailler à mon compte, non sans lui avoir au préalable trouvé une remplaçante qui, pensais-je, assurerait le boulot aussi bien que moi. Il n'a pas essayé de me retenir, a enlevé ses lunettes pour me serrer dans ses bras et, pour la première fois, j'ai pu voir que ses yeux étaient remplis de vers parasites, comme des bocaux transparents remplis de limaces. Je l'ai embrassé et remercié pour tout ce qu'il avait fait pour moi.

J'ai alors pu louer un appartement à mon nom, et j'ai diffusé des prospectus un peu partout, plus sobres que ceux de mon ancien mentor :

Lucy FILIPINI. Médium.
Ne reçoit que l'après-midi.

Au début, j'avais juste assez de clients pour payer mon loyer et m'acheter de quoi me nourrir. Puis Mamadou est venu me rendre visite et m'a dit que je lui devais de l'argent car ma remplaçante était "incompétente".

Après mon marabout, ça a été au tour du fisc de me tomber dessus : ils ne voyaient aucun inconvénient à la pratique de mon "art" tant que je versais la moitié de mes gains à l'État. J'ai bien sûr obtempéré sans rechigner. Puis une autre médium est venue me voir un jour. C'était une femme âgée, aux vêtements voyants et au maquillage très appuyé, telle que vous vous figuriez les gens de mon milieu, en somme. Elle m'a expliqué qu'il n'y avait de la place dans le quartier que pour une seule médium et qu'elle était là avant moi. Elle m'a menacée de faire appel à ses "serviteurs de l'invisible" pour me punir si je ne déguerpissais pas rapidement. Elle s'est même mise à vociférer : "Tu vas perdre tes cheveux, tu vas prendre du poids, tu auras mauvaise haleine, les hommes ne voudront plus t'embrasser, tu vas puer des pieds, tu seras prématurément ménopausée et tu ne pourras donc pas avoir d'enfants, et même quand tu feras une mayonnaise cela ne prendra pas."

C'est ainsi que j'ai découvert les joies de la libre entreprise et de la concurrence... Mais, là encore, j'ai rencontré une main secourable : une de mes clientes, une petite vieille dame charmante et très élégante aux cheveux teints en gris bleuté, qui avait travaillé comme avocate d'affaires et était très fortunée. Elle n'avait pas d'héritier et venait d'apprendre qu'elle allait bientôt mourir. Alors, pour me remercier de lui avoir permis de parler à tous ses ex-maris, elle m'a couchée sur son testament.

La roue a recommencé à tourner : après les problèmes venaient les solutions. Ainsi, après des années de difficultés, j'ai reçu ce cadeau du ciel, ou de la Hiérarchie : l'héritage de la vieille dame comprenait un petit hôtel particulier dans le 16e arrondissement de Paris de 200 mètres carrés avec jardin, et 1 million d'euros. J'avais enfin un nid et la sécurité financière nécessaire pour faire le point. J'ai commencé par utiliser cet argent pour engager un détective privé afin qu'il retrouve Samy. Mais après plusieurs semaines d'enquête, tout ce qu'il a pu me révéler, c'était "que M. Daoudi n'avait jamais donné signe de vie depuis ce fameux

vendredi 13 avril". On ne retrouvait sa trace dans aucune administration ni aucun service juridique. Cette information dépri-
mante m'a coûté cher, mais je restais convaincue au fond de moi
qu'il était encore vivant.

Ensuite, le bouche-à-oreille m'a amené de plus en plus de
clients, de plus en plus riches et célèbres. Je proposais une séance
collective une fois par semaine durant laquelle quatre personnes
se mettaient autour d'une table pour consulter à tour de rôle le
défunt de leur choix. Et par la suite, ma politique de réduction
volontaire de clientèle ne fit qu'accroître mon prestige.

Un jour, le ministre de l'Intérieur Valladier est venu me
consulter. C'est rapidement devenu un ami. Je lui ai donc
demandé d'enquêter sur Samy et, quelques jours plus tard, il m'a
annoncé que, selon ses services, le dénommé Daoudi avait disparu
non seulement de France mais de la surface de la Terre. Évaporé.
Il en a conclu que l'homme d'affaires véreux pour qui il travaillait
avait certainement donné l'ordre de le tuer et de faire disparaître
son corps.

Aujourd'hui j'ai trouvé un équilibre. Je vis de ma médiumnité et j'en suis fière. Je n'ai qu'une peur, celle de mourir. Je me
sens privilégiée d'avoir accès aux mondes immatériels et je suis
bien dans le monde matériel. La seule chose qui manque pour
que mon bonheur soit complet, c'est l'amour de ma vie : Samy
Daoudi. »

15.

Durant tout le temps qu'a duré son récit, Lucy n'a pas quitté
des yeux la poupée de clown qui ne s'est pas départie de son
sourire hilare figé. Quelques secondes passent.

– *C'est… vraiment une très belle vie, mademoiselle Filipini.*

– Je ne peux pas comparer, je n'en ai pas connu d'autre. Ou, du moins, je ne me souviens plus des précédentes.

– *Cela confirme cette théorie de la pronoïa que j'ai lue dans l'encyclopédie de mon grand-oncle Edmond.*

– La pronoïa ? Jamais entendu cette expression…

– *C'est l'exact contraire de la paranoïa. Au lieu de considérer que tout le monde vous en veut et tente de vous nuire, quand vous êtes pronoïaque, vous êtes persuadé que l'univers et les gens conspirent en secret pour vous rendre encore plus heureux.*

Elle redresse la poupée qui glissait doucement sur le flanc.

– Votre frère pense justement que vous êtes, enfin que vous étiez, paranoïaque de manière maladive.

– *Je ne peux pas lui donner complètement tort sur ce point. Mais être paranoïaque n'empêche pas d'avoir de vrais ennemis, tout comme être pessimiste n'empêche pas de connaître de vrais malheurs.*

– Votre réaction par rapport à votre mort est finalement un peu exagérée.

– *Vous plaisantez, j'espère ?*

– Je crois que vous souffrez d'une déformation due à votre métier d'écrivain qui fait que vous voyez du drame partout. Soyez pronoïaque à votre tour, et considérez qu'après tout, votre « fin » n'est pas si ratée que ça.

– *Mais j'ai été victime d'un meurtre !*

– Et alors ? Pensez à votre postérité. On se souvient mieux de John Lennon assassiné d'un coup de revolver dans une rue de Manhattan que de George Harrison mort d'un long cancer à l'hôpital. Marilyn Monroe, décédée à 36 ans, probablement empoisonnée par les services secrets de Kennedy, est davantage ancrée dans notre mémoire que votre Hedy Lamarr, qui a vécu jusqu'à 85 ans abîmée par la chirurgie esthétique par peur de vieillir, pour finir par mourir de maladie dans la misère et l'oubli.

— *Ce que vous dites est ignoble !*

— J'essaie de vous aider à voir le bon côté des choses.

— *Il y a des sujets sur lesquels je préfère ne pas plaisanter ; ma mort, comme celle de Hedy Lamarr, en fait partie.*

Lucy s'immobilise et ferme les yeux.

— *Qu'est-ce qu'il se passe ?* demande Gabriel.

— Ils me disent qu'ils ont une proposition à vous faire, monsieur Wells.

— *Qui ça, « ILS » ?*

— Ma Hiérarchie.

Elle fronce les sourcils tout en gardant les paupières closes.

— C'est une offre exceptionnelle à saisir.

Ses longs cils frémissent.

— Un fœtus est disponible dans une famille bourgeoise qui vit dans une villa tout confort avec vue sur la mer près de Nice. Vous recevrez de l'amour et une bonne éducation. Vous n'aurez aucun problème de santé congénital. Vous serez entouré de frères et sœurs qui feront d'excellents compagnons de jeu. Il y a même un chien à poil long.

— *Hors de question que je me réincarne alors que je ne sais pas comment je suis mort ! À ma place, je suis sûr que vous réagiriez pareil.*

À voir ses cils frémir encore, Gabriel comprend qu'elle reçoit un nouveau message.

— Dracon me dit que la Hiérarchie insiste. Apparemment, votre réincarnation imminente fait partie du Plan cosmique.

— *C'est quoi encore ça, le « Plan cosmique » ?*

— Le grand roman dont nous sommes tous les personnages.

— *Et c'est quoi le sujet de ce grand roman ?*

– Un jour, lors d'une discussion plus intime que d'ordinaire, Dracon me l'a vaguement expliqué. Je crois que ça a à voir avec l'évolution des consciences.

De nouveau, ses pupilles s'agitent sous la fine peau de ses paupières. Elle semble rêver.

– Dracon me dit que si vous n'acceptez pas de renaître dans ce fœtus, vous le regretterez toute votre vi… toujours. Vous devez vraiment vous réincarner le plus vite possible. C'est important. Cela participe au bien-être général.

– *Mais j'ai mon libre arbitre, n'est-ce pas ?*

– Bien sûr.

– *Et, si j'ai bien compris, mon libre arbitre est plus fort que tout ?*

– En effet.

– *Donc je vous le dis officiellement : je me réincarnerai quand je saurai la vérité sur ma mort.*

Elle ouvre les yeux, fixe le clown puis soupire.

– Dracon me dit qu'« ils » sont très déçus par votre comportement, qu'ils qualifient d'égoïste et d'étriqué.

– *Je ne demande pourtant pas grand-chose ! Vouloir connaître le dernier chapitre du roman de ma propre vie, cela me semble légitime, non ? Je veux savoir qui m'a tué ! Avec votre don, votre fougue et les indications que je vous donnerai sur ma vie et mon entourage, je suis sûr que vous saurez résoudre cette énigme. Après tout, les enquêtes criminelles, c'était ma spécialité. Je vous piloterai depuis l'invisible.*

Elle secoue la tête, baisse sa main, et un chat vient se frotter contre sa paume en miaulant.

– Si j'y consens, vous me promettez de vous réincarner ensuite ?

– *Je vous le promets.*

– Je dois quand même vous avertir qu'il est inconcevable pour moi de prendre des risques, pour quelque raison que ce soit. Je tiens trop à ma santé.

Ses chats l'entourent, comme s'ils comprenaient ce qui se joue et souhaitaient l'empêcher d'aider Gabriel, lequel, soulagé, se sent soudain plus léger.

16. ENCYCLOPÉDIE : LE POIDS DE L'ÂME

Le docteur Duncan MacDougall, un Américain, fut le premier médecin à vouloir prouver l'existence matérielle de l'âme.

En 1900, il s'entendit avec un centre pour tuberculeux de Boston et mit au point une procédure qui consistait à placer sur une balance le lit d'un patient, qu'il pesait une première fois quand celui-ci était sur le point de mourir, puis une seconde fois après son trépas.

Il trouva avec ce premier patient une différence de poids d'exactement 21 grammes.

Il reproduisit l'expérience sur cinq autres malades et affirma qu'il retrouvait systématiquement cette même différence d'exactement 21 grammes après que les sujets avaient rendu leur dernier souffle.

Il en conclut que c'était là le poids de l'âme.

Il appliqua le même protocole à quinze chiens. Ne constatant aucune variation, il en déduisit que seul l'homme possédait une âme.

Ses travaux furent publiés en 1907 et provoquèrent l'émoi des médias, qui évoquaient tous la « théorie des 21 grammes du docteur MacDougall ». Mais les scientifiques, eux, restaient dubitatifs. Ils contestaient les conditions de l'expérience, considérant qu'une étude portant sur six patients seulement ne pouvait être significative.

En outre, dans l'un des cas, il avait fallu attendre plus d'une minute après le décès pour constater la diminution de poids. Mais MacDougall avait une explication à ce retard : pour lui, l'âme avait tout simplement « hésité » à sortir.

Cette justification acheva de le décrédibiliser. MacDougall mourut en 1920 sans que personne se donne la peine de peser son corps avant et après son décès.

Edmond Wells,
Encyclopédie du Savoir Relatif et Absolu, tome XII.

17.

Une silhouette gracile se faufile hors des buissons qui séparent le parking de l'aile sud de l'hôpital. Elle longe la haie pour s'approcher des poubelles. Lorsqu'un manutentionnaire s'approche en poussant un container rempli de déchets organiques, elle se plaque au sol. Puis elle poursuit sa progression en longeant le mur de briques.

Lucy Filipini a enfilé un survêtement sombre, noué ses longs cheveux en queue de cheval, mis des baskets. Elle rejoint un auvent et constate que les lampes de la morgue au sous-sol sont toutes éteintes.

Elle se place alors face à la fenêtre qui, par chance, n'est pas en double vitrage.

– Et maintenant je fais quoi ?

– *Vous pouvez la briser avec une pierre, mais enveloppez-la d'abord dans du tissu pour éviter de faire du bruit. Vous n'avez qu'à récupérer une blouse dans la poubelle.*

Lucy suit son conseil et attend d'entendre résonner une sirène d'ambulance pour lancer le projectile contre la vitre, qui se brise dans un grand fracas. Quand elle s'est assurée que personne n'a rien remarqué, elle fait tomber les morceaux de verre avec ses pieds, mais au moment de franchir la fenêtre, elle s'égratigne le poignet au contact d'un bout de verre resté en place.

— J'en étais sûre, je me suis blessée. J'arrête là !

— *Chut, ne faites pas de bruit !*

— Mais je saigne ! Je vous l'ai déjà dit, ma hantise c'est d'abîmer mon corps ! Il faut que je rentre me soigner. Sinon ça pourrait s'infecter.

— *Allons, soyez raisonnable, ce n'est pas grave. Juste une petite égratignure de rien du tout. Le temps qu'on en parle, cela s'est déjà presque arrêté de saigner.*

Elle observe, terrorisée, la blessure d'où s'écoule un filet de sang vermillon.

— Je risque la gangrène ! Il faut vite que je désinfecte la plaie. Je rentre chez moi.

— *Vous n'allez pas tout abandonner pour ça, j'espère ! Si je suis paranoïaque, vous, vous êtes hypocondriaque. On fait une belle équipe, dites-moi.*

— Plutôt que de vous moquer, vous feriez mieux de me soutenir. Je suis à deux doigts de m'évanouir. J'ai la phobie du sang.

— *Arrêtez de faire votre chochotte et continuez.*

— Quel égoïste vous faites ! Il n'y a que votre ancienne dépouille qui vous intéresse. Les autres, vous vous en fichez !

— *Écoutez, ce n'est vraiment pas le moment de vous apitoyer sur votre microblessure, des gens pourraient arriver. Allons, reprenez-vous ! Qu'au moins vous ne vous soyez pas blessée pour rien.*

À contrecœur, Lucy consent enfin à franchir la fenêtre brisée.

— *Cherchez mon corps, il doit être dans un de ces tiroirs*, lui lance Gabriel.

La jeune femme allume la torche de son smartphone et éclaire la pièce.

Elle sursaute en voyant un corps nu sur une table, dont la tête est posée sur un trébuchet, et la bouche maintenue ouverte par un écarteur.

— *Allons, c'est une morgue, c'est normal qu'il y ait des cadavres*, dit Gabriel d'une voix qui se veut rassurante.

— Excusez-moi, certes je parle aux morts, mais je n'ai pas l'habitude d'en voir en chair et en os. Cette fois-ci je crois que je vais vraiment m'évanouir. Je me sens défaillir…

Elle veut s'appuyer contre un chariot, mais celui-ci se met à rouler et Lucy glisse pour finalement tomber sur les fesses.

— *On perd du temps et, à force de faire du bruit, vous allez finir par attirer l'attention !*

— Oh et puis zut ! Je ne suis pas Catwoman !

— *Personne ne vous demande d'être Catwoman, juste de regarder où vous mettez les pieds. Dans l'armoire réfrigérée la plus à droite ; c'est là qu'ils m'ont mis si je me souviens bien.*

Mais elle ne l'écoute pas et ouvre les placards jusqu'à trouver ce qu'elle cherche : du mercurochrome et un pansement, qu'elle applique sur sa plaie en grimaçant. Un peu rassurée, elle ouvre les tiroirs réfrigérés, surmonte son dégoût et examine les visages qu'ils contiennent jusqu'à tomber sur le cadavre de l'écrivain. Elle fait glisser la fermeture éclair pour dévoiler entiè-rement son corps.

— Je ne vous avais pas bien regardé dans votre chambre, mais je dois dire que votre enveloppe charnelle n'était pas mal du tout. Vous étiez musclé, on voit que vous faisiez du sport. Si je n'étais pas déjà en couple, vous auriez pu me plaire.

– *Vous croyez vraiment que le moment est bien choisi pour parler de ça ? Allez-y, trouvez une veine et prélevez du sang.*

Elle sort la seringue et cherche un endroit où la planter. Dans le poignet, au niveau des veines apparentes, rien ne vient ; dans l'artère fémorale et le cou, au niveau de la jugulaire, rien non plus.

– Ils vous ont vidé pour faire du boudin ou quoi ?

– *Le corps s'assèche naturellement, essayez directement dans le cœur.*

– Je n'y arrive pas, l'aiguille est trop fine pour transpercer le sternum.

– *Placez-vous différemment. Attaquez-le par en dessous en appuyant sur le ventre.*

Lucy s'assoit donc à califourchon sur le cadavre de l'écrivain et tente de percer le cœur en passant sous les côtes flottantes. Elle y parvient enfin et aspire avec la seringue un liquide brun sirupeux.

Soudain, le plafonnier s'illumine. Une infirmière hurle :

– On la tient ! Venez vite, la perverse nécrophile est là !

Trois autres infirmières accourent.

– On l'a enfin trouvée ! « Nini, la Nymphomane Nécrophile » ! C'est forcément elle !

– On va l'attraper, cette folle ! renchérit l'une de ses collègues, dont les bras sont larges comme des cuisses.

Lucy a tout juste le temps de descendre de la table et de s'enfuir par une porte latérale, mais les femmes en blouse blanche sont déjà à ses trousses.

La médium, qui porte sa seringue dardée vers le haut, rejoint un couloir mieux éclairé, sans parvenir à semer ses poursuivantes.

– Par ici ! Je la vois ! hurle une des infirmières.

– Arrêtez-la !

Lucy bouscule deux malades qui avancent lentement en tenant leur perche de perfusion.

– Poussez-vous ! Laissez-moi passer !

Elle se fraye un chemin au milieu d'autres malades hagards et des infirmières qui n'ont pas bien compris ce qu'il se passe. Ses quatre poursuivantes, elles, sont plus déterminées que jamais.

– Elle est passée par où ?

– Par là, signale une malade. Je l'ai vue. Elle était tout près de moi, elle m'a bousculée.

– Elle tenait une seringue remplie de sang ! ajoute une autre. Ce doit être un vampire.

– Mais non, rectifie une autre. C'est Nini la nécrophile.

– C'est quoi une nécrophile ?

– Une perverse qui fait l'amour avec les morts ! Elle traîne depuis un moment dans l'hôpital et on n'a jamais réussi à la coincer.

Lucy continue de traverser en trombe les couloirs alors que le nombre de ses poursuivants, attirés par le ramdam, ne cesse d'augmenter. Gabriel la précède et tente de lui indiquer les couloirs les moins encombrés.

– *Non, pas par là, des brancards bouchent le passage, prenez à droite !*

Ses poursuivantes ne renoncent pas. Lucy n'a plus le choix, elle bifurque à gauche. Par chance, les autres n'ont pas vu son virage et continuent tout droit.

La médium, transformée malgré elle en détective privée, s'enfonce dans le secteur psychiatrique, désert à cette heure, en serrant fort son poignet pour faire une sorte de garrot.

– Je n'aurais jamais dû venir ! Je n'aurais jamais dû vous écouter ! murmure-t-elle en pressant sa plaie qui s'est remise à saigner.

— *Cachez-vous dans ce coin et videz votre seringue dans l'éprouvette*, lui enjoint Gabriel.

— Vous m'entraînez exactement dans le genre de situations que je déteste ! lance-t-elle tout en s'exécutant.

— *Vous les avez semés. Bravo !*

Lucy, en cherchant la sortie, atterrit dans une large pièce où l'attend un homme aux yeux de dément qui lui barre le chemin.

— Sorcière ! beugle-t-il.

Alors que d'autres individus surgissent soudain d'un peu partout, la jeune femme réussit tant bien que mal à leur échapper, mais à présent ce sont les malades du secteur psychiatrique qui la pourchassent. Très vite, elle se retrouve coincée et encerclée par les déments.

— Sorcière ! Sorcière ! répète le premier fou à l'avoir repérée, immédiatement imité par les autres.

— Sorcière ! Elle est là, avec tout son cortège de démons !

— Les démons ! Les démons ! s'écrie tout à coup Lucy.

— *Que se passe-t-il ?* demande Gabriel alors que le cercle se referme doucement autour de la médium.

— Les prisons, les cimetières, les casernes, les champs de bataille, les hôpitaux et les asiles sont des lieux privilégiés pour l'errance des âmes. Dès qu'il se passe quelque chose, elles s'agglutinent comme des pigeons autour d'une vieille dame au sac rempli de miettes de pain, et elles réclament ce qu'elles estiment être leur dû. Elles ont fini par repérer ma présence et veulent donc m'utiliser pour obtenir des réincarnations avantageuses. Le problème, c'est que les schizophrènes ainsi que les drogués les perçoivent, tous ceux qui ont des auras trop fines ou trouées. Ce sont elles qu'ils appellent des « démons ».

Les malades restent à bonne distance et répètent tous en chœur :

– La sorcière… au bûcher ! La sorcière… au bûcher !

– Vous comprenez maintenant pourquoi j'avais des réticences à venir par ici ? balbutie Lucy, que la panique fait serrer encore plus fort son poignet.

Les fous qui l'encerclent se rapprochent un peu plus, de sorte que les plus illuminés lui touchent les cheveux. Elle est parcourue de frissons d'horreur.

– Faites quelque chose, je vous en prie !

L'esprit de l'écrivain profite de sa capacité à traverser les murs pour partir à la recherche des infirmiers de l'aile psychiatrique. Il les trouve réunis dans une salle à l'autre bout du bâtiment, occupés à regarder un match de football, le son poussé au maximum.

– Au secours ! hurle Lucy.

Gabriel comprend qu'il lui faut rapidement trouver une solution. Il s'adresse aux âmes errantes :

– *Partez ! Vous ne voyez pas que vous excitez les types en dessous ?*

– *C'est Lucy ! On veut qu'elle nous fasse monter. Elle a les meilleures propositions de réincarnations de tout Paris !*

– *Si elle meurt, elle ne pourra plus aider qui que ce soit !* réplique-t-il.

– *Si elle nous propose de bons fœtus, on s'en va.*

– *Si vous fichez le camp tout de suite, je plaiderai votre cause.*

Les âmes errantes consentent à partir, à condition que la médium promette de les aider dans leur ascension et leur réincarnation.

Gabriel transmet à Lucy les termes du marché. Assaillie par les fous qui, de plus en plus nombreux, commencent à la toucher, Lucy accepte.

Les âmes errantes partent toutes ensemble comme un vol

d'étourneaux et, aussitôt, les malades les plus sensibles se calment. Lucy profite de ce répit pour s'enfuir en direction de la porte la plus large surmontée du mot « EXIT ».

Elle est enfin dehors. Elle court vers sa voiture, démarre en trombe et fonce vers la sortie.

— *Bravo !* s'exclame Gabriel Wells.

La jeune femme ne répond rien, contenant sa rage mais conduisant de plus en plus vite.

— *Il faut qu'on trouve chacun nos marques, moi dans l'invisible et vous dans le visible. En tout cas, félicitations pour cette première mission parfaitement accomplie ! Maintenant que vous avez une éprouvette remplie de mon sang, on va pouvoir continuer l'enquête. Mettez-la rapidement au réfrigérateur.*

— Taisez-vous ou je jette l'éprouvette par la fenêtre ! lâche alors Lucy d'un ton grinçant.

— *Vous m'en voulez ? Je sens comme un reproche dans votre into-nation...*

— Fermez-la ! Je ne veux plus vous entendre ! Plus jamais ! C'est compris ? Plus jamais je ne veux faire quoi que ce soit avec vous ! Rien ! Fini !

— *Écoutez, quand j'étais petit et que je ronchonnais, mon grand-père racontait des blagues pour détendre l'atmosphère. J'en connais justement une bien bonne qui est parfaitement adaptée à la situa-tion. Je peux vous la raconter si vous voulez.*

— Non. Je me fous de vos blagues et de votre grand-père.

— *Allez ! Je vous la raconte quand même, vous verrez, elle va vous faire rire.*

— Ça m'étonnerait.

— *Ça se passe dans un asile. Un zoophile, un sadique, un meur-trier, un nécrophile et un masochiste sont en train de discuter quand soudain passe un chat. Le zoophile fait une proposition : « Et si on l'attrapait pour que je lui fasse l'amour ? » « OK, répond le sadique, mais après je le torture. » « Une fois que tu l'auras torturé, moi je le tue », ajoute le meurtrier. « Et quand tu l'auras tué, moi je lui ferai à nouveau l'amour », renchérit le nécrophile. Tous se tournent alors vers le masochiste, qui n'a rien dit. Ils lui demandent : « Et toi, tu proposes quoi ? » Le masochiste répond alors : « Miaou. »*

– C'est la pire blague que j'aie jamais entendue ! En plus je ne peux même pas supporter l'idée qu'on fasse du mal à un chat ! Sortez de ma voiture tout de suite ! Allez casser les pieds à une autre médium ! C'est un ordre ! Dehors ! Hors de ma vue ! Et surtout restez-y pour tout le restant de mon existence !

Gabriel franchit à regret le toit de la voiture. Il suit du regard la petite auto de Lucy qui fonce en zigzaguant au milieu des autres automobilistes, faisant fi des règles de sécurité pour rentrer chez elle au plus vite.

18.

Gabriel Wells plane au-dessus de Paris tel un oiseau.

Il songe que, maintenant qu'il est mort, il doit apprendre à organiser son temps différemment. Plus de petit déjeuner, plus de douche, plus de café au bistrot, plus de déjeuner avec un ami, mais l'avantage, c'est qu'il n'y a plus non plus de brossage de dents ni d'enfilage de pyjama avant de se glisser sous la couette.

À la place, il est en permanence propre, habillé de la même manière, frais et réveillé.

Il prend aussi conscience qu'être vivant, c'est subir la loi de la gravité et donc être collé au sol. Les humains sont des animaux lourds et rampants, mais lui désormais est léger et aérien. Il en profite donc pour s'initier au vol acrobatique : boucle, tonneau, vrille, renversement, virage sur le dos, chandelle, huit cubain. Il tente des tonneaux entre les buildings de La Défense. Et teste des piqués pour rejoindre le métro. Tout devient possible et cela l'amuse énormément, notamment lorsqu'il traverse les murs et surprend les gens dans leurs instants les plus intimes. Il se distrait ainsi pendant plusieurs heures, puis finit par se lasser.

Que peut-il bien faire de tout ce temps disponible ?

Il se rappelle alors que son frère veut l'incinérer et se décide à aller le voir, bien décidé à essayer d'influer sur ses rêves.

Arrivé devant l'immeuble où vit Thomas, il traverse la façade et vient se positionner au-dessus de son lit. Il constate que son frère a un sommeil très agité et, en l'observant attentivement, parvient à distinguer son aura, cette sorte de couche de vapeur lumineuse qui protège son enveloppe corporelle. Il remarque qu'à mesure que le sommeil de Thomas devient profond, sa respiration ralentit et ses yeux s'agitent sous ses paupières. Son aura change de couleur et s'affine au sommet de son crâne. Quand Thomas bascule dans le sommeil paradoxal, ses yeux s'agitent très vite et sa respiration devient de plus en plus lente, son corps immobile. La zone la plus fine de l'aura laisse apparaître un orifice.

Ah, un trou dans la couche d'ozone au niveau du pôle Nord ! se félicite Gabriel.

En effet, il peut maintenant passer un doigt dans ce trou, traverser les os du crâne de son frère et essayer de l'influencer. Pour ce faire, il s'approche du pavillon de son oreille et murmure :

– *C'est moi, Gabriel. Je t'interdis d'incinérer mon corps.*

Il répète cet ordre plusieurs fois. Thomas, après s'être considérablement agité, ouvre les yeux, se frotte les paupières comme pour effacer le souvenir de ce qu'il vient de se passer, sort de son lit, va uriner, boit un verre d'eau puis se recouche et se rendort.

— Souviens-toi : pas d'incinération, sinon tu feras des cauchemars toutes les nuits, reprend Gabriel.

Thomas s'agite à nouveau, donne des coups de pied dans son matelas en criant : « Non ! Non ! »

Gabriel, considérant qu'il a fait ce qu'il avait à faire, ressort dans le ciel parisien.

Il distingue au loin d'autres âmes errantes qui se promènent, dont la plupart continuent d'ailleurs de marcher au sol, probablement par simple habitude. Sans doute ont-elles, comme lui, goûté au plaisir de voler avant de se rendre compte qu'elles éprouvaient plus de satisfaction à marcher, s'asseoir, et à faire semblant d'avoir un comportement de vivant.

Un avion vole au-dessus de lui. Gabriel monte à sa hauteur et se laisse traverser par lui, ce qui lui donne l'impression d'être frôlé par l'esprit de chaque passager.

Tournoyant au-dessus de la tour Eiffel, virevoltant autour de la tour Montparnasse, planant sur le Trocadéro, l'écrivain se dit que, pour en tirer le meilleur profit, il lui faut analyser tous les avantages de sa nouvelle situation. Puisque des possibilités inédites s'ouvrent à lui, il réfléchit à ce qu'il aurait aimé pouvoir faire quand il était encore vivant. La réponse : entrer dans l'appartement d'une célébrité et l'observer dormir.

Il jette son dévolu sur une starlette à la mode dont il a vu la villa dans un magazine et qu'il retrouve facilement. Il entre dans sa chambre, s'approche d'elle pour la toucher, mais ses doigts la traversent. Il aimerait tant pouvoir aussi la sentir, l'embrasser.

Dans son sommeil, l'actrice tourne la tête et écarte les cheveux qui lui barrent le visage. De près, elle est beaucoup moins belle que sur les photos. Ses joues sont couvertes de petits boutons et sa peau luit.

— Alors, on mate les filles nues dans leur lit ?

Gabriel sursaute comme un enfant pris en flagrant délit et reconnaît la voix puis le visage de celui qui a prononcé cette phrase.

– *Papi !*

– *Gaby.*

– *Mais qu'est-ce que tu fais là, papi !?*

– *La même chose que toi, petit coquin : je profite d'être mort pour lorgner les jolies filles.*

Espiègle, il lui donne une bourrade qui traverse son corps.

– *Non, plus sérieusement, quand tu étais vivant je ne t'ai jamais quitté, Gaby. Alors quand tu es mort, j'ai continué à vouloir savoir ce qui t'arrivait.*

– *Tu m'as suivi depuis ma mort ?*

– *Bien sûr, j'étais au-dessus de toi, mais tu n'as jamais pensé à lever la tête.*

L'actrice se met à ronfler et libère une petite flatulence qui provoque chez les deux ectoplasmes un éclat de rire immédiat.

– *Eh oui ! On en voit des choses, une fois qu'on est mort ! Blague à part, le fait est qu'on voit tout, on comprend tout, mais il est trop tard pour utiliser ce savoir de manière pratique.*

– *Tu disais que tu me suivais, mais pourquoi ?* l'interrompt Gabriel.

– *Quand tu étais bébé, tes mimiques rigolotes m'ont toujours fasciné, puis enfant je t'ai vite trouvé plus imaginatif, plus artiste, et pour tout dire plus amusant que ton frère. Tu le sais, Thomas était le préféré de ton père, toi celui de ta mère, et moi aussi j'ai toujours senti une affinité particulière avec toi. C'est moi qui, le premier dans la famille, ai perçu que tu savais bien raconter les histoires. C'est moi qui ai conseillé à tes parents de t'en lire beaucoup pour que tu puisses ensuite en raconter en retour. Plus tard, quand j'ai commencé à vieillir et à aller mal, tu étais présent pour moi, alors que le reste* de la famille me délaissait. Et quand je suis mort... enfin... tu sais ce qu'il s'est passé. Alors j'ai été très touché par ta réaction et j'ai continué à te surveiller, non pas comme un mauvais sujet, mais comme une vedette, car pour moi tu étais le meilleur de la famille. Et c'est justement pour te suivre que j'ai refusé de me réincarner. Quand tu dormais, je profitais des ouvertures dans ton aura pour te souffler des idées. Je voulais que tu sois écrivain pour immortaliser notre nom. En fait, j'ai œuvré dans l'invisible pour que tu perfectionnes ton don d'écriture. Je souhaitais que tu te démarques, que tu ne cèdes pas à la tentation de faire des livres à la mode. La mode, c'est ce qui se démode. Mais il fallait pour cela que tu surmontes ta peur d'être différent. Cela n'a pas toujours été facile de t'influencer.

— Pour l'instant, papi, tout ce qui m'intéresse, c'est de savoir qui m'a tué.

— Tu me déçois, Gaby. C'est vraiment très limité comme ambition.

— Tu n'es pas le premier à me le dire. Mais j'assume, et toi qui étais policier, tu pourrais sûrement m'aider à obtenir des informations.

— Tu te doutes que c'est plus difficile d'enquêter de ce côté-ci du miroir. Mais je vais voir ce que je peux faire. Tu soupçonnes quelqu'un en particulier?

— Thomas. Je trouve ça louche qu'il n'ait pas voulu demander une autopsie. Et puis... il a toujours été jaloux de moi.

— Qui d'autre?

— Pour l'instant je ne vois que lui.

— Bon... Il faut aussi que je te dise quelque chose. J'ai cru comprendre que tu communiquais avec Lucy Filipini, et ce n'est vraiment pas n'importe qui. Je crois que tu ne mesures pas encore la chance que tu as d'avoir une interface chez les vivants capable de t'entendre, et qui en plus a ses entrées au plus haut degré du monde invisible.

— Tu parles de Dracon?

– Pas seulement. La Hiérarchie a trouvé en elle une ambassa-drice efficace, et toi le meilleur soutien dont tu pouvais rêver. Prends conscience de cela. Ménage-la. Aide-la comme tu peux, et tu verras que c'est une femme encore plus formidable que tu ne le penses.

Gabriel regarde son grand-père plus attentivement. Il est habillé dans le style des années 1960 : veste grise, chemise blanche, chaussures en cuir, fine cravate. Il a les cheveux grisonnants mais peu de rides ; son visage est rond et franc. Gabriel se sent tout à coup moins seul. Il a l'impression d'avoir trouvé un allié dans les limbes.

Après avoir promis à son grand-père de le revoir très vite, il quitte sans regret la maison de la starlette et part rejoindre Lucy, qu'il trouve endormie, entièrement nue. Il reste un moment à l'observer comme une œuvre d'art. Il se remémore son itinéraire si singulier et il se dit que son grand-père a raison : il a sous-estimé la chance qu'il avait d'avoir fait une telle rencontre.

Il la trouve aussi bien plus ravissante que toutes les actrices dont il a épinglé les photos dans son appartement. Et, ce qui ne gâte rien, elle ressemble vraiment à Hedy Lamarr, qu'il aurait tant aimé pouvoir rencontrer de son vivant. S'il n'était pas mort, il aurait pu tenter d'avoir une relation avec elle et, qui sait, peut-être vivre le restant de ses jours avec cette splendeur…

À cette pensée, une question envahit de nouveau son esprit : Qui s'est permis d'abréger son existence ?

19. ENCYCLOPÉDIE : LE VER PLANAIRE

Le planaire est un petit ver plat d'eau douce. Il mesure à peine 4 centimètres de long, et est doté d'une tête, d'yeux, d'un cerveau et d'une moelle épinière qui relie son système

nerveux au reste de son corps. Il est aussi muni d'une bouche, d'un système digestif, et d'un système reproductif hermaphrodite. Ce ver a longtemps été une source d'étonnement pour les scientifiques, car il présente une capacité de régénération automatique, c'est-à-dire qu'il peut faire repousser n'importe quelle partie de son corps qui aurait été coupée, ce qui lui a valu d'être déclaré « immortel face à une lame de couteau ». En 2014, une équipe de l'université Tufts dans le Massachusetts a dressé des vers planaires pour qu'ils mémorisent un environnement jalonné de surprises et de pièges. Il n'a fallu que dix jours aux planaires pour s'adapter à ce décor, en repérant et en mémorisant les endroits où ils collectaient de la nourriture et ceux où ils recevaient des chocs électriques. On les a ensuite décapités. Au bout de quatorze jours, leur tête a repoussé.

On les a alors replacés dans le décor et, à la surprise générale, les planaires se souvenaient des emplacements où ils recevaient les récompenses et les punitions.

Cette expérience a permis de soulever une question : si la mémoire des plaisirs et des douleurs ne se situe pas dans le cerveau, alors où est-elle ?

Edmond Wells,
Encyclopédie du Savoir Relatif et Absolu, tome XII.

20.

Un rayon de soleil effleure sa paupière droite, l'amenant à se soulever lentement. Lucy distingue le ciel à travers la fenêtre de sa chambre, sourit, bâille, effectue des petits mouvements circulaires du bassin pour assouplir sa colonne vertébrale et, délicatement, elle pose ses pieds au sol l'un après l'autre.

Elle rejoint la salle de bains et se lave méthodiquement les dents. Elle regarde la blessure à son poignet et constate, rassurée, qu'elle a déjà cicatrisé.

Debout devant le miroir, elle ferme les yeux et déclare :

« Merci d'être vivante.

Merci d'avoir un corps.

J'espère me montrer digne aujourd'hui de la chance que j'ai d'exister. »

Elle réunit ensuite les mains, fait une révérence en direction du soleil et va dans la cuisine.

Gabriel plane au-dessus d'elle et l'observe sans oser lui parler. Il la voit sortir une boîte remplie de pilules, de fioles, de poudres diverses et variées, puis diluer, à l'aide d'un compte-gouttes, une étrange liqueur jaune dans un verre d'eau, qu'elle engloutit d'un trait. Elle verse ensuite dans sa main des granules homéopathiques, qu'elle laisse fondre sous sa langue.

Une fois le rituel des médicaments achevé, elle allume sa tablette numérique et fait défiler plusieurs pages d'actualités tout en petit-déjeunant.

— Vous êtes encore là, hein ? lâche-t-elle finalement. Je vous avais pourtant demandé de me laisser tranquille.

— *C'est… enfin je veux dire que c'est parce que vous… enfin que je croyais que…*, bredouille Gabriel, surpris par le fait que Lucy l'ait repéré.

— C'est bon. J'ai la colère éphémère. La nuit a tout cicatrisé, y compris ma plaie au poignet. Je ne vous en veux même plus.

— *Je peux donc rester à vos côtés ? Je vous promets que je ne vous dérangerai plus.*

— Du moment que vous ne me rebattez pas les oreilles avec

votre assassinat, je peux tolérer votre présence, dit-elle en finissant son thé.

– *Merci. Je suis tellement désolé de ce qu'il s'est passé hier. Je tenais à vous présenter mes excuses pour mon comportement que vous avez à juste titre qualifié d'égoïste. Je crois que j'étais obnubilé par ma mort.*

– Ce n'est plus le cas ?

– *J'essaie de relativiser.*

– Tiens, vous allez être ravi, on parle de vous dans la presse, lance-t-elle sans quitter sa tablette des yeux.

Gabriel s'approche, sa curiosité piquée au vif.

– Venez voir les nécrologies que j'ai trouvées.

Il découvre alors avec effroi les titres des articles le concernant :

« DISPARITION D'UN ZÉRO »
« MORT D'UN AUTEUR SANS HAUTEUR »
« WELLS : UN ÉCRIVAIN SANS ENVERGURE
TIRE ENFIN SA RÉVÉRENCE »

Ce dernier article est plus développé que les autres : il occupe deux pages entières d'un célèbre quotidien et est surmonté d'une photo peu avantageuse du défunt. La légende précise : « Bon débarras », et c'est signé Jean Moisi.

Lucy continue à parcourir d'autres sites relayant la mort de Gabriel.

– Dites donc, de manière générale, ils ne vous appréciaient pas trop, vos confrères. Il n'y en a pas un qui se soit donné la peine d'écrire une nécrologie positive.

– *Ce ne sont pas mes confrères, mais les critiques parisiens. Cela représente seulement quelques dizaines de personnes, formatées sur le même moule, à qui l'on a appris à détester la littérature de genre en la définissant comme une sous-littérature.*

101

– Et vos défenseurs ?

– *Si tant est qu'ils existent, ils n'ont pas, ou peu, accès aux médias.*

Lucy affiche une moue moqueuse.

– C'est encore votre paranoïa qui parle.

– *J'aimerais bien, mais vous pouvez le constater vous-même en lisant ces articles. En France, de toute façon, tout auteur qui parvient à toucher le grand public est suspect.*

– Pa-ra-no ! Avant de vous rencontrer, je n'aurais jamais imaginé cette facette de votre personnalité ; je pensais vraiment que vous étiez au-dessus de tout ça.

– *Vous aimeriez qu'on dise « bon débarras » après votre mort ? Je ne suis pas non plus insensible.*

– Mais si les critiques parviennent à vous agacer, ça veut dire qu'ils ont gagné.

Elle éteint sa tablette numérique, se verse une nouvelle tasse de thé, puis lâche enfin la phrase que Gabriel attendait :

– Allez, j'ai un peu de temps ce matin et je sais que vous en mourez d'envie. Racontez-moi votre histoire, monsieur Wells.

21.

« Comme vous le savez, j'ai un frère jumeau, Thomas. À ce qu'il paraît, nous nous tenions enlacés dans le ventre de notre mère quelques jours encore avant l'accouchement. Qui s'est mal passé. Selon ses dires, cela a été "une vraie boucherie", à laquelle elle a heureusement survécu. De toute façon, elle prétendait qu'elle avait prévu la situation ; elle était astrologue.

Notre père, lui, était beaucoup plus cartésien. Il enseignait la biologie à l'université et, en parallèle, il était chercheur indépendant. Il espérait que ses expériences le rendraient célèbre, mais ses domaines de prédilection n'ont jamais intéressé ses pairs. C'est lui notamment qui, lorsqu'il travaillait aux États-Unis, a découvert que les vers planaires retrouvaient leur chemin dans un labyrinthe même une fois qu'on leur a coupé la tête et que celle-ci a repoussé. Et il pensait vraiment qu'il pourrait un jour prolonger la vie humaine avec cette découverte sur les vers planaires. Cette expérience est d'ailleurs citée dans l'encyclopédie de mon grand-oncle Edmond Wells et elle nous a longtemps fascinés, mon frère et moi. Elle nous a conduits à nous poser très jeunes des questions sur la mort, la vie, la mémoire, le siège de l'esprit.

Mon père entretenait une relation privilégiée avec Thomas, tandis que j'étais plutôt le chouchou de ma mère, qui m'aimait d'un amour un peu étouffant. Mon complice était mon grand-père paternel, Ignace Wells, lieutenant de police. Avec lui j'avais de longues conversations au bord du lac du bois de Boulogne, tout en lançant des croûtons de pain aux cygnes.

Vous n'êtes pas la seule à avoir un conte pour enfants de prédilection. Vous, c'est "La Chèvre de M. Seguin" de Daudet, et moi c'est "Le Vilain Petit Canard" d'Andersen. Au cas où vous l'auriez oublié, je vous en rappelle l'histoire : le petit canard, exclu et agressé par les autres canetons, s'avère en grandissant ne pas être un canard, un œuf de cygne ayant été placé par erreur au milieu d'œufs de canard. À partir du moment où il assume cette différence qui le faisait tant souffrir, il devient heureux. Comme le disait mon grand-père : "Tout handicap peut devenir un atout. Toute erreur, dès lors qu'elle est assumée, peut passer pour un choix artistique."

Le cygne est ainsi devenu notre "signe" de connivence. Et le lac notre lieu de communication.

En dehors des instants merveilleux passés avec mon grand-père, la vie au milieu des autres "canards" n'était pas facile. Contrairement à mon frère, je n'étais pas bon élève, ni sportif. Il était au premier rang, j'étais au fond, près du radiateur. Mes bulletins me décrivaient ainsi : "Élève rêveur, devrait revenir sur terre." Nous étions devenus un cas d'école pour nos professeurs : des jumeaux identiques en tout point, mais dont l'un était premier de la classe, l'autre dernier.

Je n'aimais pas les livres qu'on nous proposait en cours. Les écrivains du programme me semblaient être des donneurs de leçons, des moralisateurs imbus d'eux-mêmes, et je subodorais qu'ils ne respectaient pas dans leur propre vie les sages conseils qu'ils prodiguaient à leurs lecteurs.

Mon grand-père, constatant que je rejetais la littérature "officielle", m'a dit un jour : "En fait, un bon livre peut se résumer à une bonne blague." Alors, il m'a appris des blagues, dont l'effet était immédiat. Il me racontait des blagues de plus en plus longues, jusqu'au jour où il m'a conseillé de lire un livre "différent" qui à ses yeux était une bonne blague de trois cents pages : *Le Chien des Baskerville*, de l'écrivain anglais Conan Doyle. Ça a été une révélation. Je tournais les pages avec avidité. J'ai lu tout le roman d'un trait, sans même avoir conscience du temps qui passait. Ce que vous avez ressenti en prison en lisant *Nous les morts*, je l'ai ressenti en lisant Doyle. Je voulais savoir quel était ce monstre tapi dans la lande qui terrifiait tous ceux qui s'y aventuraient. Dès lors, la littérature a cessé de m'apparaître comme une suite de jolies phrases qu'on enfile comme des perles sur un collier, pour devenir une énigme insoluble qui se résout par un tour de magie.

À moi non plus, le monde que me proposaient mes parents et l'école ne convenait pas. J'ai donc fugué, pas physiquement mais psychiquement.

Après *Le Chien des Baskerville*, j'ai lu tout Conan Doyle et j'ai inventé mon propre enquêteur, baptisé "Le Cygne". Je l'ai imaginé la peau excessivement blanche, avec un long cou, et lorsqu'on l'énervait, il devenait vite très agressif. Sa devise était : "Il y a deux vérités, celle qu'on veut nous faire croire et celle qu'on veut nous cacher."

Au début, je rédigeais des petites enquêtes de dix pages avec peu de personnages. De simples nouvelles pour lesquelles je cherchais chaque fois la fin la plus surprenante possible. Dans ma tête, je visualisais une architecture sous-jacente à chaque histoire : certaines étaient en forme de cercle (l'enquêteur découvrait que la clef de l'énigme était sous ses yeux depuis le début) ; d'autres en forme de spirale (l'histoire ne cessait de se compliquer et de s'élargir en prenant des virages inattendus) ; d'autres encore en triangle (un personnage avait utilisé un autre personnage pour parvenir à ses propres fins), en pyramide (plusieurs intrigues parallèles convergeaient au sommet), en croix, en cathédrale... J'utilisais aussi comme structure narrative les principes inhérents à l'art de la magie tels que la diversion, le choix forcé, le double fond, les miroirs, les jumeaux... Oui, je peux dire que j'ai été sauvé par les enquêtes de Sherlock Holmes et tout ce qu'elles ont éveillé dans mon esprit.

J'avais toujours de mauvaises notes à l'école, mais mes professeurs de français me complimentaient de plus en plus. Je me souviens qu'au collège l'un d'entre eux m'a déclaré : "Franchement, j'ai adoré vous lire : j'ai bien ri, votre trouvaille finale m'a estomaqué, mais vous devriez quand même soigner la forme. Vous avez fait dix fautes d'orthographe, ce qui m'a encore une fois obligé à vous mettre zéro. Mais je voulais quand même que vous sachiez que je prends tant de plaisir à vous lire que je commence toujours par votre copie afin de me donner de l'entrain pour les autres, qui sont souvent dépourvues de fautes d'orthographe mais ennuyeuses à mourir."

Si les professeurs continuaient à me sanctionner, ce n'était toutefois plus le cas de mes camarades de classe, qui adoraient m'écouter raconter les enquêtes de l'inspecteur Le Cygne dans la cour de récréation.

J'avais trouvé ma place : j'étais le "raconteur d'histoires". Depuis la nuit des temps ont existé des bardes, des griots, des conteurs, qui ont contribué à créer la culture du groupe. Rien qu'avec mes enquêtes du lieutenant Le Cygne je créais une sorte de tribu d'"écouteurs", ce qui m'attira enfin l'intérêt des filles.

Dès lors, mon frère et moi nous sommes retrouvés en concurrence : lui gagnait dans le circuit classique, et moi dans cette nouvelle vocation. D'une certaine façon, je m'inscrivais dans le prolongement de ma mère qui, en tant qu'astrologue, racontait des histoires pour faire plaisir à ses clients.

Thomas, lui, voulait être un scientifique sérieux, dans la droite ligne de notre père, même s'il a choisi plus tard de se spécialiser en physique et non en biologie. Il voulait construire des appareils à ondes, c'était son truc.

Quand mon grand-père fut hospitalisé, j'avais 13 ans et je lui rendais visite pour poursuivre nos longues conversations. Il avait 82 ans à l'époque et sa santé se dégradait très vite. Il me disait qu'il voulait mourir, mais ma grand-mère lui répondait invariablement : "Mais non, tu dis des bêtises, ton médecin est formel : tu as des chances de t'en sortir." Je me souviens qu'il tenta d'arracher les tubes de sa perfusion et qu'on l'attacha donc avec des sangles à son lit. Il me supplia de l'aider à mourir, mais je ne savais pas comment faire. Finalement, j'ai appris un jour qu'il avait trouvé la force d'arracher ses sangles et de mettre fin lui-même à ses jours. Sa mort m'a traumatisé, ainsi que le fait que ma grand-mère refuse de respecter sa volonté. "Si on ne peut même pas décider quand on va mourir, alors cela sert à quoi d'être libre ?" m'étais-je demandé.

Si j'ai été profondément marqué par cette perte, cela n'a pas été le cas de mon frère qui répétait : "La médecine a fait ce qu'elle a pu, mais papi a préféré lutter contre les décisions du médecin et a fini par en payer le prix." Voyant quand même que cette disparition m'affectait énormément, Thomas m'a proposé de fabriquer un "nécrophone", une machine pour parler aux morts inspirée d'une vraie machine qu'avait imaginée Thomas Edison dans ce but. J'ai adoré cette idée et décidé que, le temps qu'il mette au point sa fabuleuse machine, j'allais utiliser mon propre talent, celui d'écrivain en herbe, pour imaginer comment elle pourrait fonctionner. La nouvelle écrite à cette époque, simplement intitulée "Nécrophone", a servi de base au roman que j'allais écrire dix ans plus tard, *Nous les morts*.

Puis j'ai suivi des études de droit, qui m'ont vite lassé, et de criminologie, qui m'ont pour le coup passionné. J'ai réussi l'examen de sortie haut la main, et comme il y avait peu de concurrence (les étudiants journalistes préfèrent la politique et la culture à la criminologie), j'ai été facilement engagé dans un grand hebdomadaire de gauche qui cherchait un journaliste spécialisé dans les affaires criminelles.

Mes premiers articles ont rencontré beaucoup de succès : les lecteurs aimaient mon style romanesque directement influencé par Doyle. Je suivais les procès aux assises et je les mettais ensuite en scène dans mes articles de façon théâtrale, en donnant beaucoup de détails sur la psychologie des intervenants, assassins comme victimes.

Très vite, le rédacteur en chef m'a proposé de monter en grade et offert le titre tant convoité de "grand reporter". J'avais enfin l'autorisation de réaliser de gros reportages, avec mon propre photographe et du temps pour faire moi-même mes repérages et mes audiences de témoins. J'avais un meilleur salaire, plus d'espace pour m'exprimer et, en retour, je permettais au journal d'augmenter son lectorat. Mes premiers reportages furent remarqués, on me citait à la radio, on reprenait mes analyses dans des articles de journaux concurrents, et mon courrier des lecteurs formait une belle pile sur mon bureau.

Et puis j'ai réalisé un reportage sur un pédophile belge accusé d'avoir kidnappé des enfants. On croyait qu'il agissait seul. Or, en menant l'enquête, j'ai découvert qu'il faisait partie d'un réseau d'une centaine de personnes, dont des notables allemands et des ministres belges. Étonnamment, les juges ont refusé ne serait-ce que d'envisager l'hypothèse du réseau, à tel point qu'ils faisaient taire l'incriminé quand il s'apprêtait à dénoncer ses complices. J'étais sidéré. J'ai donc rédigé un article où je présentais tous les indices prouvant que la justice tentait d'étouffer l'affaire. Je n'ai néanmoins pas eu le loisir d'exposer mes conclusions jusqu'au bout, car mon rédacteur en chef craignait d'être poursuivi, voire pire, comme il me l'a un jour signalé en disant : "Il y a parfois des gens qui disparaissent pour moins que ça."

Je n'ai donc pas insisté et j'ai renoncé à cette publication pour me consacrer à des enquêtes moins "dérangeantes", notamment une concernant un animateur de télévision très populaire dont j'avais découvert qu'il consommait de la cocaïne et avait déjà blessé grièvement plusieurs filles, sous l'effet de la drogue, alors même qu'il présentait des émissions dans lesquelles il dénonçait les violences conjugales pour faire pleurer dans les chaumières. Là encore, je n'ai pas pu dévoiler mes découvertes. Cet homme-là avait un audimat trop élevé pour qu'on l'atteigne.

À la suite de cet épisode, mon rédacteur en chef m'a convoqué. Il m'a dit qu'il fallait que j'arrête de vouloir faire des enquêtes de cette manière. Il a raillé ma naïveté qui, disait-il, me faisait confondre le métier de journaliste avec celui de justicier. De toute façon, il n'y avait, selon lui, plus de budget dévolu aux enquêtes longues. Il a terminé en disant : "Gabriel, soyez humble, arrêtez de vouloir faire votre intéressant, contentez-vous de reprendre les dépêches en les étoffant grâce à votre style unique et vos personnages si bien incarnés. Cela coûte moins cher à notre magazine et cela suffit amplement à nos lecteurs."

J'ai donc recommencé à écrire des articles qui ne dérangeaient personne, tout en rêvant de m'attaquer à des morceaux plus consistants. Et l'occasion s'est présentée. La troisième enquête approfondie que j'ai menée de mon propre chef portait sur le directeur d'une agence gouvernementale de contrôle de la moralité à la télévision, qui avait été vu par plusieurs témoins assassiner une prostituée dans une orgie sadomaso. Plusieurs politiciens s'étaient empressés de venir à son secours pour l'innocenter ; il clamait qu'il était un père de famille exemplaire, à la morale irréprochable, et qu'il était victime d'un complot de producteurs de films X frustrés de ne plus pouvoir inonder la télévision de leurs obscénités. Pour se disculper, ce directeur de morale télévisuelle avait rédigé sa version des faits sous la forme d'un essai intitulé *L'Honneur bafoué d'un homme*. La veille du procès, l'un des principaux témoins, un travesti, a été étranglé dans sa cellule. Les autres prostituées entendues comme témoins se sont alors rétractées, et un journaliste de télévision qui soutenait l'hypothèse du meurtre a été licencié.

J'ai interviewé ces filles une par une, et elles m'ont toutes dit qu'on les avait menacées de leur retirer la garde de leurs enfants si "elles persistaient dans leurs mensonges visant à jeter le discrédit sur un homme vertueux". Elles m'ont raconté avec force détails la soirée du crime ; comme leurs descriptions concordaient parfaitement, j'ai rédigé un long article. Craignant que mon rédacteur en chef ne mette son veto, j'ai transmis mon texte au dernier moment, juste avant le bouclage, en prétendant qu'il avait été validé. Ça a failli marcher, mais la secrétaire de rédaction a finalement eu un doute et averti le rédacteur en chef qui a pu tout bloquer. J'ai appris par la suite que ce dernier était lui-même un ami de l'incriminé. Le lendemain, il m'a convoqué pour me dire que c'était la goutte d'eau qui avait fait déborder le vase, que j'étais paranoïaque et que je voyais toujours des criminels là où il n'y en avait pas. Il m'a conseillé de me faire soigner et m'a licencié au motif suivant : "Confond ses intuitions personnelles avec la réalité des faits."

S'en est suivie une année de chômage et de difficultés à payer mon loyer. Ma réputation de "fauteur de troubles" m'a empêché d'être engagé dans les journaux concurrents. Je vivais dans un petit studio de dix mètres carrés sous les toits, avec toilettes et douche communes, et je ne mangeais qu'un repas par jour – en général des pâtes lyophilisées à la sauce tomate.

J'ai profité de ce temps libre pour transformer mon premier article sur le réseau pédophile belge en roman à suspense truffé d'informations de criminologie peu connues. Cela a été mon premier manuscrit : *Le Cygne*.

Je l'ai envoyé à une dizaine d'éditeurs. Aucun n'en a voulu et tous m'ont envoyé la lettre type de refus : "Désolé, cela ne correspond à aucune de nos collections. Nous vous conseillons cependant de le présenter à d'autres éditeurs plus à même de défendre ce genre de texte. Bonne chance pour votre future publication." J'ai donc réécrit le texte, et je l'ai renvoyé aux mêmes éditeurs, qui m'ont de nouveau adressé des lettres polies de refus.

Et puis, un jour, une maison m'a appelé pour me dire que le grand éditeur Alexandre de Villambreuse voulait me rencontrer au plus vite. Le patron voulait me voir personnellement ! Je n'en revenais pas.

Lors de notre première entrevue, il m'a dit : "On le prend mais c'est trop long. Mille cinq cents pages d'enquête sur un réseau pédophile belge, ça ne peut pas toucher le grand public. Je vous propose de ramener votre ouvrage à trois cent cinquante pages, et de situer l'intrigue au Luxembourg plutôt qu'en Belgique pour éviter tout problème juridique. Et, évidemment, aucun nom. Ce sera aux lecteurs de faire le lien avec la vraie affaire s'ils ont un minimum de curiosité."

Après m'avoir longuement fixé, il a ajouté : "Je crois que cela peut toucher le jeune public et les gens avides de nouveauté. Actuellement, ce qui me navre le plus, c'est que tous les livres se ressemblent et ressemblent aux livres du siècle dernier…"

La sortie de mon premier roman a provoqué chez moi comme un petit baby-blues littéraire, que j'ai surmonté pour suivre la vie de mon livre, notamment en participant à une tournée des librairies de province pour en parler. Malheureusement, *Le Cygne* n'a connu qu'un faible retentissement médiatique : un seul article dans mon ancien hebdomadaire, écrit par un collègue qui avait trouvé mon éviction scandaleuse, et un passage dans une émission télévisée littéraire programmée à 1 heure du matin. Mais il y a eu un fort bouche-à-oreille jusqu'à la sortie du livre en format poche et même après, ce qui m'a permis de toucher plus de lecteurs.

Alexandre de Villambreuse m'a donc assez logiquement commandé la suite des aventures du lieutenant Le Cygne. Ce fut *La Nuit du cygne*. Cette fois-ci, le roman s'appuyait sur mon enquête concernant l'animateur violent sous cocaïne. Je travaillais encore plus la psychologie de mon héros enquêteur,

Louis Le Cygne, imaginant notamment que l'un de ses rituels était d'aller nourrir les cygnes du lac du bois de Boulogne pour réfléchir. C'était une manière de faire revivre mon grand-père.

Le livre connut, toujours sans le soutien des médias, un grand succès populaire, et j'obtins même plusieurs prix de lecteurs, mais le manque d'intérêt de la presse m'intriguait. J'ai donc interrogé à ce sujet Alexandre de Villambreuse, qui m'a expliqué que c'était automatique : "Soit vous avez les critiques, soit vous avez le public. Les deux sont incompatibles en France. Vous préférez quoi ?" J'ai répondu que je choisissais le public, ce qu'il a applaudi en disant que c'était charitable de ma part de laisser aux mauvais écrivains les bonnes critiques. Je me souviens de ce dialogue qui m'avait sidéré, car à l'époque je n'imaginais pas que le système puisse être à ce point clivé.

Après les deux polars sous-titrés "Les enquêtes du lieutenant Louis Le Cygne", craignant d'être définitivement catalogué dans un seul genre littéraire, j'ai tenté d'écrire un livre de spiritualité en y faisant s'entremêler aventure et suspense : *Nous les morts*. L'histoire était directement inspirée du nécrophone que mon frère avait voulu fabriquer. J'utilisais tout ce que j'avais découvert dans *Le Livre des morts tibétain* et *Le Livre des morts égyptien*, ainsi que des interviews de médiums et théologiens. Ce roman ne connut aucun retentissement médiatique. Même pas une référence dans un journal de petites annonces. Ce fut un échec total, comme vous le savez déjà. Il fallait me rendre à l'évidence : mes morts n'intéressaient pas… les vivants.

J'ai alors pensé que ma carrière d'écrivain était finie et qu'il me fallait revenir au journalisme mais, sur les conseils d'Alexandre de Villambreuse, j'ai rédigé le troisième volume des enquêtes du lieutenant Le Cygne en m'inspirant cette fois de l'histoire du notable qui avait assassiné la prostituée : *Le Chant du cygne*.

À ma grande surprise, le roman s'est placé dès la première semaine en tête des palmarès. Comme quoi il faut, parfois, enfoncer trois fois le même clou pour qu'il entre. Quelques critiques ont même consenti à m'interviewer, non pas pour parler du livre, mais pour que j'essaie d'analyser ce succès qu'ils ne s'expliquaient pas. Et puis est paru le premier article assassin de Moisi. Lui non plus ne parlait pas du roman proprement dit, mais se déchaînait contre les lecteurs qui étaient suffisamment stupides pour acheter mes livres. Il sous-entendait que j'étais uniquement motivé par la gloire et la fortune, me traitant d'écrivaillon, d'auteur de basse catégorie. Grâce à son article, j'ai toutefois eu droit à une interview radiophonique où l'on m'a offert de répondre à ses insinuations et ses insultes. Un avocat m'a aussi proposé de lui intenter un procès en diffamation. À l'inverse, peut-être justement en réaction à l'article de Moisi, de nombreux libraires se sont mis à me soutenir, ainsi que des professeurs de français qui s'étaient aperçus que mes romans pouvaient donner aux jeunes le goût de la lecture, précisément parce qu'ils étaient faciles d'accès. *Le Cygne* a même été inscrit au programme de terminale et, en parallèle, le livre a connu un succès international. Ainsi, j'avais réussi à trouver un large public sans passer par la case médiatique. Certes, Moisi et certains de ses pairs ont continué de se déchaîner contre moi, mais au final cela m'a fait une très bonne publicité.

Après cela, j'ai écrit la suite de *Nous les morts*, *Le Royaume des cieux*, où je décrivais un peu plus précisément ce que j'imaginais pouvoir être le monde de l'après-vie. J'en ai profité pour relater la fameuse expérience de mon père sur le ver planaire, de manière à donner une dimension scientifique à un livre censé traiter de spiritualité. Là encore, le livre a trouvé un large public et connu une belle vie en librairie, ce qui était étrange, vu l'échec du livre dont il était la suite.

À partir de là, je me suis fixé une véritable discipline, à la manière des sportifs : tous les matins, de 8 heures à 12 h 30, j'écrivais au bistrot. Et tous les 1er avril, je sortais un nouveau titre, ce qui me forçait à travailler avec régularité et me permettait de fixer un rendez-vous annuel à mes lecteurs.

J'ai écrit des polars, des livres de spiritualité... au total, douze ouvrages en douze ans depuis *Le Cygne*. Tous n'ont pas rencontré le succès mais je voyais désormais ma carrière comme un long marathon et non plus comme une succession de petits sprints. Par chance, les lecteurs m'ont toujours soutenu. Ma hantise étant de me répéter, je m'apprêtais à explorer un nouveau genre littéraire et à publier un livre de science-fiction : *L'Homme de mille ans*, sur la tentative de prolonger l'espérance de vie. Le monde est ironique : je suis mort au moment même où j'avais décidé d'écrire sur les façons de rester en vie aussi longtemps que possible... »

22. ENCYCLOPÉDIE : LE BANDIT EMBAUMÉ

Il existe peu d'hommes dans l'Histoire qui aient connu une seconde carrière après leur mort. Ce fut pourtant le cas de l'Américain Elmer McCurdy, né en 1880. À 27 ans, ne parvenant pas à trouver un métier en raison d'un penchant un peu trop marqué pour l'alcool, il s'engagea dans l'armée. Là, il se spécialisa dans le maniement des explosifs. Après trois ans de service, il rejoignit une bande de pilleurs de trains et devint lui-même gangster. Lors de sa première attaque, menée contre un train qui transportait de l'argent destiné aux tribus indiennes, il dosa mal l'explosif et détruisit tous les billets en faisant sauter la porte du coffre. Ses autres attaques furent également des échecs pour des questions de dosage d'explosif, et le plus gros butin qu'il obtînt jamais s'éleva à 46 dollars. Cependant, sa tête fut mise à prix à 2 000 dollars. Poursuivi par trois shérifs, il se barricada dans une ferme et refusa de se rendre. Ses dernières paroles furent : « Vous ne m'aurez jamais vivant ! » Et, de fait, il fut abattu quelques minutes à peine après avoir prononcé cette phrase prophétique.

Son corps n'étant réclamé par personne, il servit d'attraction au croque-mort Joseph Johnson, qui l'embauma avec une solution d'arsenic et l'exposa à l'entrée de sa boutique. Une pancarte annonçait : « L'homme qui refusa de se rendre ». Il en coûtait 10 *cents* d'observer le cadavre habillé en cow-boy et disposé dans un cercueil. Le succès fut tel que plusieurs cirques ambulants tentèrent de racheter cette momie, sans succès. Mais cinq ans après sa mort, un homme se présenta comme son frère et récupéra le corps, soi-disant pour lui offrir une sépulture décente.

C'était en fait un escroc, qui profita de l'aubaine pour s'enrichir à son tour. La carrière d'Elmer connut ainsi une seconde vie. Pendant soixante ans, il fut prêté aux musées, parcs d'attractions et fêtes foraines sous le titre de « bandit embaumé ». En 1935, il fut exposé à l'entrée d'un cinéma qui projetait le film d'horreur *Narcotic*. Il fut ensuite exhibé dans un musée de cire consacré aux hors-la-loi célèbres. En 1967, il fit de la bien immobile figuration dans le film d'horreur *The Freak* et termina finalement sa carrière dans une attraction du parc de Long Beach, en Californie, baptisée « The Laff in the Dark » : complètement nu et peint en rouge, il était pendu à la sortie d'un virage dans le but de faire hurler de peur les passagers du train fantôme. En décembre 1976, un épisode de *L'homme qui valait 3 milliards* fut tourné dans ce tunnel de l'épouvante. Un accessoiriste le déplaça, pensant qu'il s'agissait d'un mannequin de cire, mais, lorsque son bras se détacha, il découvrit avec effroi qu'il y avait un os à l'intérieur. Un médecin accourut et constata qu'il s'agissait bien d'un corps humain momifié. Il trouva même dans sa bouche un *penny* datant de 1924 ainsi qu'un billet d'entrée pour le musée du Crime de Los Angeles. Ce fut grâce à ce billet que la police put reconstituer la trajectoire du cadavre et l'identifier comme celui du bandit Elmer McCurdy. Soixante-six ans après sa mort, il eut enfin droit à des funérailles dans l'Oklahoma, auxquelles assistèrent plus de 300 personnes. Deux tonnes de béton furent versées sur son cercueil afin que personne ne soit tenté de le voler.

Edmond Wells,
Encyclopédie du Savoir Relatif et Absolu, tome XII.

23.

Les chats ne font plus le moindre bruit, comme s'ils avaient eux aussi écouté le récit de l'écrivain.

Lucy se ressert une tasse de thé.

– Je comprends mieux votre côté parano, monsieur Wells. J'ignorais que cela avait été aussi compliqué pour vous d'exister en tant que romancier. En tout cas, comme je vous l'ai déjà dit, vos ouvrages m'ont fait du bien à un moment-clef de mon existence.

– *Cela me ravit. Je suis d'autant plus touché que vous correspondez exactement au genre de femme dont je pourrais tomber amoureux…*

– Mais vous êtes mort !

– *Personne n'est parfait…*

– De toute façon c'est impossible car j'en aime un autre, vous le savez bien, qui est mon unique grand amour.

– *À ce sujet… j'ai réfléchi. J'ai une proposition à vous faire.*

– La dernière fois que vous m'avez proposé quelque chose, c'était pour me demander d'aller enquêter sur le terrain en échange de votre réincarnation. On a vu le résultat. Merci bien.

– *Écoutez-moi. Je suis sérieux. Vous trouvez la vérité sur ma mort et moi je retrouve votre grand amour.*

Lucy ne cache pas sa surprise.

– Et vous comptez faire comment ? Je vous rappelle qu'un détective et un ministre de l'Intérieur ont tous deux échoué dans cette mission.

– *Je vais me faire aider par mon grand-père policier qui était un excellent enquêteur. Il m'a recontacté dans l'invisible et s'est dit prêt à m'aider. Je présume que, dans l'au-delà, il peut avoir accès à des informations que n'ont jamais pu recueillir votre détective ou votre ministre.*

Lucy prend une profonde inspiration, tout en caressant le chat qui a bondi sur ses genoux, comme pour lui demander conseil.

– Vous feriez vraiment ça pour moi ? reprend-elle au bout d'un moment.

– *Je serai heureux de vous aider.*

– OK. Qu'on soit bien d'accord : j'enquête sur votre mort, vous enquêtez sur l'amour de ma vie, et nous y mettons toute notre énergie chacun de notre côté pour aboutir à un résultat.

– *Je vous promets que je n'abandonnerai pas avant de savoir s'il est bien vivant et, le cas échéant, où il se trouve.*

– Pour ma part, je ferai tout ce qu'il faut pour trouver votre assassin, mais je ne prendrai plus le moindre risque, c'est clair ?

– *Je suis vraiment désolé pour hier. Je ne connaissais pas encore bien les règles de l'invisible et j'ignorais donc que vous attiriez les âmes errantes comme la lumière attire les papillons.*

– Je ne veux plus la moindre blessure, la moindre égratignure, la moindre course-poursuite, la moindre menace physique ou verbale. Même pas un ongle cassé ou une tendinite.

– *Mon intérêt est que vous viviez confortablement le plus long-temps possible.*

– Alors, comment voulez-vous que je procède ?

– *Tout d'abord, je vais vous indiquer l'adresse d'un site du darknet où, pour une somme modique, vous pourrez vous procurer une fausse carte de police qui vous aidera à entrer partout et à interroger les suspects. Ensuite, je vais vous donner l'adresse du laboratoire d'analyses de mon ami Vladimir Krausz. Vous lui demanderez d'analyser l'éprouvette que vous avez récupérée. Nous travaillerons en parallèle, des deux côtés du monde.*

Lucy, en guise de réponse, s'approche d'une photo de Samy Daoudi. Elle ferme les yeux et se laisse envahir par les meilleurs souvenirs qu'elle a de lui. Elle gonfle sa poitrine, puis pousse un long soupir plein d'espoir.

24.

Le vent dans les rues fait voleter les feuilles mortes et les papiers gras. Les longues files de voitures prises dans un embou-teillage klaxonnent et les piétons hâtent le pas. Seuls les promeneurs de chiens sont ralentis dans leur course par leurs animaux qui reniflent arbres et pneus. Lucy Filipini marche vite, entièrement vêtue de rouge, une couleur en l'occurrence opportune puisqu'elle se rend au laboratoire d'analyses de Vladimir Krausz, situé dans un immeuble qui ressemble à un hôtel de luxe. Dans le hall d'entrée, une réceptionniste obèse à double menton et poireau sur la joue semble bouleversée, parlant de manière hachée au téléphone.

– … et alors tu ne sais pas ce qu'il me dit ? « Ghislaine, cette nuit tu as fait une nouvelle crise de somnambulisme, ça devient pénible. » Tu imagines ? Comme si je faisais volontairement des crises, en plein sommeil ! Alors je lui ai répondu : « Et toi, Francis, tu m'obliges à voir ta mère tous les dimanches, c'est bien pire qu'une crise de somnambulisme et pourtant je serre les dents ! » Eh bien, tu me croiras ou pas, mais il l'a mal pris ! J'ai ajouté : « Si ma manière de dormir te dérange tant que ça, retourne chez ta mère, je suis sûre qu'elle dort en silence, elle. » Alors il a essayé de m'amadouer en m'appelant « Ma Guigui », mais tu te doutes qu'avec moi cela ne…

Lucy Filipini, face à elle, a sorti sa carte de police, qu'elle place bien en évidence devant ses yeux.

– Attends, Séraphine, j'ai une patiente, je te rappelle.

Elle raccroche et demande d'un ton excédé :

– C'est pour quoi ?

– Police, articule Lucy en cherchant l'intonation la plus crédible.

– Il n'y a pas de traitement de faveur pour les fonctionnaires municipaux, vous devez attendre avec les autres. Préparez votre carte Vitale et votre carte de mutuelle.

– C'est pour une enquête criminelle. Je voudrais voir Vladimir Krausz.

— Il est avec un patient, on ne peut pas le déranger.

— Comme je vous dis, c'est pour une enquête…

— Eh bien, enquête ou pas enquête, les autres patients étaient là avant vous, alors vous attendez votre tour comme tout le monde, *chère* madame.

Lucy hésite à hausser le ton, mais la secrétaire est sur son territoire, et comme elle ne sait pas trop comment s'exprimerait une vraie policière, elle n'ose aller à l'affrontement. Elle rejoint donc sans broncher la salle d'attente adjacente que lui désigne la réceptionniste.

Là, plusieurs personnes tiennent à la main des fioles contenant des liquides rouges, jaunes, marron, blancs. Toutes ont l'air abattues, comme dépitées que leur organisme sécrète des liquides de mauvaise qualité. Lucy ferme les yeux et tente une courte séance de méditation, mais la réceptionniste a recommencé à téléphoner et parle suffisamment fort pour l'empêcher de se concentrer.

— Et après, tu sais ce que Francis m'a dit? Que je devais me faire soigner… Comme si la médecine pouvait y faire quelque chose! Moi je crois plutôt que c'est lui qui devrait se faire soigner! Alors évidemment je me suis énervée, et il m'a dit ce qui a le don de me faire sortir de mes gonds : «Calme-toi!» Là je peux te dire que je ne me suis pas calmée, bien au contraire…

Une voix douce interrompt Lucy dans sa tentative de méditation :

— C'est vous qui êtes de la police?

La jeune femme ouvre les yeux et découvre un homme en blouse blanche. Il a le visage allongé, encadré de courts cheveux raides et noirs.

— Je suis le professeur Krausz, Vladimir Krausz. Si vous voulez bien me suivre.

Il la conduit à son bureau et lui désigne un fauteuil.

– En fait, je ne suis pas là en mission officielle, lance-t-elle en sortant l'éprouvette de son sac. Gabriel Wells était un ami proche et, avant de mourir, il m'a expressément demandé de faire analyser son sang en cas de décès.

– C'était aussi un de mes amis. J'ai appris sa disparition ce matin et cela m'a bouleversé.

– Il soupçonnait que quelqu'un allait tenter de l'empoisonner.

– Gabriel était un peu paranoïaque. Il semblerait que son métier ait fini par lui faire confondre réalité et fiction. Pourtant, je ne crois pas qu'il ait eu de vrais ennemis. C'était au contraire un homme entouré d'amis. Que vous ayez fait partie de ses proches est une preuve supplémentaire de sa chance, mademoiselle… ?

– Filipini. Capitaine Filipini.

Il la fixe plus intensément et elle lui tend l'éprouvette.

– Cela a été prélevé *après* son décès, dites-vous ?

– Gabriel m'avait demandé d'agir sans tarder et discrètement, avant de venir vous voir au plus vite.

Elle fait un infime mouvement vers l'avant qui entrouvre son chemisier et offre à l'homme en blouse blanche une vue plongeante sur son décolleté, stratégie qui a déjà fonctionné dans le passé. Le médecin toussote et dit :

– Il y a cinq ans, le docteur Langman lui a proposé de faire un bilan complet à l'hôpital. Pendant une journée entière, des spécialistes lui ont fait des tests, des radios, des analyses. Ils ont découvert, grâce à la scintigraphie cardiaque, qu'un athérome de graisse bouchait une coronaire. Alors même qu'il n'avait pas de cholestérol, ni de prédispositions héréditaires, qu'il ne fumait pas, n'avait jamais eu d'infarctus ni même d'alerte, ne buvait pas et faisait du jogging une fois par semaine : bref, aucun signe annonciateur. Cette scintigraphie a révélé que Gabriel n'avait plus que quelques jours à vivre. Mais il a refusé de se faire opérer à cœur ouvert et a préféré se mettre au vélo d'appartement en séances quotidiennes de 50 minutes et à l'aspirine. Cela a suffi à le remettre en selle, sans mauvais jeu de mots – un véritable miracle ! Mais chaque année, je pratiquais sur lui une analyse de sang pour surveiller son état de santé. Je vais donc pouvoir comparer votre échantillon au dernier test que j'ai effectué.

Vladimir Krausz l'invite à le suivre dans une autre pièce remplie d'appareils et d'écrans.

– Vous vous intéressez aux nouvelles technologies, capitaine ? Ceci est un spectromètre de masse et ceci un chromatographe. En couplant ces deux appareils, on va pouvoir savoir quelles molécules exactement se trouvent dans cet échantillon.

Le biologiste introduit l'éprouvette dans une centrifugeuse, qui aspire une partie du contenu et le place dans un appareil émettant une lumière mauve. Sur l'écran apparaît une liste de lettres et de chiffres.

– Mon Dieu ! Vous voyez cette formule, $C_{28}H_{40}N_2O_9$? demande-t-il à Lucy.

– Il va falloir me la traduire…

– C'est de l'antimycine A, un composé chimique inhibiteur de la chaîne respiratoire. Ici c'est de l'atractylate et là de l'oligo-mycine. En bref, des traces de substances hautement toxiques, ce qui semble clairement indiquer qu'il y a eu empoisonne-ment.

Il ouvre un programme de recherche par mots-clefs et entre les formules chimiques qu'il vient de récupérer. Apparaissent alors à l'écran plusieurs pages de textes, de graphiques et de schémas.

– Il a été empoisonné par des substances complexes qui laissent supposer que la personne qui a choisi ce poison s'y connaît en chimie, lâche-t-il en hochant la tête. Il l'a ingurgité la veille de sa mort. Quant aux formules en bas de l'écran, elles correspondent à d'autres substances, non toxiques, mais aux effets soporifiques et analgésiques.

La jeune femme examine les graphiques avec stupeur.

— Donc un mélange de produits pour le faire dormir, le rendre insensible et l'achever, traduit-elle.

Cela expliquerait qu'il ne se soit même pas rendu compte qu'il passait de vie à trépas, se dit-elle intérieurement, tout en notant ces informations sur son smartphone.

— Docteur Krausz, reprend-elle, est-ce que vous connaissez quelqu'un dans son entourage proche qui aurait pu lui en vouloir au point de l'empoisonner ?

— Même si, comme je vous le disais précédemment, il avait beaucoup d'amis, c'était un solitaire qui avait ses habitudes. Parfois, de jeunes lecteurs lui demandaient des autographes, qu'il signait de bonne grâce. Je ne l'ai jamais vu se mettre en colère ou hausser le ton. C'était un homme doux, obsédé par son métier. Qui pourrait bien vouloir éliminer un raconteur d'histoires ?

— Des gens qui voulaient prendre sa place ? suggère Lucy.

Il affiche une moue dubitative en guise de réponse.

— Merci pour tout, dit-elle.

Vladimir darde ses yeux dans les siens avant de déclarer :

— Attendez, juste par curiosité… Vous ne seriez pas O négatif par hasard ?

Lucy est un peu déstabilisée par cette question.

— Si, pourquoi ?

— Donc vous êtes donneuse universelle. C'est bien. Je suis moi-même O positif, répond-il fièrement.

— Et… donc ?

— Sur le plan sanguin, nous sommes… complémentaires.

Elle reste quelques secondes silencieuse, interloquée. On avait

123

déjà tenté de la séduire par l'astrologie, en prétextant des signes compatibles, en lui lisant les lignes de la main, en vantant la couleur de ses yeux, mais on ne lui avait encore jamais fait le coup du groupe sanguin. Elle se contente de sourire poliment, ce qui enlève au biologiste toute envie d'insister. Il ajoute simplement, en baissant les yeux :

– C'est quand même terrible cette histoire d'assassinat… J'espère vraiment que vous trouverez qui a empoisonné Gabriel.

25.

Gabriel Wells étend les bras. Il traverse les nuages sans les altérer. Il effectue une volte, redescend sur la ville, plane, glisse dans les différentes couches d'air, survole les toits, avant de rejoindre son grand-père Ignace Wells au sommet de la tour Eiffel, où beaucoup d'âmes errantes prennent plaisir à se retrouver.

– *Alors papi, est-ce que tu en sais plus sur ma mort ?*

D'autres ectoplasmes discutent aux alentours. Ignace, qui ne veut pas prendre le risque d'être entendu, propose de repartir et de voler à bonne hauteur au-dessus de la ville.

– *Pour l'instant, aucun de mes indics habituels n'a la moindre piste, mais il faut leur laisser un peu de temps. Et toi, de ton côté, comment ça se passe ?*

– *Pour convaincre Lucy de nous aider dans notre enquête, je me suis engagé, en échange, à retrouver Samy Daoudi, son grand amour qui a disparu. C'est son premier et unique amant, elle le cherche depuis qu'elle a été arrêtée, incarcérée puis libérée, soit depuis neuf ans. Sans jamais réussir à obtenir la moindre information.*

– *Tu sais quoi sur ce garçon ?*

– *Sa dernière adresse : 19, boulevard de Strasbourg, près de la gare de l'Est. C'est là qu'il a été vu pour la dernière fois un vendredi 13 avril il y a neuf ans.*

– *Allons-y !*

Le grand-père policier et son petit-fils écrivain rejoignent la rue sans difficulté et traversent le toit de tuiles pour s'enfoncer dans l'immeuble.

– *Comment on procède pour enquêter depuis les limbes, papi ?*

Son grand-père lui répond de le suivre et furète dans les étages. Au rez-de-chaussée, il trouve enfin ce qu'il cherche : l'âme errante de l'ancien concierge. Ce dernier fume une cigarette inexistante, issue de son imagination, et souffle de la fumée tout aussi immatérielle et uniquement visible par les autres ectoplasmes. Les pieds dans des pantoufles, il est affalé dans un fauteuil juste à côté du concierge vivant qui, dans la même position, a les yeux rivés sur le match de football qui passe à la télévision.

Sans attendre la fin du match, Ignace se lance :

– *Désolé de vous déranger, mais nous enquêtons sur la disparition d'un ancien locataire de l'immeuble.*

– *Vous avez travaillé là de quand à quand précisément ?* complète Gabriel.

– *Cela fait plus de vingt ans que je suis dans cette loge, dont trois depuis ma mort.*

– *Parfait ! Donc vous avez dû connaître Samy Daoudi qui vivait ici il y a neuf ans.*

– *Que voulez-vous savoir sur lui ?*

– *Nous enquêtons pour aider une vivante qui le recherche.*

Un but est marqué, ce qui entraîne un cri spontané du concierge vivant et un regain d'intérêt de l'ancien concierge mort. Il maugrée :

– *C'est votre problème, pas le mien.*

– *Nous avons besoin de vous.*

– *Tout le monde a toujours eu besoin de moi, mais je considère que maintenant que je suis mort, j'ai enfin le droit d'être tranquille, en paix, peinard quoi. La mort, c'est avant tout une super retraite. Et d'ailleurs, pourquoi je vous aiderais ? Je ne vous connais même pas !*

C'est Ignace qui répond :

– *Gabriel Wells ici présent est écrivain. Vous connaissez probablement ses romans : les enquêtes du lieutenant Le Cygne, ça vous dit quelque chose ?*

– *Jamais entendu parler. De mon vivant, je n'achetais que les prix littéraires en novembre et encore, ce n'était même pas pour les lire mais pour les offrir à ma famille à Noël. À mon avis, ils ne les lisaient pas non plus, mais ça faisait bien dans leur bibliothèque.*

– *Bien sûr, bien sûr, chacun ses goûts,* concède Ignace avec diplomatie. *Je disais donc que Gabriel est écrivain, même si vous ne connaissez pas ses livres, et accessoirement c'est aussi mon petit-fils. Or il s'avère que la célèbre médium Lucy Filipini, dont vous avez dû entendre parler, est une de ses proches amies.*

– *Connais pas non plus.*

– *C'est dommage, car cette médium a les meilleurs plans de réincarnation de tout Paris. Vous êtes sûr que son précieux nom ne vous dit rien ?*

– *Qu'est-ce qu'elle a de si précieux votre bonne femme, qui serait donc meilleure que ma tante Filomena, si je vous suis bien ?*

– *Lucy Filipini a un accès direct à la Hiérarchie qui lui permet d'offrir aux âmes errantes des réincarnations dans des fœtus exceptionnels.*

– *Pour l'instant, je ne souhaite pas me réincarner. Je suis bien ici* à regarder la télé par-dessus l'épaule du nouveau concierge. De préférence sans que des étrangers viennent me déranger, si vous voyez ce que je veux dire…

— Et vous comptez faire cela combien de temps ? Un an ? Dix ans ? Cent ans à rester dans cette loge à regarder la télévision ? La retraite infinie, c'est ça votre rêve ? Vous ne croyez pas qu'à un moment vous aurez envie de recommencer de zéro une nouvelle existence ?

Le concierge semble enfin tiré de sa léthargie.

— OK, admettons que je vous fournisse des informations. En échange, je veux la garantie de renaître avec une existence encore plus éblouissante.

— Que voudriez-vous être dans votre prochaine vie ?

— Une vedette de foot brésilienne.

— On peut toujours demander à Lucy si elle a ça en stock. Elle ne pourra évidemment pas vous garantir que vous deviendrez le champion dont vous rêvez, mais vous aurez des parents qui vous encourageront à suivre votre passion.

Sur le visage du concierge s'épanouit alors un large sourire de satisfaction. Puis, il hoche la tête en signe d'approbation.

— Et Samy Daoudi ? le relance Gabriel.

— Je m'en souviens très bien. Un monsieur charmant, bien éduqué, toujours bien habillé, un peu timide. Il me laissait de bonnes étrennes, je crois qu'il travaillait dans la banque ou la finance. Il vivait avec ses quatre sœurs. Des femmes toujours de bonne humeur, toujours en train de rire et qui sentaient bon le parfum. Elles m'offraient des gâteaux au miel.

— Vous savez pourquoi il est parti ?

— Ils en ont parlé dans les journaux. Il y a eu un scandale : son patron est parti avec la caisse. Du peu que j'ai compris, Daoudi était

127

un des cadres supérieurs qui risquaient de payer pour ses erreurs, alors il a préféré fuir.

– Vous avez une idée d'où il aurait pu aller ? questionne Ignace.

– Vous me garantissez que vous me présenterez à votre copine médium et qu'elle fera tout pour que je renaisse en footballeur brésilien ?

– Vous avez ma parole.

– Alors je vais vous le dire. Vous savez, dans mon métier on s'ennuie, alors on laisse traîner ses oreilles. Je l'ai entendu dire au téléphone qu'il devait quitter la France. Ensuite, il a demandé au taxi venu le chercher de le conduire gare de Lyon. Donc je suis prêt à parier qu'il s'est réfugié en Suisse ou en Italie...

26. ENCYCLOPÉDIE : MOURIR EN BONNE SANTÉ

Dans la philosophie soufie, il est conseillé de mourir en bonne santé afin d'être le plus conscient possible de l'expérience elle-même, considérée comme un moment merveilleux proche de l'extase.

Edmond Wells,
Encyclopédie du Savoir Relatif et Absolu, tome XII.

27.

Gabriel Wells commence à s'habituer à l'effet que cela fait d'entrer dans une maison par son toit. Il traverse les tuiles, l'étage supérieur, la moquette, le plancher, le plafond, et retrouve Lucy qui l'attend devant sa poupée de clown hilare.

— *Retour de mission*, annonce-t-il.

— Vous avez pu obtenir des informations sur Samy ?

— *Le jour de sa disparition, il est allé gare de Lyon. Son concierge de l'époque pense qu'il a quitté la France. Je vais poursuivre mon enquête en essayant de trouver quel train il a emprunté.*

— Il a dû lui arriver quelque chose de terrible qui lui aura fait prendre peur ! Forcément. Probablement en lien avec la valise de cocaïne. On a dû tenter de le piéger ! J'espère vraiment qu'il a pu fuir à temps.

— *Et, accessoirement, pour ce qui est de mon assassinat, vous avez avancé de votre côté ?*

— Votre intuition était la bonne. Vous avez bien été empoisonné.

— *Avec quel poison ? Arsenic ? Strychnine ? Cyanure ?*

— Un poison complexe. Il y a notamment dedans de l'antimycine A et de l'atractylate. En tout cas, Krausz affirme que c'est un composé que n'utilisent que les chimistes ou les scientifiques avertis. Le tout mêlé à des analgésiques et des soporifiques.

— *Ah oui, quand même ! J'en étais sûr ! Krausz vous a donné d'autres informations ?*

— Une estimation de la chronologie des événements. Selon lui, entre l'ingestion du poison et son action, il se serait passé vingt-quatre heures. Vous avez forcément été en contact avec le poison et votre assassin la veille de votre mort. Donc lundi. Qui avez-vous vu ce fameux lundi et qu'avez-vous fait ? Essayez de vous rappeler le plus de détails possible, en particulier les moments où vous avez bu ou mangé à proximité d'autres personnes.

Gabriel marque un temps pour se remémorer sa journée du lundi. Il ferme les yeux, laisse remonter les souvenirs et récapitule lentement les événements tandis que Lucy prend des notes sur son smartphone :

– 7 h 30. Je me lève. Mon premier geste du matin est toujours de consigner mes rêves. Ensuite je bois un verre de jus d'orange qui vient du réfrigérateur, auquel seule ma femme de ménage, Maria-Concepción, a accès.

– 8 heures. Je pars à pied au bistrot Le Coquelet en remontant la rue, je rejoins ma place habituelle et la patronne me donne mon ordinateur portable, que j'avais laissé sur place. J'avale ma deuxième boisson du matin : un café crème. Je relis mon travail de la veille pour continuer dans la bonne direction. Cinq minutes plus tard, la patronne m'apporte un croissant et un autre café crème. Je travaille deux bonnes heures.

– 10 h 30. Je termine de rédiger les dernières pages de *L'Homme de 1000 ans.* Je réécris plusieurs fois la dernière phrase jusqu'à être pleinement satisfait. Puis j'inscris le mot « FIN » au bas de la page. Comme à mon habitude, je prends une photo avec la patronne du bistrot et mon ordinateur, et nous buvons une coupe de champagne pour fêter l'événement.

– 10 h 45. J'appelle mon éditeur, Alexandre de Villambreuse, pour lui signaler que j'ai fini d'écrire mon roman. Il est très excité et veut que je le lui envoie au plus vite, mais je lui dis qu'il me faut encore passer un petit coup de correcteur orthographique, à cause d'un traumatisme d'enfance que je lui rappelle, comme à chaque nouveau roman : « Jadis on me mettait zéro si je faisais plus de dix fautes. » Il me signale qu'il y a des correcteurs professionnels qui sont payés pour cela. J'insiste pour rendre une copie aussi propre que possible afin que ces mêmes correcteurs soient dans un état de concentration optimale pour repérer les scories. Je m'engage à lui remettre cette copie dès le lendemain, mardi, à 10 heures. Je bois un café serré.

— 11 heures. En me relisant, je doute de l'utilité de plusieurs passages qui ne me semblent pas indispensables ou trop compliqués. Je taille largement dedans, puis je prends un café allongé.

— 11 h 30. Visite-surprise d'une de mes ex-fiancées au Coquelet, l'actrice Sabrina Duncan. Elle arrive en larmes et me raconte ses déboires avec son dernier compagnon en date, un acteur célèbre, qui s'est révélé être complètement narcissique. Elle a eu le tort de lui dire qu'il n'avait pas de conversation à moins qu'on lui fournisse un dialogue clef en main, ce qu'il a très mal pris et l'a amené à la gifler. Elle me dit en avoir marre des gens du cinéma et souhaiter revenir vers ceux de la littérature, car, dit-elle, « au moins leur côté mythomane sert leurs œuvres et non leur délire domestique ». Je lui suggère de tester les femmes. Elle éclate de rire et me quitte en disant : « À ce soir. » Je bois un café serré.

— 13 heures. Je rejoins Alexandre de Villambreuse dans un restaurant chic près de sa maison d'édition. Pour fêter la fin de l'écriture de *L'Homme de 1000 ans*, il commande un grand cru de Bordeaux. Nous commençons à manger en attendant qu'il décante dans sa carafe. Nous évoquons les difficultés de diffusion de mes livres sur le marché américain. Il me dit que c'est un marché fermé et que les Américains sont de manière générale très méprisants envers la littérature française, qu'ils considèrent comme nombriliste et forma-liste. Je lui signale que j'ai été contacté par un autre éditeur qui pense savoir comment conquérir le marché américain. Il me demande si je suis en train de le menacer de passer à la concurrence. Je calme le jeu et le rassure en lui disant que j'ai déjà refusé. Il se détend, mais ne semble pas convaincu. Il commande une autre bouteille de vin qui porte toujours la même étiquette mais dont le goût est différent, comme s'il était très légèrement bouchonné. Il m'avoue que sa maison traverse une mauvaise passe financière, notamment à cause des éditeurs numériques qui galvaudent la profession en publiant rapidement n'importe quoi en grande quantité grâce aux nouvelles technologies. Nous prenons un dessert et buvons un café. Il me répète qu'il attend avec impatience mon prochain manuscrit.

– 17 heures. Enregistrement de l'émission de télévision *Du goudron et des plumes*, qui ce jour-là a pour thème : « La littérature de l'avenir ». Je me retrouve face à Jean Moisi qui, avant l'émission, me déclare : « Prépare-toi à mourir, Wells. » Nous buvons pendant l'enregistrement les verres de jus de pomme qui sont à notre disposition pour nous humecter le gosier, au cas où il serait nécessaire de hausser le ton... Moisi conclut l'émission en lâchant : « Wells est le pire auteur du siècle et ce serait rendre service au bon goût et à l'intérêt public que de l'éliminer, ou tout du moins de le mettre hors d'état de nuire, afin qu'il cesse de mettre des fables dans la tête de nos enfants. » Paraphrasant la célèbre formule à propos des Indiens, il conclut : « Un bon écrivain de science-fiction est un écrivain mort. Ainsi il peut, au moins, visiter les mondes imaginaires. » Cela fait rire l'animateur, et le public derrière lui. Je fais semblant de rire moi aussi, mais j'ai l'impression d'avoir perdu ce duel par manque de pugnacité et par peur de paraître agressif. Je comprends trop tard que ces émissions sont des spectacles et que ce qu'attendait l'animateur était un combat de gladiateurs pour faire monter l'audimat. Après l'émission, nous buvons en coulisses des coupes de mousseux accompagnées de cacahuètes et de chips. Moisi fait semblant de parler à son attachée de presse en me regardant de travers. Quand nos deux regards se croisent, je ressens un courant de haine pure. L'animateur veut nous réconcilier et nous invite à nous serrer la main. Moisi a la main froide et les ongles longs.

— 19 heures. Retour chez moi. Comme tous les jours, j'effectue mes 50 minutes de vélo d'appartement pour développer les vaisseaux parallèles à ma coronaire bouchée, tout en buvant une boisson protéinée que Maria-Concepción agrémente pour moi avec du citron et du miel.

— 20 h 30. Fête d'anniversaire de mes 42 ans. Avec mon frère jumeau, nous avons privatisé le Coquelet où nous avons invité une centaine de convives chacun. Tout le monde boit du punch, à commencer par moi.

— 20 h 45. Je retrouve dans un coin de la salle une dizaine d'auteurs de la Guilde de l'Imaginaire, une association que nous avons montée pour réunir les auteurs de genre. Nous évoquons l'idée de créer un prix récompensant des nouvelles pour aider de jeunes talents à émerger. Certains ont vu l'émission. Malgré leurs compliments, je reste convaincu que je n'ai pas été très bon et que l'attitude agressive de Moisi a été plus efficace que la mienne. Il y a toujours, à mon avis, un avantage à attaquer, et Moisi l'a bien compris, tout simplement parce qu'il joue ce numéro toutes les semaines. La pratique régulière de ce sport lui donne une connaissance de toutes les combinaisons possibles, à l'image d'un joueur d'échecs, et moi j'ai fait l'erreur de rester en position de défense. Un débat sur ce thème s'ouvre avec les autres : vaut-il mieux encaisser sans rien dire ou rendre les coups ? Certains prônent une guerre ouverte contre le système littéraire parisien, qui est corrompu. Ils veulent qu'on dénonce les prix truqués et les critiques dithyrambiques que les auteurs rédigent sur leurs propres livres en utilisant un pseudonyme. Les auteurs plus modérés de la Guilde ont peur, quant à eux, d'être définitivement boycottés et de perdre les quelques miettes qu'on leur accorde s'ils se lancent dans une telle entreprise. La peur étant plus forte que la volonté de justice, ces derniers sont largement majoritaires. Nous buvons du vin et mangeons des quiches.

– 21 heures. Mon frère me rejoint. Il a lui aussi suivi l'émission et m'a trouvé très mauvais. Il me reproche de m'être laissé ridiculiser par Moisi. Il dit que je risque même de lui porter préjudice dans son travail en raison de notre parenté. Le ton monte, nous évoquons d'autres conflits passés, puis nous finissons comme toujours par nous réconcilier en dégustant un verre de bon vin et en consommant des nems au poulet.

– 21 h 30. Alexandre de Villambreuse arrive en retard. Il me déconseille de participer à l'avenir à ces émissions que, de toute façon, mes lecteurs ne regardent pas, et dont les spectateurs sont par principe acquis à Moisi. Selon lui, je devrais désormais assurer ma promotion via Internet car là, au moins, ceux qui parlent des livres les ont achetés et lus. Je trouve sa remarque pertinente. Nous trinquons et mangeons des brochettes de légumes.

– 22 h 30. Thomas et moi soufflons ensemble les bougies de nos 42 ans. Pour l'anecdote, Thomas rappelle qu'il est sorti le premier du ventre de notre mère, à minuit moins cinq, tandis que je suis né à minuit quinze. Ce qui fait que, bien que jumeaux, nous n'avons pas la même date de naissance. L'anecdote amuse nos convives. On distribue du gâteau à la crème et des coupes de champagne. Je trinque avec mon frère.

– 23 heures. Sabrina met de la musique et me prend par la main pour m'inviter à danser un slow. Elle me murmure qu'elle a réservé une chambre dans un hôtel voisin où nous pourrions partager quelques minutes d'intimité en souvenir du bon vieux temps. Je lui réponds que cela ne serait pas raisonnable. Comme elle insiste, je lui cite en guise de réponse ce proverbe qui dit que se remettre avec son ex, c'est comme ravaler son vomi. Elle me jette son verre de champagne à la figure, puis va danser avec mon frère.

– Minuit. Quelques personnes dansent encore, mais la plupart des invités sont assis et discutent. Alexandre, complètement saoul, revient vers moi et me confie qu'il a l'impression que sa maison d'édition se ringardise. Il comprend bien qu'il devient nécessaire d'évoluer au risque, sinon, de mourir. Je rétorque qu'il ne faudrait pas pour autant en arriver à confier l'écriture des romans à des robots. Il reconnaît qu'il n'y avait pas pensé, mais que cela lui semble une bonne idée : après tout, c'est la garantie que les auteurs ne se plaindront pas de leur absence sur les marchés étrangers et ne menaceront pas de passer à la concurrence. Nous buvons encore du vin rouge. Je me sens de plus en plus fatigué. J'ai mal à la tête et je mets ça sur le compte du soufre présent dans les différents alcools que j'ai ingurgités. J'hésite quelques instants entre partir « à l'anglaise » – discrètement et sans dire au revoir à personne – ou « à l'italienne » – saluer tout le monde et finalement rester. Je choisis la première option.

– 00 h 30. Pour éviter de subir l'inconfort de la gueule de bois du matin, je prends un médicament à base d'artichaut et de fenouil qui devrait aider mon foie à faire son travail. C'est un produit que m'a donné mon frère et que j'ai toujours sur ma table de chevet. Puis, sans me laver, ni même me brosser les dents, écrasé par la fatigue, j'enfile mon pyjama et me glisse sous les couvertures. Mon avant-dernier geste est d'éteindre la lumière. Mon dernier, de prendre un somnifère accompagné d'un verre d'eau. Je les absorbe dans l'obscurité, puis m'étends pour sombrer dans un sommeil réparateur.

28.

La sonnette retentit. Lucy regarde sa montre, se mord la lèvre, et se lève pour aller ouvrir.

– C'est mon rendez-vous de 15 heures, explique-t-elle.

Elle arrange ses vêtements et sa coiffure, et va accueillir sa cliente.

C'est une jeune femme qui semble toute menue. Elle a les jambes maigres, les pommettes osseuses, la peau blanche, et de grands yeux aux longs cils. À peine assise, elle déverse ce qu'elle a sur le cœur :

– Je viens vous voir car tous les soirs je discute avec mon père qui est mort il y a six mois. Je parle à voix haute et il me répond directement dans ma tête. Or, hier soir, il s'est produit quelque chose d'étrange : il ne se souvenait plus du prénom de ma mère. Cela m'a bouleversée. Je voulais donc savoir s'il était possible qu'un fantôme perde soudainement la mémoire.

– Nous allons voir ça tout de suite.

Lucy ferme les yeux et se concentre. Gabriel sent qu'elle envoie un signal sous forme d'onde au-dessus de lui et en déduit qu'elle entre en contact avec une âme qui se situe dans le Moyen Astral. Peut-être Dracon ?

Après un dialogue muet, elle hoche la tête. Arrive un ecto-plasme moustachu.

– Ça y est ! Il est avec nous, annonce Lucy.

– Oui, je le sens moi aussi, confirme la cliente. Bonjour, papa… C'est moi, Sylvie.

Lucy, comprenant que ces deux-là ont leurs habitudes, ne les laisse pas aller plus loin et interpelle sèchement le père à haute voix :

– Pourquoi ne vous rappelez-vous plus le prénom de votre femme, monsieur ?

– *Oh, un simple oubli dû à l'âge,* répond l'esprit.

Gabriel intervient :

– *Demandez à Sylvie de décrire son père,* chuchote-t-il.

– *De quoi je me mêle ?* rétorque vivement le moustachu. *Qu'est-ce que tu fous là, toi ? Tu n'es même pas médium ! T'es qui d'ailleurs ?*

La cliente de Lucy décrit donc son père, et Gabriel, trouvant que cela ne correspond pas (elle n'a pas mentionné de mous-tache), glisse à l'oreille de Lucy :

– *Ce n'est pas lui.*

– Ce n'est pas lui ! L'homme qui vous parle n'est pas votre père, répète Lucy.

– *Eh, attendez ! Pourquoi vous me trahissez ?* s'indigne l'homme.

– Alors qui est-ce ? demande la cliente bouleversée.

– C'est un esprit qui se fait passer pour votre père, parce qu'il cherche par tous les moyens à être connecté à un vivant. Cela arrive souvent, déplore Lucy. Il y a des âmes errantes qui s'ennuient, alors quand elles parviennent à communiquer avec quelqu'un qui appelle sa mère, son père, ou son grand-père, elles

137

se font passer pour la personne appelée. Il n'y a pas de pièce d'identité pour vérifier…

– Pourquoi mon vrai père n'est-il pas venu quand je l'ai appelé ?

– Il s'est peut-être tout simplement déjà réincarné.

– Mais alors, cela veut dire que toutes ces discussions très intimes que j'ai eues avec cet « être », tous ces conseils qu'il m'a prodigués…, dit la femme comme pour elle-même. Mais qui êtes-vous d'abord ?

Le fantôme rumine, se crispe, puis finalement éructe :

– *Tu veux vraiment savoir ? Oui, je me fais passer pour ton père depuis six mois. Et maintenant, je sais tellement de choses person-nelles sur toi que je te tiens ! Tu ne pourras plus jamais te débarras-ser de moi !*

Alors Lucy ouvre les yeux et inspire profondément, comme à son habitude, avant de répéter les mots de l'ectoplasme.

– Voilà, vous connaissez la vérité, conclut-elle.

– Que dois-je faire ? demande la jeune femme, épouvantée.

– Arrêtez de lui parler. S'il n'a plus d'interlocuteur, il va se lasser et chercher une autre victime. Je connais ces âmes errantes parasites, elles sont comme des sangsues, mais quand il n'y a plus rien à pomper, elles sont bien obligées de changer de victime.

La cliente, effrayée par cette révélation, paye la consultation et s'en va, bouleversée.

Lucy s'installe face à sa poupée de clown, indiquant ainsi à Gabriel qu'elle est prête à discuter avec lui.

– Vous connaissez désormais mon métier tel qu'il se présente au quotidien. Cela consiste essentiellement à réconcilier les deux côtés du monde.

– *Je ne m'attendais pas à ce que cela soit si délicat.*

– Voilà pourquoi je ne reçois que l'après-midi et n'accepte

qu'un nombre limité de clients. Chaque fois, je dois affronter des drames, des usurpations d'identité, voire des menaces. C'est le côté ingrat de cette profession.

— *Je ne me rendais pas compte.*

— C'est comme s'il y avait une avenue avec deux trottoirs. Un pour les vivants et un pour les morts. Moi je me tiens au milieu, et j'essaie de permettre aux deux de communiquer. Même si, à l'arrivée, souvent les deux ne sont pas contents.

— *Mais vous n'êtes pas la seule à créer le lien entre les deux trottoirs.*

— Vous voulez parlez des autres médiums ? 95 % de mes soi-disant collègues sont des charlatans. Ils n'entendent rien mais font quand même semblant d'être connectés à l'au-delà. Ou, bien plus dangereux, ils sont branchés sur des esprits malveillants qui les utilisent pour manipuler les vivants.

— *95 % de charlatans parmi les médiums… N'est-ce pas un peu exagéré ?*

— Par moments, je préférerais que personne n'aille consulter de médium et que les deux trottoirs restent bien séparés : cela créerait moins d'interférences négatives comme celle à laquelle vous venez d'assister. Maintenant, laissez-moi s'il vous plaît, monsieur Wells. Nous nous retrouverons demain matin pour un événement qui devrait vous intéresser.

— *Ah oui ? Quoi donc ?*

— Vos funérailles. Je suis sûre que si vous avez un assassin, il ne manquera pas de s'y rendre.

Elle désigne sa tablette numérique, où est inscrit :

« Enterrement de l'écrivain Gabriel Wells, 9 heures, cimetière du Père-Lachaise. »

29. ENCYCLOPÉDIE : LE TÉMOIN OFFICIEL EST UN FANTÔME

Le 23 janvier 1897, dans le petit village de Greenbrier, en Virginie-Occidentale, aux États-Unis, un jeune garçon découvre le cadavre d'une femme du nom de Zona Heaster Shue. Il donne aussitôt l'alerte. Lorsque le médecin, le docteur Knapp, arrive une heure plus tard sur les lieux, le mari, Edward Shue, est déjà là. Il a enveloppé le corps de sa femme dans un grand drap et la serre contre lui en pleurant. Quand le docteur Knapp essaie d'examiner le corps, le mari le repousse avec rage en disant qu'il refuse que quiconque touche à l'amour de sa vie. Jusqu'à l'enterrement, Edward Shue ne laisse donc personne approcher du cadavre de sa femme gisant dans son cercueil. Il l'a recouverte d'un châle et d'un bonnet, expliquant que c'étaient ses vêtements préférés. Tout le monde pense que c'est le chagrin qui motive ce comportement étrange. Cependant, la mère de Zona, Mary Jane Heaster, soupçonne son gendre d'avoir assassiné sa fille. Tous les soirs avant de se coucher, elle essaie de contacter l'esprit de sa fille pour que celle-ci confirme son soupçon. Quatre semaines après l'enterrement, le fantôme de Zona lui apparaît, qui lui révèle qu'Edward lui a brisé les vertèbres cervicales. C'était pour éviter qu'on remarque qu'elle avait le cou tordu qu'il a empêché quiconque d'approcher de son cadavre. Mary Jane Heaster va donc voir le procureur et le convainc d'ouvrir une enquête. Comme le docteur Knapp explique qu'il n'a jamais pu examiner le corps, le procureur ordonne son exhumation. Une autopsie est enfin pratiquée, qui révèle que la nuque a perdu toute rigidité, d'où le fait que la tête penche sur le côté. Les principaux soupçons se portent sur le mari. Son procès a lieu, mais il n'y a aucune preuve, et Mary Jane Heaster n'ose pas dire qu'elle a parlé au fantôme de sa fille. C'est l'avocat d'Edward Shue qui prend l'initiative de signaler que l'unique témoignage existant est celui de la victime, manifesté depuis l'au-delà, espérant ainsi ridiculiser l'accusatrice. À la surprise générale, au lieu de faire passer la mère pour une illuminée, cette histoire convainc les jurés : Edward Shue est condamné à la prison à perpétuité. Il mourra trois mois plus tard, seul dans sa cellule, victime d'une fièvre soudaine et inexplicable.

Curiosité locale, sur le panneau du cimetière du village est inscrit depuis 1981 le texte suivant : « Ici est enterrée Zona Heaster Shue. Sa mort, en 1897, était présumée naturelle jusqu'à ce que son esprit se présente à sa mère pour lui décrire comment elle avait été assassinée par son mari Edward. Ce dernier a été condamné. C'est le seul cas connu à ce jour où le témoignage d'un fantôme a permis de condamner un meurtrier. »

Edmond Wells,
Encyclopédie du Savoir Relatif et Absolu, tome XII.

30.

L'esprit de Gabriel Wells plane sur la ville. Il réalise que ses relations avec les autres âmes errantes sont restées les mêmes que celles qu'il entretenait avec les gens quand il était vivant : méfiance, distance, évitement du regard. Après tout, il ne sait pas qui sont ces ectoplasmes au loin. Ce peut être des fous, des pervers, des meurtriers, ou tout simplement des casse-pieds.

Il retrouve son grand-père au cimetière du Père-Lachaise, dans l'est parisien, et repère l'emplacement où on va l'enterrer le lendemain matin.

– *Voilà, fiston, demain matin c'est là, dans cette fosse, que s'achèvera le cycle de la multiplication de tes cellules depuis la fécondation de l'ovule de ta mère par le spermatozoïde de ton père.*

– *J'aime cet endroit, c'est un cimetière romantique.*

– *Tu vas être enterré juste à côté de moi. Nous serons voisins.*

Un corbeau se pose sur la pierre tombale indiquant « IGNACE WELLS », plongeant Gabriel dans la mélancolie.

– *Allez, une petite blague pour détendre l'atmosphère*, lance alors son grand-père. *Un type pleure devant une tombe et se lamente : « Tu n'aurais jamais dû mourir, jamais ! » Le gardien du cimetière passe par là et lui demande, ému par sa douleur : « C'était un ami à vous ? » L'autre répond : « Non, c'était le premier mari de ma femme. »*

Gabriel, qui n'a pas le cœur à plaisanter, fixe intensément son grand-père.

– *C'était quoi ton existence passée, papi ?*

Ignace hésite à raconter une nouvelle blague, puis renonce, retrouvant son sérieux et sa prestance.

– *Tu sais que c'est la première fois qu'on me pose cette question ? J'ai l'impression d'avoir attendu tellement longtemps cet instant où je pourrais enfin faire un bilan complet. D'une certaine façon, on peut voir ma vie comme une gigantesque blague à la chute… discutable.*

La lune se dévoile alors lentement, faisant jaillir une volée de chauves-souris.

31.

« Je suis né en Pologne. Mon père était menuisier. Ma mère, femme au foyer, s'occupait de mes quatre frères et de mes trois sœurs. Quand nous commettions ce qu'il jugeait être une bêtise, mon père nous donnait des coups de ceinturon en nous menaçant : "Si tu pleures, tu en auras d'autres." Si on faisait quelque chose qu'il considérait comme plus grave, il nous obligeait à rester dehors dans le froid. Ma mère, elle, était en permanence fatiguée. Elle passait ses journées à s'occuper de nous, de la cuisine, du ménage, de la lessive et de sa propre mère qui avait décidé de rester au lit en pantoufles et chemise de nuit en ne faisant que se plaindre. Je me souviens que ma mère était légèrement ronde ; elle avait une odeur aigre de sueur que j'aimais bien. Elle parlait peu, mais laissait de temps en temps échapper des soupirs, comme pour relâcher la pression.

Nous vivions dans un petit bourg de quelques centaines d'habitants à peine où tout le monde savait tout sur tout le monde, et où l'on se mariait jeune, des marieuses se chargeant d'organiser des unions favorables aux intérêts économiques des uns et des autres. La plupart des habitants étaient analphabètes et l'on comptait trois idiots du village. Il n'y avait pas de médecin. En cas de problème de santé, il fallait aller à Varsovie pour être soigné. Là-bas, l'alcool à 45 degrés faisait office d'anesthésiant avant une opération conduite à la pince, au rasoir ou au couteau par des barbiers sur les marchés. À 16 ans j'ai mis mes affaires dans un sac et j'ai fugué. Mais je n'étais pas un vilain petit canard, j'étais juste avide de quitter le monde de mes parents. Je suis parti vers l'ouest, j'ai traversé l'Allemagne puis la France avant d'arriver à Tourcoing. D'Ignaz Wellowski, je suis devenu Ignace Wells.

Là, j'ai commencé à travailler comme mineur dans les mines de charbon, puis comme ouvrier dans une usine textile et ensuite comme assistant photographe. En fait, j'étais embauché partout où je postulais parce que j'avais un talent : celui de raconter de bonnes blagues. Ma situation s'améliorait, mais la guerre a été déclarée à l'Allemagne, et on m'a proposé la nationalité française si je m'engageais dans ce qui était appelé les corps francs, composés d'étrangers, de pauvres et de débiles légers qu'on envoyait se faire tuer en première ligne. J'ai participé à plusieurs charges dont j'ai été l'un des rares survivants. J'ai connu l'horreur des tranchées. Et je peux te dire que le fait de savoir raconter des histoires drôles m'a aidé bien des fois à détendre un peu l'atmosphère. Les Boches bombardaient tellement que les types devenaient sourds ou fous. Sous les ordres du maréchal Pétain, les soldats fusillaient leurs collègues déserteurs ou objecteurs de conscience afin de refroidir les velléités de rébellion. Pour ma part, j'ai perdu un pied dans un bombardement. J'ai été gratifié d'une prothèse en bois, d'une canne et d'une exemption de combat. Pour la propagande des armées, je devais désormais photographier les "bons moments" : des soldats dans un uniforme impeccable qui se régalaient de cassoulet, de vin et de rhum avant la charge contre l'ennemi. J'ai survécu à tout ça je ne sais pas trop comment. J'ai eu de la chance. Quand les gens me disent que c'était mieux avant, j'ai bien envie de les envoyer dans mon passé, qu'ils voient de quoi on parle !

À la fin de la Première Guerre mondiale, j'avais 22 ans. Un de mes officiers m'a dit qu'il allait travailler dans la police et qu'il aurait besoin d'un photographe pour les scènes de crime. "Toi au moins, tu ne t'évanouiras pas quand tu verras un cadavre, tu en as déjà vu tellement dans les tranchées", m'a-t-il déclaré. Et puis il savait à quel point il peut être bénéfique d'avoir un raconteur de blagues dans une équipe. C'est ainsi que je suis devenu photographe pour la police. À 23 ans, j'avais donc un métier, un salaire et un passeport français, et j'ai décidé de me marier. Mais là j'ai fait la pire bêtise de ma vie : au lieu de choisir une Française, j'ai fait comme les saumons, je suis revenu sur mon lieu de naissance pour m'accoupler. Dans le village, ils m'ont vu comme l'enfant prodigue : j'étais celui qui avait fait fortune en France. Sur les conseils de mon père, je suis allé voir la marieuse et je lui ai demandé ce qu'elle avait "en stock". Des filles célibataires plus jeunes que moi et suffisamment éloignées de ma famille pour éviter tout risque de consanguinité, il y en avait neuf en tout et pour tout. Dont une très laide et une estropiée, donc sept. J'ai demandé s'il y en avait une qui parlait le français. Elles étaient deux dans ce cas. J'ai pris la plus jolie, Magdalena. J'ai discuté avec son père, qui m'a assuré qu'elle était vierge ; on s'est entendus sur une somme pour la dot. Nous nous sommes mariés cinq jours plus tard, le temps d'organiser la fête. Voilà à quoi se résumait l'amour à l'époque.

La fête a duré trois jours et trois nuits consécutifs. Ce n'est qu'ensuite, alors que nous étions tous les deux complètement saouls, que nous avons fait l'amour pour la première fois. C'était d'ailleurs ma première fois tout court, car j'avais toujours refusé d'aller au bordel quand j'étais à l'armée, de peur d'attraper des maladies vénériennes. À l'époque, on découvrait encore souvent l'acte d'amour après le mariage, et c'était comme une pochette-surprise. On jurait affection et fidélité jusqu'à la mort à quelqu'un qu'on ne connaissait pas. Cela m'a d'ailleurs toujours frappé : quand on se marie, on ne sait pas qui est l'autre, et il n'y a qu'au moment du divorce qu'on découvre à qui on avait affaire. Mon père disait que l'amour est la victoire de l'imagination sur l'intelligence et le mariage la victoire de l'espoir sur l'expérience. Ah, il avait de l'humour, le bougre ! Toujours est-il que notre première nuit d'amour ne m'a pas laissé un souvenir très agréable...

Un mois plus tard nous déménagions à Paris, et j'ai retrouvé un emploi de photographe dans la police. J'avais de plus en plus de mal à supporter ta grand-mère, dont le principal défaut était simple : elle avait mauvais caractère. Et puis, petit détail auquel j'aurais dû faire attention mais qui, sur le moment, ne m'a pas semblé important : elle ne riait pas à mes blagues.

On a eu cinq enfants. Trois sont morts en bas âge de maladie, seuls ont survécu ton père et ta tante. À chaque accouchement, Magdalena devenait plus acariâtre, comme si elle m'en voulait de lui faire des enfants qui déformaient son corps. Pourtant, je lui suis toujours resté fidèle.

Par la suite, j'ai aidé à la résolution d'une enquête policière parce que j'avais repéré un détail révélateur en développant les photos de la scène de crime. Dès lors, mon chef a considéré que j'avais un œil plus aiguisé que celui de mes collègues. L'œil de Wells. Alors, quand mon supérieur est mort dans une fusillade, on m'a proposé de prendre sa place car je connaissais les dossiers. Et là, j'ai enfin pu montrer mon talent. Comme j'étais un grand lecteur de Conan Doyle, j'avais compris que l'observation était la clef. Ainsi, valorisant mon point fort plutôt que d'essayer de corriger mes points faibles (j'ai par exemple toujours été mauvais en interrogatoires et en psychologie), j'ai résolu des affaires par la seule observation d'empreintes, de douilles, d'éléments de la scène de crime.

J'ai eu une belle carrière, puis j'ai pris ma retraite à 60 ans. Et là, ma vie est devenue un enfer. J'étais en tête à tête tous les jours avec ta grand-mère, qui devenait de plus en plus agressive. Elle ne me parlait que pour me faire des reproches.

Je crois que j'ai développé une surdité volontaire pour ne plus entendre ses récriminations. Mais ma perte de l'audition ne m'a pas coupé que d'elle : elle m'a coupé du monde.

146

Paradoxalement, moins j'entendais, plus je voyais. Je me suis remis à la photo et les clichés que j'ai réalisés à cette époque comptent parmi mes meilleurs. Je les rangeais dans un album et je me disais qu'un jour, mes descendants le découvriraient et décideraient peut-être de le vendre, m'assurant une célébrité posthume. J'ai donc essayé de composer l'album le plus complet possible. Je photographiais en noir et blanc malgré l'arrivée de la couleur, je privilégiais tout ce qui était en mouvement : un oiseau qui décollait, des cheveux volant au vent, des sportifs en pleine action. Pour moi, la photo était l'art de saisir la seconde précise où tout change. Mais c'est alors que j'ai eu ma première crise cardiaque. Quand j'ai été hospitalisé, ma situation est devenue insupportable. Je devais rester alité toute la journée, ce qui provoquait des escarres. J'avais les poumons remplis d'eau, et chaque respiration était douloureuse. Je devais porter des couches comme un bébé, et ensuite j'ai aussi eu une sonde urinaire.

Lorsque j'ai fait une tentative de suicide, on m'a mis des sangles aux pieds et aux poignets pour m'empêcher de recommencer, et à partir de là ça a été de mal en pis. Comme tu le sais, j'ai supplié ta grand-mère de me laisser mourir, mais le médecin soutenait qu'ils allaient me sauver et elle l'a laissé faire de l'acharnement thérapeutique contre ma volonté.

À quoi cela sert de vivre si on ne peut même pas décider quand on s'arrête ? C'est donc ça le progrès ? N'importe quel clochard peut se jeter sous un pont, mais moi, j'étais sanglé ! Imagine-toi toute la journée les mains immobilisées, le dos qui te brûle. Et ta grand-mère qui répétait : "Tu vas t'en sortir mon chéri, ne t'inquiète pas, tu es dans un bon service, entouré par les meilleurs médecins." Pourtant, j'aurais rêvé d'avoir les plus mauvais, crois-moi ! Et j'aurais aussi rêvé de l'étrangler avec mes sangles. Ma seule distraction était d'écouter la radio. Je passais donc mes journées sans pouvoir bouger, avec comme unique point de vue le pourrissement du monde qui accompagnait le mien. Quand je sentais trop mauvais, une infirmière venait me passer sur le corps une éponge imbibée de désinfectant. Crois-moi, je t'envie d'être mort jeune dans ton sommeil, sans avoir connu le délabrement progressif qu'est la vieillesse, et sans avoir eu une femme qui transforme ton quotidien en supplice soi-disant par amour. Je suis resté trois ans – trois ans ! – comme ça. Avec l'autre imbécile de médecin qui paradait devant ses supérieurs et ses collègues en montrant à quel point il était doué dans l'art de maintenir en vie un déchet comme moi. J'étais maigre, mon visage était couvert de rides à force de porter ma colère, et quand la mégère qui me servait de femme arrivait avec ses fleurs, j'essayais de la mordre.

Un jour, j'ai profité de ce que la sangle de mon poignet était moins serrée qu'à l'accoutumée pour libérer une main. Ensuite, je me suis libéré l'autre main, puis les pieds ; j'ai arraché tous les tuyaux et tous les fils, et je me suis laissé violemment tomber au sol, mais cela n'a servi qu'à me blesser légèrement. Comme mes jambes n'arrivaient plus à me porter, j'ai rampé. Je me souviens de ce jour béni : j'ai escaladé une commode avec toute la force que me procurait la rage de mourir pour accéder à la fenêtre et je me suis jeté dans le vide. Quand on a trouvé mon corps, un grand sourire illuminait mon visage et mon majeur était tendu en signe de défi à l'intention de ma chère compagne.

Ensuite, mon esprit a quitté ce véhicule délabré qu'était devenue mon enveloppe charnelle et j'ai retrouvé l'apparence que j'avais choisie : celle de mes 60 ans, le jour de ma retraite. Surtout, j'ai retrouvé une ouïe parfaite sans recours à la technologie.

J'ai d'autant plus apprécié mon premier vol ectoplasmique que j'avais passé mes derniers jours sanglé sur un lit d'hôpital. J'étais un aigle. J'ai goûté au plaisir de voler pendant quatre jours et quatre nuits, ce qui m'a procuré une jouissance extrême. Je me dis même parfois que cela valait la peine de connaître une fin aussi lamentable rien que pour vivre par contraste ce plaisir. En fait, je me faisais penser à une chenille qui se transforme en papillon : j'étais une chenille rampante, gluante, sale, morveuse, qui ahanait pour respirer, et la mort m'a libéré de ma chrysalide.

J'ai tout de suite compris qu'âme errante était mon destin. Je n'avais plus à subir les décisions des autres, et crois-moi, tout humain dont le bonheur dépend des décisions d'autrui peut se préparer à être malheureux. Il ne faut dépendre de personne – et surtout pas des médecins.

Moi la mort, je trouve qu'elle est pleine d'avantages.

Par exemple, détail qui paraît banal, on ne se fait plus piquer par les moustiques.

En hiver, on n'a pas froid. Et en été, plus de coups de soleil !

Ici, les aveugles voient.

Ici, les culs-de-jatte marchent.

Ici, plus de problèmes de constipation ou d'insomnie.

En somme, ici c'est "cool", comme disent les jeunes.

Malgré tout, à mesure que le temps passait, je commençais parfois à m'ennuyer, alors j'ai cherché un centre d'intérêt. Et alors j'ai trouvé. TOI.

Toi, tu étais né à la bonne époque : tu as eu un vrai lit, une vraie poussette, de vrais cadeaux à Noël, une alimentation saine et équilibrée, ce qui t'a d'ailleurs permis d'être plus grand que moi, des parents qui t'ont aimé, qui ne t'ont pas frappé, des pédiatres à proximité, des médecins qui te donnaient des médicaments, des dentistes qui t'opéraient sous anesthésie, des professeurs réellement instruits.

Toi, tu n'es pas né en période de guerre. Tu n'as connu ni la misère ni la faim. De mon vivant, je pressentais bien que tu pouvais réaliser la vie que j'avais rêvée. Je t'avais donné le goût des histoires, le goût des livres, le goût des enquêtes. Mais c'est de toi-même que tu as eu envie d'écrire ces histoires qui étaient dans ta tête. Quand je suis mort, tu n'avais que 13 ans, et j'ai continué, à travers les songes, à t'influencer pour entretenir ta passion des belles histoires. Je crois que les êtres ont certaines prédispositions génétiques, mais qu'ensuite leurs parents, leurs professeurs, leurs employeurs influent sur eux, et aussi, dans une certaine mesure, les fantômes des ancêtres.

Regarde ton frère : il s'est dirigé vers la science. Toi, tu t'es dirigé vers la littérature. Ton frère est rationnel, toi, tu es plus tourné vers l'imaginaire. Une même graine a donné deux fruits complètement différents.

Quand tu as publié ton premier livre, le plus heureux n'était pas toi, mais moi ! Je réalisais MON rêve à travers toi. Et dès lors je ne t'ai plus quitté. Tu te croyais parfois en transe quand tu écrivais, mais en fait c'était moi qui t'animais et te soufflais l'inspiration. J'écoutais tes conférences, je découvrais par-dessus ton épaule l'avancement de tes manuscrits, j'étais ton premier lecteur.

Comme j'étais fier de toi ! J'en parlais parfois à d'autres amis ectoplasmes : "Tenez-vous derrière un de ses lecteurs et vous pourrez le lire." Si bien que, je peux te le dire, dans l'au-delà, tu as beaucoup de fans, et pas des moindres ! Si je te disais que j'ai même conseillé à Conan Doyle en personne de te lire…

Quand tu es mort, évidemment j'étais là à t'attendre, mais je n'ai pas voulu te contacter tout de suite pour ne pas t'importuner. Je ne savais pas comment tu allais réagir. J'ai donc attendu que tu ailles espionner cette jeune actrice pour oser t'aborder. J'ai été très rassuré par ta réaction, tu n'as pas sursauté, tu m'as accepté comme un ami, maintenant que commence pour toi le meilleur de l'existence.

Alors, tu es prêt pour ton enterrement demain matin ? Il paraît qu'il va faire très beau. »

ACTE II

Un changement radical

32.

Il pleut de grosses gouttes grises et glacées.

Des corbeaux aux plumes détrempées observent le cortège funèbre et Gabriel se tient au milieu d'eux, curieux de savoir qui sera présent pour sa mise en terre.

Apparaissent dans l'ordre :

- La famille Wells : son frère Thomas, ses parents, ses oncles, quelques cousins.
- Son éditeur et quelques-uns de ses directeurs de collections et employés.
- Son médecin, Frédéric Langman. Son ami biologiste, Vladimir Krausz.
- Ses collègues de la Guilde de l'Imaginaire.
- D'autres amis écrivains, humoristes, chanteurs, acteurs qu'il fréquentait.
- Certaines de ses anciennes fiancées.
- Deux journalistes qu'il ne connaît pas.

155

– Trois photographes qui mitraillent à tout-va, probablement pour leurs agences de presse respectives.

– Une soixantaine de personnes que Gabriel estime être des lecteurs anonymes.

Tous marchent protégés par leur parapluie.

– *Tu vois, je t'avais dit qu'il y aurait du monde*, lui dit son grand-père.

– *J'ai horreur des enterrements où l'on a froid et où tout le monde dit que le mort était formidable*, rétorque Gabriel.

Lucy Filipini clôt le cortège, habillée de noir sous son parapluie à fleurs roses.

– *Elle est venue…*, dit Gabriel, ému.

– *Tu ne peux pas savoir comme cela me réjouit qu'il y ait toute cette foule pour toi, Gaby.*

– *Ils sont une centaine de personnes, papi, une centaine tout au plus.*

– *Mais regarde, il y a aussi une centaine d'âmes errantes qui se sont déplacées exprès pour toi !*

En effet, en levant les yeux, Gabriel remarque des ectoplasmes qui n'osent pas venir trop près, se tenant à distance comme des lecteurs anonymes intimidés.

– *Il n'y a pas Conan Doyle ?*

– *Tu te prends pour qui ?*

– *Mais je croyais que lui et toi vous me…*

– *Ça y est, depuis que je t'ai parlé de lui, tu crois que tout le monde dans l'invisible s'intéresse à toi ! Redescends sur terre, Gabriel. Tu es formidable, mais tu n'es… qu'un petit auteur français. Je t'ai dit qu'il t'avait lu, mais cela ne veut pas dire qu'il t'a apprécié. En fait, je vais être parfaitement honnête : il trouve que tu mets trop de violence et de sexe dans tes ouvrages.*

Le groupe s'immobilise devant la fosse béante pour former une petite assistance toute vêtue de noir. Les employés des pompes funèbres déposent le cercueil sur un trépied afin de le maintenir en position inclinée. Sur le couvercle sont gravées les lettres GW, suivies du symbole du cygne qui a fait la renommée de l'auteur. Deux hommes en costume noir installent une plateforme et un lutrin sur lequel est posée une photo de Gabriel.

Après une minute de silence et de recueillement, Thomas Wells monte sur l'estrade et s'approche du micro.

– J'ai l'impression qu'on m'a arraché mon bras gauche, commence-t-il, d'une voix ferme mais émue. Nous ne nous sommes pas toujours bien entendus, mais j'ai toujours secrètement admiré Gabriel. Quand je lui demandais combien de temps il lui fallait pour écrire un livre, il répondait : « Trente secondes : le temps de trouver l'idée. »

Quelques rires ponctuent cette première intervention.

– J'ai toujours trouvé les couvertures de ses livres très laides, mais maintenant que je sais qu'elles ne seront plus dans les vitrines des librairies, elles me manquent déjà. D'ailleurs j'aimerais proposer aux libraires de laisser un vide dans leur boutique à l'endroit où ils auraient mis son prochain livre s'il avait eu le temps de l'achever. Pour faire revivre sa pensée et sa mémoire, je vais relire des morceaux de ses anciens récits, et notamment les nouvelles qu'il a écrites quand il était jeune. Je crois sincèrement que certaines des idées les plus novatrices de ses livres continueront d'inspirer d'autres auteurs et peut-être même des scientifiques car, dans le domaine de la science, Gabriel avait souvent des intuitions avant-gardistes. J'espère qu'on lira encore longtemps son œuvre ; j'espère qu'on gardera longtemps son souvenir intact.

De nombreux applaudissements saluent cet hommage, suivis de quelques sanglots.

Puis Alexandre de Villambreuse monte à son tour sur l'estrade :

– Les gens normaux n'ont rien d'extraordinaire. Mais Gabriel n'était pas un homme normal. Dès que je l'ai vu, je me suis demandé si ce type n'était pas… tout simplement fou.

De nouveau quelques rires épars dans l'assistance.

– Mais c'est précisément le devoir des éditeurs que de repérer les fous « utilisables ». Je n'ai fait que canaliser sa folie pour qu'il en fasse des livres, et l'aider à tirer le fil de la pelote de laine de son idée d'origine. Il était très humble et très à l'écoute des conseils qu'on pouvait lui donner. Plus d'une fois je lui ai demandé de tout recommencer de zéro et il s'est exécuté sans rechigner. Un jour, il m'a dit : « Alexandre, il faut que je t'avoue quelque chose : seul sur une île déserte, sans éditeur, sans imprimerie et sans public, je continuerais d'écrire des romans car c'est ce qui me procure le plus de plaisir. Écrire est ma fonction, comme l'est pour l'abeille le fait de produire du miel. » Je lui ai répondu : « Alors, désormais, c'est toi qui vas me payer pour t'éditer. »

L'atmosphère se détend.

– Gabriel vivait dans ses rêves. Il avait un monde intérieur complexe dont il n'utilisait qu'une infime partie, celle qui était « présentable ». Je crois que s'il avait pu vivre plus longtemps et si on l'avait laissé exprimer toute la richesse de ce monde intérieur, on aurait été très surpris. Il ne se laissait jamais complètement aller, il avait peur, une peur maladive, d'ennuyer son lecteur. J'ai tenté plusieurs fois de lui expliquer qu'il n'y a pas deux lecteurs similaires et que ce qui va distraire l'un va faire bâiller l'autre, que cela fait partie du jeu parce qu'on ne peut pas plaire à tout le monde. Mais lui avait envie de trouver un langage universel susceptible de toucher les lecteurs de tous les âges et de tous les pays. Il y avait bien là quelque chose de prétentieux, mais cela lui donnait un objectif, même s'il était hors d'atteinte. Je pense qu'avec le temps il aurait fini par accepter l'idée de n'être compris que par une minorité.

Alexandre toussote dans sa main, inspire profondément et poursuit :

– Gabriel considérait le temps comme seul critique valable. Et je suis d'accord avec lui : seul le temps fait oublier les œuvres mineures et laisse surnager les œuvres importantes. Gabriel Wells n'aura vécu que 42 ans mais je suis persuadé que son œuvre lui survivra.

Quelques personnes approuvent de la tête.

– Gabriel est décédé alors qu'il venait tout juste de finir de rédiger son nouveau manuscrit. Le titre devait être *L'Homme de 1000 ans*. De ce qu'il m'en a dit, il y décrivait sur 600 pages et avec force détails scientifiques comment l'homme du futur pourrait arriver à prolonger son existence jusqu'à vivre un millénaire complet. Et j'ai une bonne nouvelle à vous annoncer : j'ai bien l'intention de le publier dès que je l'aurai récupéré.

Les quelques journalistes présents notent l'information, tandis qu'Alexandre de Villambreuse va se rasseoir.

C'est au tour de Sabrina Duncan de monter sur l'estrade.

– J'ai aimé Gabriel Wells.

Elle laisse passer un temps.

– J'ai aimé Gabriel, reprend-elle, parce que c'était un homme qui savait écouter. En fait, c'était une éponge ; il notait mes phrases pendant que nous parlions pour en faire des dialogues et les mettre dans la bouche de ses personnages. Quand je le traitais de voleur de la pensée, il me répondait : « Aucun artiste n'invente à partir de rien. Nous sommes comme des fleuristes, nous n'inventons pas les fleurs, mais nous les regroupons pour qu'elles forment de beaux bouquets. »

La jeune femme fixe l'assistance.

– J'ai passé trois ans avec lui, alors qu'il n'avait publié qu'un seul livre et qu'il ne savait pas encore s'il pouvait en faire son métier. J'ai été sa fiancée, et je dois dire que j'ai rarement vu un homme à ce point investi dans son travail : il se levait, notait ses rêves, puis il allait au café de 8 heures à 12 h 30 pour écrire. Tous les jours. Même en vacances. Même quand il était malade. Je crois qu'il avait peur de mourir sans avoir écrit suffisamment de romans. Oui, je crois que sa plus grande terreur était de ne pas utiliser le talent qu'il avait reçu à sa naissance. Il répétait souvent : « Il faut que je sois digne de la chance que j'ai de pouvoir écrire facilement, d'avoir un bon éditeur et d'avoir un public. »

De nouveau elle se tait un instant et l'orage résonne comme pour lui répondre.

– Enfin, je voudrais signaler à ceux qui ne l'ont pas connu que Gabriel Wells était, au quotidien, un homme profondément drôle. Il plaisantait tout le temps, de tout. Il cherchait en chaque événement ce qu'il avait de dérisoire. Et, surtout, il savait rire de lui-même. J'espère qu'il m'entend de là-haut, lui que j'ai tant aimé.

Ces mots bouleversent Gabriel, alors qu'arrivent sur l'estrade ses collègues de la Guilde de l'Imaginaire. Le plus grand prend la parole au nom des autres :

– Gabriel avait formé avec nous une guilde d'auteurs motivés par l'envie de changer le paysage littéraire conventionnel. Nous avions du mal à nous voir régulièrement, du fait de nos emplois du temps respectifs, mais j'espère que la mort de Gabriel, qui nous réunit tous ici, nous permettra de reprendre ce combat, pour qu'enfin ce pays réussisse à cultiver différents genres de littérature.

Des applaudissements accueillent ce discours, tandis que s'approche le père de Gabriel.

– La pierre tombale m'a été inspirée par une conversation que j'ai eue avec Gabriel, explique-t-il. Il me disait son admiration pour un livre de Philip K. Dick, *Ubik*, dans lequel, à un moment, le héros se retrouve face à une tombe sur laquelle est écrit : « Je suis vivant et vous êtes morts. » Il l'avait ainsi commentée : « Quelle force, cette phrase ! Tu imagines, s'il y avait vraiment un gigantesque quiproquo et que ce soient les gens qui viennent se recueillir sur la tombe qui se croient vivants, sans s'apercevoir qu'en fait ce sont eux qui sont morts ? » Il avait d'ailleurs placé cette phrase en exergue de son roman le moins connu, *Nous les morts*.

À ces mots, les employés des pompes funèbres soulèvent la pierre tombale sur laquelle est gravé :

« JE SUIS VIVANT ET VOUS ÊTES MORTS. »

Certains, prenant l'injonction au premier degré, se pincent le bras et sourient, rassurés, alors que dans l'invisible, Gabriel constate que de plus en plus d'ectoplasmes viennent s'agglutiner autour d'eux. L'orage redouble.

Le cercueil est placé à l'horizontale puis descendu dans la fosse.

Le père de Gabriel, une fois la cérémonie achevée, propose que tout le monde se retrouve au café d'en face opportunément nommé « Café du Dernier Espoir » pour prendre un verre de l'amitié en se remémorant les meilleurs moments passés avec le défunt. Seuls quelques irréductibles lecteurs s'approchent pour déposer des fleurs, des messages, et toutes sortes d'objets symbolisant un cygne.

Gabriel rejoint la salle du bistrot pour écouter les conversations.

Il voit son frère s'approcher de son éditeur, qui lui présente aussitôt ses condoléances assorties d'un salut respectueux. Mais Thomas l'interrompt brutalement :

— Vous ne pourrez pas publier *L'Homme de 1000 ans*, monsieur de Villambreuse.

— Et pourquoi donc, monsieur Wells ? réplique l'éditeur, piqué au vif.

— J'ai détruit le fichier ainsi que toutes les sauvegardes qui en avaient été faites, et j'ai même brûlé les deux tirages papier existants. Je ne veux pas que l'œuvre de mon frère jumeau survive à sa mort. Je ne veux pas que vous continuiez à le publier alors qu'il est décédé. Je trouve cela mercantile et indécent.

33. ENCYCLOPÉDIE : LA MORT CHEZ LES MOINES SOKUSHINBUTSU DU NORD DU JAPON

Tout le monde souhaiterait maîtriser complètement l'instant de sa mort, mais c'est encore chez les moines bouddhistes du groupe Shingon, au nord du Japon, que l'art de mourir a atteint le summum de la complexité.

Cette obédience a été fondée au XIIIᵉ siècle par le mystique Kobo Daishi, qui choisit de vivre ses derniers instants enfermé dans une caverne pour méditer. Lorsque ses disciples le retrouvèrent, ils s'aperçurent que son corps, au lieu de se décomposer, s'était automomifié. Ils mirent donc au point un rituel visant à reproduire ce miracle pour parvenir eux-mêmes, par la méditation, à un niveau d'éveil tel que le corps ne pourrirait plus. Ils étaient censés accéder ainsi à l'état de Sokushinbutsu, c'est-à-dire d'« êtres illuminés de l'intérieur ».

Pour atteindre un tel état, ces moines adoptaient un régime

alimentaire très strict : ils ne se nourrissaient que d'aiguilles de pin, d'écorces d'arbre ou de graines afin de s'amaigrir au maximum. Ensuite, ils se faisaient enterrer vivants dans un tombeau de pierre d'un mètre sur un mètre enseveli. Ils se tenaient en position du lotus avec un tube en bambou qui leur permettait de respirer l'air de la surface, et un autre relié à une cloche. Tous les matins, ces hommes enterrés vivants tiraient la cloche pour signaler qu'ils étaient toujours en vie. On leur versait alors quelques graines dans le tube. Lorsque la cloche arrêtait de tinter, on considérait que le moine était décédé. Les autres moines retiraient les deux tubes, refermaient le tombeau et le recouvraient de terre.

Trois ans plus tard, les moines rouvraient le cercueil pour vérifier que la momification par l'esprit avait réussi. Le plus souvent, cela se révélait un échec et le tombeau était alors définitivement scellé. Cependant, il arrivait que cela réussisse. Le cadavre du moine devenu « sokushinbutsu » était alors sorti de terre, nettoyé, habillé, exposé et vénéré. Entre l'an 1200 et nos jours, on a recensé vingt-quatre cas de moines devenus des sokushinbutsu.

Ce phénomène est d'autant plus remarquable que, contrairement aux momies égyptiennes, il n'y a eu dans ces cas précis d'embaumement, que l'on pourrait qualifier de « naturel », aucun retrait d'organes. À ce jour, il est impossible d'expliquer scientifiquement que les bactéries, les champignons et les vers aient renoncé à les dégrader.

Edmond Wells,
Encyclopédie du Savoir Relatif et Absolu, tome XII.

34.

Le ciel doucement s'apaise. Les âmes errantes et les lecteurs anonymes se dispersent, alors que, plus loin, les membres du cortège boivent pour se détendre. Seules deux âmes errantes stagnent au-dessus de la tombe.

— *Mais tu pleures, papi ! Je ne savais pas qu'un fantôme pouvait pleurer.*

— *Tu peux tout faire : pleurer, fumer, cracher, postillonner, souffler… du moment que tu t'imagines le faire ! Et j'ai trouvé la cérémonie tellement émouvante*, reconnaît le vieil homme, *que je n'ai pu retenir mes larmes.*

— *Je n'ai pas aimé le discours de Thomas.*

Les deux hommes observent la plaque de marbre et son étrange inscription.

— *Tu veux que je te dise, Gabriel ? L'opinion commune considère la mort comme un échec et la naissance comme une victoire. La mort est associée à tout ce qui est négatif, et la naissance au positif. Mais, si on regarde objectivement, c'est tout le contraire. Mourir nous libère de toutes les douleurs de la chair. On devient pur esprit. On devient léger. À l'inverse, si on réfléchit bien, naître n'est pas si formidable que ça. Tu quittes ta famille spirituelle pour débarquer dans une famille charnelle de purs étrangers, dont tu ignores tout. Les premières années, tu ne peux pas t'exprimer, tu ne peux même pas tenir debout. Tu dépends de tes parents pour être changé, nourri, pour te déplacer. Tu ne pourras jamais avoir la garantie que tes parents ne sont pas des fanatiques religieux bornés qui te punissent lorsque tu remets en question leur obscurantisme, et qui te lavent le cerveau. Tu peux être forcé d'ingérer des choses que tu refuses pour des raisons d'ordre spirituel, comme la viande rouge ou l'alcool. Des substances qu'on te force à mettre dans ton corps alors que tu sais intuitivement qu'elles te sont nocives. Naître, même avec des parents aimants, cela implique au moins treize ans au cours desquels ton esprit sera formaté par les autres, que ce soient tes proches, tes professeurs ou tes camarades.*

— Tiens, je n'y avais jamais pensé sous cet angle…

— Plus je découvre ma vie dans l'au-delà, plus j'en suis convaincu. La mort est une libération, alors que la vie est une entrée dans un monde coercitif où il est difficile de s'épanouir. Et le risque est grand de passer à côté de celui qu'on est vraiment, et donc de rater sa vie.

— C'est ton point de vue, je n'en suis pas encore là, mais je l'entends.

— En tout cas c'est la raison pour laquelle jusqu'à présent j'ai refusé de me réincarner. Ici je ne suis pas si mal après tout. Bref, cessons de philosopher. Tu as entendu des phrases intéressantes au bistrot?

— Mon frère a détruit mon dernier livre.

— Cela te chagrine?

— Non, pas vraiment. J'avais beaucoup de doutes sur la qualité de ce dernier opus.

— Tu doutes de ton propre travail?

— Bien sûr, papi. J'ai le trac avant d'écrire, j'ai peur de faire de mauvais choix durant la rédaction proprement dite, et en général, vers la fin, j'éprouve comme une sorte de rejet de mon propre travail, l'impression que ce qui est sorti de moi n'est pas assez bon et est indigne d'être présenté au grand public.

— Je te croyais plus fort que ça!

— Je ne vois pas le fait de douter de soi-même comme une faiblesse. En tout cas, pour L'Homme de 1000 ans, *en toute honnêteté, je me demandais si je n'avais pas raté mon projet. Donc, qu'il ait disparu ne me chagrine pas plus que cela. Ce qui me préoccupe, en revanche, c'est que je ne comprends pas pourquoi mon frère, qui ignorait ce que valait le livre, l'a détruit.*

Tous deux fixent la tombe.

– *Tu en es où de l'enquête sur mon assassinat ?* reprend Gabriel après un temps.

– *J'ai profité de la nuit pour aller voir un de mes meilleurs indicateurs. Il y a une rumeur qui court dans l'invisible et qui nous ramène à l'une des règles les plus importantes de toute enquête.*

– *Laquelle ?*

– *« Cherchez la femme. »*

– *Sois plus explicite.*

– *Selon cette rumeur, une femme serait à l'origine de ton décès. Ceux qui font circuler cette information n'en disent pas plus et, à mon avis, ils n'en savent pas davantage.*

– *Mais ils la tiennent d'où, cette information ?*

– *Je n'en sais rien ; mon indic me l'a livrée comme je te la livre. Cela permet en tout cas d'envisager autrement l'enquête. Tu sais ce que je pense des femmes : il faut s'en méfier comme des serpents, et ce depuis l'épisode d'Ève et de la pomme. Je dois bien avouer que ta grand-mère n'a pas contribué à me faire changer d'avis.*

– *Je vais transmettre l'information à Lucy.*

– *En plus, l'arme du crime est un poison, dont nous savons tous deux que c'est une arme typique des femmes. Les hommes privilégient le poignard et le revolver, mais les femmes préfèrent verser discrètement un petit sachet de poudre quand leur victime a le dos tourné.*

– *Une femme ? Pour l'instant il n'y en a qu'une qui me vient à l'esprit.*

Le ciel s'éclaircit soudain pour laisser la place à un soleil resplendissant et un arc-en-ciel.

Un corbeau se pose sur la pierre tombale de Gabriel. Et, en réponse aux humains qui ont soustrait ce cadavre qu'il aurait pourtant bien aimé déguster, il y dépose une fiente.

166

35.

– Je vous jure que je ne l'ai pas empoisonné.

– Et toutes ces recettes de poisons qu'on a retrouvées chez toi ?

– Je suis innocente !

– Tu es une empoisonneuse. On a même découvert dans les poubelles de ta cuisine des animaux morts qui ont dû te servir de cobayes. Des lapins, des souris, des rats tout secs et tout raides !

– C'est faux !

– Tous les éléments de l'enquête convergent vers toi.

– Non, je suis innocente, je vous le jure !

– Très bien, qu'on la soumette à la torture. Elle finira par avouer. Vous allez l'écarteler et lui faire boire de l'eau jusqu'à ce qu'elle avoue son crime.

– NOOOON !

– Emmenez-la !

– Je vous jure que je ne l'ai pas empoisonné !

La jeune femme s'effondre en pleurs, alors que des gardes la saisissent brutalement pour l'emporter vers la salle située au sous-sol du tribunal.

– Et… coupez ! Elle est parfaite ! s'écrie le réalisateur.

Tout le monde se détend. L'actrice essuie ses fausses larmes.

– Sabrina, tu as été merveilleuse.

– Merci.

– Maintenant, passe au maquillage et prépare-toi pour la scène de torture. On va utiliser pour ton supplice des éléments en bois et en fer, tu n'as aucune allergie à ces matériaux ?

– Du moment que mon maquillage ne coule pas et qu'il ne

fait pas froid dans le studio, je serai prête pour tourner la scène dans une heure.

Lucy Filipini vient la retrouver dans sa loge pour l'interroger pendant qu'elle se prépare.

– Police. Capitaine Filipini. Puis-je vous poser quelques questions, mademoiselle Duncan ?

Elle sait maintenant présenter sa carte avec plus d'autorité et adopter un ton sec plus convaincant.

– Police, dites-vous ? C'est à quel sujet ?

– Tout d'abord, simple curiosité de cinéphile, c'est quoi ce tournage ?

– C'est un film historique sur la marquise de Brinvilliers, célèbre empoisonneuse de l'époque de Louis XIV. Vous connaissez cette affaire ?

– Euh, non…

– Cette pauvre fille a été manipulée par son amant, l'officier Godin de Sainte-Croix, pour empoisonner son père, ses deux frères et sa sœur. Elle les a éliminés en utilisant du poison concentré dans des pustules de crapaud. Elle s'était inscrite dans une sorte de société secrète de femmes qui cherchaient à se débarrasser des maris qu'on les avait précédemment forcées à épouser. Pauvres filles.

La médium n'ose pas signaler qu'elle a déjà eu l'occasion de discuter avec l'âme errante de ladite marquise de Brinvilliers au hasard de ses séances de spiritisme.

– Et vous, vous êtes là pourquoi, capitaine ?

– J'étais à l'enterrement de Gabriel Wells. Je vous ai vue et j'ai écouté votre discours avec attention. Or il y a une suspicion de mort non naturelle, précisément par poison. Je me demandais si vous aviez en votre possession des éléments qui pourraient m'aider à résoudre cette énigme.

– Gabriel a été assassiné ?

Sabrina semble abasourdie.

– Pour l'instant, dans l'intérêt de l'enquête, l'information doit rester confidentielle.

– Et vous pensez que cela pourrait être… moi ? Il ne faudrait pas confondre l'actrice et les rôles qu'elle interprète, ironise-t-elle. Je sais bien qu'au Moyen Âge il arrivait que la foule tue l'acteur qui jouait trop bien le personnage du méchant, mais on a évolué depuis…

– C'est moins en tant que suspecte que témoin que je vous interroge. Comme vous connaissiez bien Gabriel Wells, et que vous êtes la compagne avec laquelle il est resté le plus longtemps, vous pourriez peut-être me dire qui, dans son entourage, aurait pu avoir des raisons de lui en vouloir au point de souhaiter l'éliminer.

Une accessoiriste vient proposer à la vedette divers modèles de chaînes pour la scène de torture et elle sélectionne celui qui a les maillons les plus petits.

– En fait, Gabriel était paranoïaque, il avait l'impression non seulement que personne ne le comprenait, mais que beaucoup lui en voulaient.

– Vous vous disputiez souvent ?

– Jamais. Il était allergique à toute forme de conflit. Il m'avait avertie dès le départ : « À la première dispute, on se sépare. » Au moins c'était clair.

– Il était jaloux ?

– Étonnamment, non. Il disait qu'il ne faisait pas aux autres ce qu'il n'aimerait pas qu'on lui fasse. Donc il ne se permettait pas d'être possessif parce qu'il n'aurait pas toléré qu'on le soit avec lui.

– C'est vous qui l'avez quitté ?

– J'ai rencontré un acteur américain, Billy Graham. Or j'ai toujours eu envie de démarrer une carrière outre-Atlantique.

169

C'était une opportunité à ne pas rater. Gabriel l'a très bien compris et il m'a même dit : « J'espère que tu seras heureuse avec lui et que ta carrière aux États-Unis va décoller. » C'était dit sans aucun cynisme, il était sincère. Évidemment, j'aurais préféré qu'il montre un peu de déception, ou qu'il me fasse une petite scène de jalousie, mais non, au contraire, il essayait de me rassurer. La séparation s'est passée si facilement que je finissais par me demander s'il m'avait vraiment aimée. Bon, par la suite, Graham s'est révélé être plus intéressé par les hommes que par les femmes. Ma carrière américaine n'a jamais démarré et il ne m'a jamais fait l'amour. J'aurais dû être plus attentive. À bien y réfléchir, certaines choses auraient dû me mettre la puce à l'oreille…

Elle adresse un petit clin d'œil à la policière.

– J'imagine que dans votre métier vous devez aussi voir des gens bizarres, reprend-elle.

Une costumière arrive et l'aide à se déshabiller. Puis la maquilleuse prend le temps de chercher la bonne teinte de poudre et l'étale sur la peau claire de l'actrice.

– Et après vous, Gabriel Wells a été avec d'autres femmes que vous connaissiez ?

– Gabriel aimait les femmes. À force d'écrire des histoires plus ou moins à l'eau de rose, il était devenu lui-même un romantique. Chaque fois qu'il en rencontrait une nouvelle, il envisageait de l'épouser et de lui faire des enfants. C'est moi qui, ensuite, jouais la conseillère et calmais ses enthousiasmes successifs. C'était le contraire d'un papillonneur, c'était un explorateur. Un jour, je lui ai dit qu'en fait il se mettait en couple pour alimenter ses scènes d'amour. Il a ri et avoué qu'il y avait un peu de ça. D'ailleurs, je suis présente en filigrane dans beaucoup de ses romans. L'héroïne de son deuxième « Cygne », *La Nuit du cygne*, Esmeralda, c'est moi. La scène où, durant l'acte amoureux, la fille raconte son plus grand fantasme, est directement inspirée de ce que nous avons vécu. Je lui avais dit : « Tiens, on va voir si, quand je te décris mon plus grand fantasme, ça a un impact sur la vigueur de ton sexe alors qu'il est en moi. »

Lucy Filipini, très gênée par cet aveu, essaie de trouver une contenance en buvant un verre d'eau, mais elle avale de travers et s'étouffe.

– À chaque phrase que je prononçais, je ressentais une infime modification de son corps dans le mien. Il m'a alors félicitée d'avoir inventé le meilleur moyen de vérifier l'intérêt d'une histoire ! Après ça, chaque fois que nous faisions l'amour, je devais imaginer un fantasme encore plus osé pour le surprendre…

Sabrina a prononcé cette phrase avec un petit regard coquin, faisant rougir Lucy qui a du mal à retrouver sa respiration naturelle.

– À sa manière, Gabriel était un vrai gosse. Quand nous faisions l'amour, j'avais l'impression qu'il était ému et reconnaissant comme un enfant. Cela devait réveiller un peu ma fibre maternelle. Il m'a confié qu'il avait écrit chacun de ses romans en pensant à une femme. Il disait que la motivation de tout créateur est d'impressionner pour séduire, tout comme la parade amoureuse chez les paons, ou le chant chez les mainates. Il répétait souvent que tout ce qui est beau dans la nature l'est pour permettre l'accouplement : les fleurs, par exemple, ont de belles couleurs pour attirer les abeilles qui vont leur permettre de répandre leur pollen. Comme il le disait : « L'amour et l'art sont les deux seuls moyens de prolonger notre trace dans le temps. »

Sabrina sourit. Des coups de marteau retentissent, ceux des charpentiers qui terminent l'installation de la salle de torture.

Le réalisateur apparaît dans l'entrebâillement de la porte :

– Au fait, Sabrina, est-ce que tu préférerais des cordes plutôt que des chaînes ?

171

– Ah oui, ça peut être pas mal, mais il faudra faire attention à ne pas trop serrer parce que ma peau marque facilement et ça risque de faire un trop gros contraste à l'écran.

– Je transmets l'info aux accessoiristes.

L'actrice se tourne vers la « policière » :

– Donc nous disions, capitaine ?

– Gabriel Wells avait-il, à votre connaissance, des ennemis ?

– Très peu. En fait, dans son domaine, il n'avait pas vraiment de concurrents, il ne gênait personne, il avait créé son propre territoire. Il ne volait de lecteurs à personne, il en ajoutait plutôt au troupeau.

– Sauf son détracteur, le critique Jean Moisi, qui a clamé partout qu'il fallait l'éliminer. Vous pensez qu'il aurait pu passer à l'acte ?

– Dès qu'il a su que j'étais en couple avec Gabriel, Moisi s'est mis à m'envoyer des SMS disant qu'une actrice aussi formidable que moi ne devait pas perdre son temps avec de mauvais écrivains. Il m'a ouvertement demandé de quitter Wells pour lui. Je n'ai pas répondu, mais il n'a jamais cessé de m'envoyer des messages de ce genre dans le but de me séduire. On peut dire qu'il sait ce qu'il veut…

– Avez-vous eu de ses nouvelles depuis la mort de Gabriel ? lui demande Lucy.

– Et plutôt deux fois qu'une ! La fréquence de ses messages n'a fait qu'augmenter au cours des derniers jours. J'ai l'intention de porter plainte pour harcèlement.

– Moisi aurait-il pu l'assassiner, selon vous ?

La maquilleuse, armée d'un fin pinceau, teinte l'aréole des tétons de l'actrice. Sabrina est amusée de voir que Lucy détourne le regard.

– C'est la première fois que vous assistez à un tournage ? demande-t-elle.

– Euh, oui.

– Fermez les yeux.

Sabrina se lève et embrasse Lucy sur la bouche.

– C'est aussi pour cela qu'on fait ce métier, pour braver tous les interdits. Et en plus on est payé pour ça.

Elle se penche de nouveau vers elle et dépose sur ses lèvres un baiser plus long tandis que la maquilleuse continue son travail sur les tétons de l'actrice sans même leur prêter attention. Cette fois-ci, Lucy est rouge pivoine. Elle respire amplement et l'actrice semble ravie de l'effet produit.

– On disait quoi déjà ? Ah oui, Moisi. Il parle beaucoup mais il agit peu.

– Alors, qui ça pourrait être ? demande Lucy en essayant de reprendre ses esprits.

Sabrina s'observe dans le miroir puis se retourne.

– Son frère jumeau : Thomas. Lui aussi m'a toujours draguée en parallèle, même quand j'étais avec Gabriel. Il a toujours désiré ce qu'avait son frère. Il voulait sa gloire, il voulait sa fortune, il voulait ses conquêtes. Donc moi.

Sabrina sort son smartphone et lit à Lucy un vieux message de Thomas :

« Je n'en peux plus, je pense à toi tous les jours, toutes les heures, toutes les minutes, toutes les secondes. Ton silence est le pire des supplices. Gabriel est un égoïste qui ne t'aime pas comme tu le mérites. Il n'aime que lui-même. »

La maquilleuse sort à présent du vernis et lui fait les ongles des pieds tandis qu'un assistant tend à l'actrice une boisson énergisante.

– Puisque vous êtes enquêtrice, je ne vais pas vous apprendre votre métier, mais j'ai tourné dans plusieurs films policiers au cours de ma carrière, et il y a toujours un moment où l'un des personnages se pose la question suivante : À qui profite le crime ?

— Vous pensez à qui ?

— À Thomas Wells.

Plusieurs assistants proposent à Sabrina un peignoir tiède et des petits sandwichs au saumon pour l'accompagner jusqu'au plateau où va être tournée la scène suivante.

— Bon courage avec votre enquête, capitaine. Je dois aller me faire écarteler. C'est le boulot. Quand je pense qu'il y en a qui se plaignent de leurs conditions de travail !

Elle lui envoie un baiser aérien.

— Entre nous, c'est dommage que Gabriel soit mort, vous êtes exactement le genre de fille dont il serait tombé éperdument amoureux. Quelqu'un vous a déjà dit que vous ressembliez à son actrice fétiche, Hedy Lamarr ?

36. ENCYCLOPÉDIE : HEDY LAMARR

Hedy Lamarr (de son vrai nom Hedwig Eva Maria Kiesler) est une des rares actrices hollywoodiennes à avoir également été une scientifique visionnaire.

Née en 1914 d'un banquier ukrainien et d'une pianiste hongroise, elle quitte ses parents à 16 ans pour commencer sa carrière de comédienne. Le metteur en scène Max Reinhardt déclare à la presse : « C'est la plus belle fille du monde. » Elle devient célèbre à 19 ans en interprétant dans le film austro-tchécoslovaque *Extase* une épouse délaissée par son mari, qui prend un amant. Elle est la première actrice de l'histoire du cinéma à jouer entièrement nue et à simuler un orgasme. Le film est condamné par l'Église, ce

174

qui confère à Hedy Lamarr une renommée internationale. Après avoir joué dans une dizaine de films et pièces de théâtre, elle épouse Friedrich Mandl, un trafiquant d'armes autrichien fasciste qui fréquente Mussolini et Hitler. Quatre ans plus tard, elle échappe aux griffes de ce mari possessif en droguant le garde chargé de la surveiller et en enfilant ses vêtements. Puis elle fuit l'Europe et la montée du nazisme pour se réfugier aux États-Unis. Sur le *Normandie* qui traverse l'Atlantique, elle convainc le producteur Louis B. Mayer de l'engager et obtient un contrat d'exclusivité de sept ans à la Metro Goldwin Mayer, qui est alors le plus grand studio de cinéma au monde. Elle s'installe à Hollywood et joue dans une quinzaine de longs métrages aux côtés des plus grands : Spencer Tracy, John Wayne, Gregory Peck. En 1949, elle connaît la consécration avec le film biblique *Samson et Dalila* où elle donne la réplique à Victor Mature. Grande séductrice, considérée par plusieurs magazines comme la plus belle femme du monde, elle se marie six fois et s'affiche avec une multitude d'amants célèbres comme Stewart Granger, John Kennedy, Jean-Pierre Aumont, Howard Hugues, Robert Capa, Errol Flynn, Orson Welles, Charlie Chaplin, Clark Gable ou encore Billy Wilder. On retient d'elle plusieurs formules, dont : « Avant 35 ans, un homme a trop à apprendre, je n'ai pas le temps de l'éduquer » ou : « Mon problème avec le mariage est de vouloir à la fois l'intimité et l'indépendance. » Son dernier film, *Femmes devant le désir*, tourné en 1957, est un échec. La star, qui a désormais son étoile sur Hollywood Boulevard, connaît alors une lente descente aux enfers. Après avoir publié un livre de souvenirs érotiques qui choque le public, elle abuse de la chirurgie esthétique et se fait plus tard arrêter pour vol à l'étalage. Elle meurt dans la misère, seule et oubliée de tous, à l'âge de 85 ans. Le seul prix qu'elle ait reçu au cours de sa carrière est le Golden Apple Awards, qui couronne l'actrice la plus pénible sur les tournages.

Pourtant, un aspect moins connu de son parcours (et qui ne sera révélé que dans les années 1980 parce qu'il était classé secret-défense) va lui rendre sa célébrité à titre posthume : sa mise au point, en 1941, d'un système de communication applicable aux torpilles radioguidées qui permettait à l'émetteur-récepteur de la torpille de changer de fréquence, de manière à empêcher la détection d'une attaque sous-marine par l'ennemi.

Dans un premier temps, les spécialistes de l'armée ne la prennent pas au sérieux et n'accordent aucune attention à son invention, qu'ils classent dans leurs archives sans même la tester. Mais lors de la Guerre froide, en 1962, en pleine crise des missiles de Cuba, le « Procédé Lamarr » est finalement ressorti des cartons et mis en pratique. Avec succès. Lorsque son brevet est déclassifié en 1980, les entreprises privées voient tout de suite l'intérêt de cette invention. C'est ainsi que la téléphonie mobile, le GPS, les liaisons cryptées militaires, les communications des navettes spatiales avec le sol ou encore le Wi-Fi intègrent tous le « procédé Lamarr ».

L'actrice reçoit rétroactivement, en 1997, le prix de la Fondation américaine pour l'électronique, et elle est admise en 2014 au National Inventors Hall of Fame, qui récompense les plus grands inventeurs américains.

Edmond Wells,
Encyclopédie du Savoir Relatif et Absolu, tome XII.

37.

— *Tu penses à quoi ?* demande Ignace à Gabriel en volant à ses côtés.

— *C'est étonnant comme Lucy ressemble à Hedy Lamarr.*

— *Je n'ai jamais compris ton attirance pour elle, elle est quand même bien moins impressionnante que Marilyn Monroe, Greta Garbo ou Grace Kelly.*

— *Je sais, tu préfères les blondes, chacun ses goûts. N'en parlons plus.*

— *Tiens, à propos, j'en connais une bien bonne. C'est un couple de vieux de 95 ans qui vont chez le notaire pour divorcer. Il leur demande : « Pourquoi avez-vous attendu si longtemps pour vous séparer ? » Alors ils répondent…*

— *Merci papi, mais, comment dire… Depuis que je suis mort, j'ai un peu moins l'esprit à plaisanter.*

— *Dommage, s'il y a bien un moment où l'on peut tout relativiser, c'est justement après son décès !*

— *Alors disons que je n'ai pas l'esprit à plaisanter* maintenant. *Nous avons d'abord une mission à accomplir pour faire avancer mon enquête.*

Voyant que son grand-père se renfrogne, Gabriel concède dans un soupir :

— *Très bien… Allez, raconte-moi la chute de ta blague.*

— *Non c'est trop tard, je suis vexé.*

— *Allez, papi, ne te fais pas prier. Je sais que tu es incapable de résister à l'envie de raconter une blague.*

— *Tu te trompes, je ne céderai pas. Et puis tu as raison, concentrons-nous sur notre mission.*

— *S'il te plaît. Raconte-moi.*

– Tu as vu la puissance d'une blague inachevée ? C'est frustrant, hein ?

– Vas-y, papi.

– OK, puisque tu insistes... Donc ils répondent : « On a attendu que les enfants soient morts pour ne pas les traumatiser. »

Gabriel regarde son grand-père avec affection. Les blagues l'ont sauvé alors c'est plus fort que lui, il vit avec elles, même après la mort. Gabriel imagine même que c'est peut-être grâce aux blagues qu'il a pu supporter sa grand-mère et résister à la tentation de divorcer. Chacune d'elles en dit long sur la vraie personnalité d'Ignace.

Ils planent comme deux oiseaux dans le ciel parisien et atterrissent gare de Lyon.

– Comment retrouver la trace d'un fuyard qui est allé un vendredi 13 avril gare de Lyon, il y a neuf ans ? Cela va être difficile, dit Gabriel, visiblement découragé par l'ampleur de la tâche.

– Tu oublies à qui tu as affaire : au lieutenant de police Ignace Wells, le roi de l'enquête de terrain. Ton Samy Daoudi, qu'il soit de ce côté-ci du monde ou de l'autre, nous allons le retrouver, crois-moi.

Les deux âmes errantes commencent à circuler dans le hall de la gare. Ignace s'approche de plusieurs hommes en uniforme de la SNCF.

– Tu cherches quoi, papi, exactement ?

– Un vieil employé alcoolique. « Vieux » pour être sûr qu'il était là il y a neuf ans. « Alcoolique » pour avoir une capacité d'action sur lui. Je t'ai déjà expliqué qu'on ne peut agir que sur les gens qui ont des auras à trous. On profite du fait qu'ils ne sont pas étanches pour les influencer.

– Un drogué pourrait donc aussi faire l'affaire.

– Tu as raison. Mais on a peut-être plus de chances de tomber sur un employé alcoolique que drogué.

– Pour quelles autres raisons, déjà, peut-on avoir une aura qui n'est pas étanche ?

– En cas de schizophrénie ou de somnambulisme, ou chez les sujets qui sortent de leur corps pour faire un voyage astral ou de la méditation transcendantale. Mais crois-moi, ici le plus simple est encore de trouver un employé qui boit.

Ignace et Gabriel parcourent tous les services administratifs de la gare de Lyon. Ils scrutent les guichetiers dans l'espoir de repérer des yeux rouges aux pupilles dilatées, des pommettes aux veines apparentes, des mains qui tremblent. Mais ils ne détectent rien.

Finalement, Ignace trouve dans les toilettes un individu qui boit en cachette du whisky directement à la bouteille.

– Ça y est, j'en tiens un ! dit-il en récupérant son petit-fils. *Viens vite !*

L'individu a une aura marbrée de noir et trouée à plusieurs endroits.

Ignace pénètre par un de ces orifices et lui touche le cerveau.

L'homme a un hoquet. Son regard change.

– Tu fais quoi, là, papi ?

– J'examine sa pensée. Par chance, c'est un type qui a accès aux ordinateurs généraux. Il s'occupe de la maintenance informatique.

Ignace enfonce plus profondément son doigt dans les méninges de l'employé.

L'homme titube pour rejoindre son bureau et s'installe face à son écran, qu'il déverrouille en tapant son code d'accès. Ignace l'influence alors pour qu'il inscrive dans le moteur de recherche le nom de Samy Daoudi et la date du vendredi 13 avril neuf ans plus tôt.

Ils découvrent avec surprise qu'un passager répondant à ce nom a acheté ce jour-là à 11 heures un billet pour Genève.

— Notre amant magnifique s'est enfui en Suisse quelques jours avant l'arrestation de sa dulcinée, commente simplement Ignace.

38.

Lucy Filipini bat des paupières pour montrer son approbation.

— Je viens te voir car je ne comprends pas pourquoi les gens ne me disent plus bonjour, lui dit l'homme en face d'elle.

— Cela fait combien de temps ?

— Trois jours.

— Et qu'est-ce qu'il s'est passé il y a trois jours ?

— Je suis sorti de l'hôpital.

— Pourquoi étais-tu à l'hôpital ?

— Une opération des yeux. Mais cela s'est bien passé.

— Je ne crois pas, non.

— Ah, alors je suis encore à l'hôpital sous sédatif et je rêve ?

— Non, tu es mort.

L'homme en boubou et lunettes semble décontenancé.

— Tu es sûre, Lucy ?

— Oui, Mamadou. Tu veux que je t'aide à monter ou tu penses pouvoir y arriver seul ?

— Je… tu… enfin, je suis désolé, mais je ne te crois pas. Je sais que tu me fais une blague. Sacrée Lucy ! Allez, je rentre chez moi, j'ai du travail.

Il enfile son manteau imaginaire et déguerpit par la porte, en mimant le geste de l'ouvrir et de la fermer.

Lucy secoue la tête. Elle est émue et lâche un petit sanglot avant de pleurer carrément. Un chat noir vient lécher les larmes sur sa joue.

– *Bonjour Lucy*, dit alors Gabriel en s'approchant doucement. *Je ne vous dérange pas ?*

La médium, qui arrange sa coiffure et tâche de se redonner une contenance, reste silencieuse.

– *C'était votre bienfaiteur sénégalais ?*

– Il n'aurait pas dû tenter l'opération des yeux. Il a dû y avoir un problème avec l'anesthésie.

Elle essaie de sourire.

– Vous voyez : vous n'êtes pas le seul à ne pas vous être aperçu tout de suite de votre état. Selon mes estimations, un tiers des morts se croient vivants.

Elle installe la poupée de clown, comme ils en ont désormais l'habitude.

– *Un tiers ?*

– Parmi eux, beaucoup pensent que ce sont eux qui sont vivants et que c'est nous qui sommes morts.

Gabriel affiche une moue dubitative.

– *C'est logique, aucune machine ne peut vous informer de votre état « physique ». Alors chacun, subjectivement, considère qu'être vivant c'est « être comme lui ».*

– C'est pour cela que l'inscription sur votre pierre tombale m'a semblé pertinente, je pense qu'elle s'applique réellement à beaucoup de gens.

– *Et vous vous faites souvent déranger par des morts ?*

– Le pire c'est quand cela se produit en pleine nuit. Ça m'est arrivé pas plus tard que la semaine dernière. Une dame m'aborde vers 4 heures du matin et me dit : « Je veux parler à ma fille. » Je consens à me relever sur un coude et je m'aperçois que mon interlocutrice est en chemise de nuit, pieds nus, qu'elle a un visage très ridé, des cheveux blancs filasse. C'est mauvais signe. Normalement, les gens choisissent de reprendre l'apparence qu'ils avaient à 30 ans et veillent à se visualiser bien habillés. Quand je l'interroge sur son nom, elle me dit qu'elle ne s'en souvient plus. Je lui demande alors où elle vit et elle ne se souvient toujours pas. Elle souffrait en fait de la maladie d'Alzheimer. Quand les gens meurent avec cette affliction, ils mettent parfois des mois à retrouver la mémoire.

— *Maintenant que vous me le dites, la nuit où nous sommes allés prélever du sang sur mon cadavre, j'ai vu dans l'hôpital quelques ectoplasmes sans visage...*

— Ce sont ceux qui ne se souviennent même pas de la forme de leur propre visage.

— *C'était assez impressionnant : leur tête était parfaitement lisse, comme un ballon gonflable.*

Lucy se lève et va vers la fenêtre.

— Je suis allée voir votre première suspecte, lance-t-elle de but en blanc : Sabrina. Sacrée femme ! Je l'ai trouvée non seulement très belle, mais très impressionnante. Vous avez franchement beaucoup de chance d'avoir pu vivre avec une femme aussi charismatique.

— *Les actrices sont vraiment des êtres à part. Elles vivent dans la séduction permanente. Au quotidien ce n'est pas toujours simple, mais vu de l'extérieur je comprends que cela puisse faire forte impression.*

— Ce qui était un peu spécial, c'est que je l'ai vue se préparer à être torturée pour avoir empoisonné des gens.

— *Et elle a avoué ?*

— Dans le film, je ne sais pas, mais lors de notre rencontre elle m'a dit qu'elle vous adorait et qu'elle n'aurait jamais voulu vous causer le moindre tort. Je crois que dans le fond elle espérait que vous finiriez par vous remettre ensemble. Elle pense que vous êtes l'homme de sa vie. Moi, à votre place, je n'aurais pas hésité, j'aurais tout fait pour épouser une femme aussi sublime.

Gabriel n'ose pas lui dire que, pour obtenir le résultat qu'elle a vu, il a fallu des heures de maquillage et de coiffure, doublées d'onéreuses séances de chirurgie esthétique. Lucy, au contraire, a une beauté naturelle qui la surpasse de loin.

— Elle soupçonne votre frère.

— *Vraiment ?*

— Elle dit que Thomas voulait tout ce que vous aviez, à commencer par elle.

Les chats viennent se frotter à ses mollets pour être caressés. Gabriel regrette de ne pas pouvoir lui-même ressentir ce contact si particulier avec la fourrure des félins.

— *C'est elle qui m'a quitté. Et ce n'est que lorsque Sabrina a appris que j'étais heureux avec une autre femme qu'elle a manifesté son envie de revenir avec moi.*

— Moi, je ne suis pas comme ça, l'interrompt Lucy. J'ai un amour, Samy, un seul, et cela ne changera jamais. Vous devez penser que je suis quelqu'un de très solitaire, et peut-être aussi que ma fidélité au souvenir de Samy a quelque chose d'absurde…

Il ne répond pas. Après un silence, Lucy reprend :

— C'est étrange, mais je crois que la plupart des vrais médiums ne peuvent pas jouir d'une vie normale. J'ai d'autres amies qui parlent avec les morts, et très peu sont socialement adaptées. Soit elles vivent seules avec des chats, comme moi, soit elles vivent à la campagne, isolées. Très peu ont une vie sexuelle active. Comme si l'énergie nécessaire pour se brancher sur celle des morts empêchait de se brancher sur celle des vivants.

— *Cela me rappelle les contes pour enfants. La petite sirène d'Andersen, par exemple, perd ses pouvoirs si elle fait l'amour avec un homme.*

— C'est peut-être aussi pour cela que je n'ai jamais cherché à rencontrer d'autres hommes. D'ailleurs, vous en êtes où de l'enquête ?

– *Daoudi ? On a retrouvé sa trace. Il est allé à Genève. Demain nous irons poursuivre nos investigations là-bas.*

– « Nous » ?

– *J'enquête avec mon grand-père Ignace.*

Elle hausse les épaules.

– Votre pourvoyeur en blagues ? Bon, du moment que vous réussissez, libre à vous d'enquêter avec qui vous voulez.

La nuit est maintenant bien avancée. Après avoir effectué sa séance de déparasitage et médité une vingtaine de minutes, Lucy s'apprête à aller se coucher.

– Bonne nuit, Gabriel, dit-elle.

– *Bonne nuit, Lucy.*

Un chat ronronne. Elle se relève sur un coude.

– Je n'aime pas que vous m'épiiez pendant que je dors.

– *Comment vous le savez ?*

– Mes chats me servent de sentinelles. N'oubliez pas qu'eux, ils vous voient.

L'écrivain s'élève au-dessus du lit, tournoie telle une danseuse d'opéra, traverse le toit. Il étend ses bras, plane sur la ville et se sent heureux. Pendant quelques instants, la question de savoir qui l'a tué ne l'obsède plus.

Ce qu'il voudrait vraiment savoir, c'est quels sont les rouages cachés qui font tourner l'univers…

39.

Gabriel Wells atterrit sur la cascade du bois de Boulogne. Alors qu'il s'approche de la caverne d'où jaillit l'eau, des chauves-souris qui ont perçu sa présence s'envolent simultanément en brassant l'air de leurs ailes souples.

Il voit au loin d'autres ectoplasmes, mais n'ose pas les approcher.

– *Alors, chéri, on se promène ? Tu cherches un peu d'amour ?* lui demande une voix au fort accent brésilien.

Il sursaute, se retourne et aperçoit un travesti au décolleté plongeant. Même devenu âme errante, l'esprit semble avoir conservé sa tenue de travail.

– *Moi, tu sais comment je suis morte ? C'était lors de la grande tempête du 26 décembre 1999. J'ai continué à travailler ce jour-là et un arbre m'est tombé dessus. Quand les secouristes sont arrivés, seuls mes jambes et mes bras avec mon sac à main dépassaient du tronc.*

Elle éclate d'un rire qui dévoile ses dents.

Gabriel comprend que non seulement les gens sont en effet prisonniers de l'histoire qu'ils se racontent sur eux-mêmes, mais qu'une fois morts ils n'ont de cesse de chercher un public pour la faire perdurer.

D'autres travestis brésiliens, voyant que leur collègue a trouvé une oreille attentive, accourent et tentent de partager leur propre histoire.

– *Moi, c'est mon proxénète qui m'a giflée, je suis tombée en arrière sur une pierre.*

– *Moi, c'est mon chirurgien esthétique qui m'a contaminée avec du matériel mal désinfecté.*

En voyant tous les ectoplasmes de travestis brésiliens se retrouver pour se raconter leur histoire, Gabriel prend conscience que le désœuvrement est peut-être la plus grande souffrance des âmes errantes. Traîner sans rien avoir à faire revient à condamner son esprit à moudre inlassablement des souvenirs. C'est pourquoi il est important d'entretenir le récit de sa vie, et même de la magnifier pour lui donner encore plus d'ampleur.

Il abandonne le bois de Boulogne et remonte vers le nord pour aller voir sa tombe au cimetière du Père-Lachaise.

Il relit la formule gravée dans le marbre et s'assoit sur la pierre tombale en songeant : *Quelle dérision.*

Toute sa vie finalement n'aura été que dérision.

Il estime qu'il n'y a qu'une seule forme d'humour valable : celle qui consiste à se moquer de soi. Mais ce n'est pas facile, car tout tend à faire croire à l'homme que ce qui lui arrive est dramatique. Finalement, la vie n'est qu'une comédie. Ou encore, plus simplement, une blague qui se termine par une chute plus ou moins réussie. L'excipit ?

Il entre à l'intérieur de son cercueil et observe son enveloppe charnelle encore pratiquement intacte grâce à l'excellent travail des thanatopracteurs qui, juste avant son enterrement, ont installé de la résine dans son système veineux pour que son corps garde sa forme. Il n'aperçoit ni vers, ni champignons, ni même moisissure.

Dire que je croyais n'être rien d'autre que ce corps…

Il faudrait avertir les vivants et leur dire : « Vous n'êtes pas un corps qui possède un esprit. Vous êtes un esprit qui possède un corps. »

Cela le fait sourire, mais il se dit que cette phrase, dont le sens est limpide à ses yeux, risque d'être mal comprise tant elle est énigmatique.

Il continue de réfléchir : *Qui suis-je, maintenant que je sais que je ne suis pas « seulement » Gabriel Wells ?*

Il ressort du cercueil et s'assoit en position de méditation, comme il a vu Lucy le pratiquer.

Il approfondit sa réflexion :

Il faut que mon œuvre me survive.

Il faut que je sache pourquoi mon frère a détruit mon dernier roman.

Il faut que je sache qui m'a tué.

Un instant, il éprouve de la pitié pour lui-même. Puis il se reprend.

Si ça m'est arrivé, c'est que ça devait m'arriver. Tout cela a forcément un sens. Je ne dois pas m'apitoyer sur moi-même. Bon sang, Gabriel, rappelle-toi qui tu as été!

Et en guise de réponse lui arrive une autre pensée :

Je ne suis plus rien.

Son grand-père apparaît alors, après être lui aussi allé se recueillir près de son propre cadavre, nettement moins bien conservé que celui de Gabriel.

— *J'avais peur d'être enterré dans un cimetière plus banal, du genre de ceux où les vivants ne viennent jamais te voir. Mais le Père-Lachaise c'est ce qui se fait de plus chic, tu ne trouves pas? Nous sommes en bonne compagnie. Suis-moi.*

Ignace Wells se fait guide touristique pour son petit-fils.

— *Ici, c'est la tombe de Jim Morrison, le chanteur des Doors. C'est la plus visitée. Des fans volent régulièrement des ossements d'autres tombes pour les déposer sur la sienne afin de signifier qu'aucun autre mort ne l'égalera jamais. Mais ne t'inquiète pas, depuis peu une caméra de surveillance a été installée.*

— *Il n'est pas dans les parages?*

— *Lui, je ne le vois pratiquement jamais; il est toujours en train d'assister à des concerts. Il aime tout particulièrement le hard rock. Il était très branché Nirvana à un moment; maintenant je crois qu'il est plutôt sur des trucs comme Van Halen.*

Ignace entraîne Gabriel un peu plus loin.

— *Ici, tu as Allan Kardec, le fondateur du spiritisme français.*

Comme tu peux le voir, après celle de Jim Morrison, c'est la tombe qui reçoit le plus de visiteurs. Elle est toujours très fleurie.

– *Et lui, il y a une chance de le rencontrer ?*

– *Actuellement il est au Brésil, où on lui voue un véritable culte. Comme beaucoup d'entre nous, il est allé là où sa mémoire était le mieux entretenue.*

Il désigne ensuite la tombe du journaliste Victor Noir.

– *Voici la seule tombe dont la sculpture en bronze exhibe une* érection post mortem. *Comme tu peux le constater, la zone est luisante : les femmes profitent de la nuit pour s'asseoir et s'y frotter. Tiens, regarde, il y en a une justement qui arrive.*

En effet, Gabriel repère une femme en chapeau et voilette qui s'assoit sur la tombe et mime l'acte sexuel.

– *C'est censé rendre fertile*, explique Ignace, avant de le guider vers les tombes d'écrivains célèbres : Jean de La Fontaine, Molière, Honoré de Balzac, Alfred de Musset, Marcel Proust, Oscar Wilde.

– *Reconnais qu'on peut difficilement rêver meilleur voisinage pour un écrivain…*

C'est alors que Jim Morrison apparaît, dégaine provocatrice et moue ironique de rigueur. Il voit les deux hommes et hausse les épaules. Puis il va sur sa tombe, fait une grimace, tire la langue à la caméra censée surveiller sa zone, puis se saisit d'une guitare imaginaire et entonne « The End ».

Ignace est ravi de ce concert improvisé rien que pour eux deux. Gabriel l'écoute mais semble affligé.

– *Tu es toujours obsédé par ta propre fin ?* lui demande son grand-père.

– *Tu ne le serais pas à ma place ? Bon, et en dehors de ton « cherchez la femme », tu as une autre rumeur qui pourrait nous aider à trouver mon assassin ?*

– *Pas de rumeur, mais une information supplémentaire et une intuition.*

– *Je t'écoute.*

– *Ton frère… Tu te souviens de quand vous étiez gamins et que vous essayiez de fabriquer une machine pour parler aux morts ? Comment vous disiez déjà ?*

– *Un nécrophone.*

– *Eh bien je ne sais pas si c'est lié à ton histoire, mais, en enquêtant, j'ai découvert que Thomas a commencé il y a un an à la fabriquer réellement. Comme si… enfin j'extrapole peut-être… comme s'il savait qu'il aurait bientôt l'occasion de tester sa machine.*

– *Je vais en parler à Lucy. Il faut qu'elle l'interroge.*

– *Avant ça, il va falloir lui donner des informations sur son Samy Daoudi. Je reviens d'un repérage à Genève. Je pense qu'on devrait retrouver facilement sa trace là-bas.*

Ils s'envolent en direction du sud-est. En chemin, Gabriel pense à son frère jumeau. Il se rappelle combien ils s'étaient jadis aimés, puis détestés. Combien ils étaient restés connectés intellectuellement. Combien ils avaient toujours été différents et complémentaires.

« *Thomas aurait-il pu vouloir ma mort simplement pour réaliser une de ses expériences scientifiques ?* »

Une idée saugrenue lui traverse aussitôt l'esprit :

« *Pour enfin parvenir à me parler vraiment ?* »

40. ENCYCLOPÉDIE : LE RESSUSCITEUR DE MORTS

Plusieurs savants ont essayé de ressusciter les morts par la science. Parmi eux, Giovanni Aldini, professeur de physique à Bologne et neveu de Luigi Galvani, qui découvrit

en 1780 qu'en envoyant du courant dans le nerf de la patte d'une grenouille on pouvait la faire bouger, inventant par là même le galvanomètre.

Aldini était persuadé que l'électricité était l'énergie de vie universelle. Il décida donc de ranimer les cadavres humains grâce à elle.

Il se livra à des démonstrations spectaculaires lors de tournées dans les grandes cours d'Europe. Impressionné, l'empereur d'Autriche le fit Chevalier de l'Ordre de la Couronne de fer, et il fut nommé membre des plus prestigieuses académies de sciences.

Le 18 janvier 1803, Aldini mena une expérience qui le rendit célèbre devant les membres éminents du Royal College of Surgeons de Londres. Il prit comme support de sa démonstration le corps de George Forster, 26 ans, un meurtrier britannique condamné à mort pour avoir tué sa femme et son enfant. Le criminel avait été pendu dans la prison de Newgate, mais son corps avait été récupéré précisément pour servir l'expérience d'Aldini.

Devant une assemblée de collègues, le scientifique disposa des électrodes sur les mains du cadavre et envoya une décharge électrique. Cela provoqua l'ouverture instantanée de la bouche et des yeux du cadavre, ainsi que quelques évanouissements, frayeurs et vomissements parmi les spectateurs.

Satisfait d'avoir médusé son assistance, Aldini voulut pousser son avantage. Il brancha une électrode sur l'oreille de Forster et une autre dans son rectum. Puis il augmenta la charge électrique. Le cadavre se mit alors à agiter les jambes et les bras dans une sorte de danse désarticulée, sous le regard ébahi puis sous les applaudissements des scientifiques anglais. C'est d'ailleurs cette démonstration qui inspira à la romancière anglaise Mary Shelley son *Franken-stein*.

NB : Le nom de Frankenstein est lui-même inspiré d'un autre scientifique, le médecin Johan Conrad Dippel. Ce dernier était né en 1673 dans le château de Frankenstein, près de Darmstadt en Allemagne. Très jeune, il fit quelques découvertes remarquables, comme le bleu de Prusse, l'huile de Frankenstein, qui servait à soigner l'épilepsie, et un traitement contre le ver solitaire. Dippel écrivit soixante-dix livres de médecine, de chimie, de biologie. Il dénonça aussi avec vigueur le protestantisme, ce qui lui valut d'être accusé d'hérésie et emprisonné. À sa sortie de prison, Dippel se tourna vers l'alchimie et consacra le restant de ses jours à essayer de transférer l'âme d'un mort à un autre corps. Malgré plusieurs années d'expérimentation, il ne put jamais prouver qu'il avait réussi. Il affirma cependant avoir trouvé l'élixir de vie permettant de vivre 135 ans. Un an après cette déclaration, il mourut à l'âge banal de 60 ans.

Edmond Wells,
Encyclopédie du Savoir Relatif et Absolu, tome XII.

41.

L'immense statue du savant français René Descartes trône, pensive, à l'entrée du LPO, le Laboratoire de physique des ondes. Sur une plaque en dessous est inscrite sa fameuse devise : « Je pense donc je suis. »

Lucy Filipini est amusée de lire cette phrase en ce haut lieu de la science « cartésienne » parisienne. En plus petit, un tag précise : « Je dé-pense donc je suis. »

Elle franchit un premier contrôle en utilisant sa fausse carte de police, puis arrive dans un service visiblement hautement sécurisé et demande à parler au professeur Thomas Wells, qui consent à la recevoir dans son bureau. Il est en blouse grise, plusieurs stylos fichés dans sa poche de poitrine.

– Encore vous, mademoiselle ? On m'a pourtant dit que c'était la police qui voulait me voir. Alors décidez-vous, vous êtes médium ou vous êtes policière ? À moins bien sûr que vous ne soyez ni l'une ni l'autre.

Elle n'attend pas son autorisation pour s'asseoir.

– Heureusement que vous n'avez pas fait procéder à une inci-nération, lui explique-t-elle. Votre frère jumeau a bel et bien été empoisonné par un produit à la composition complexe et diffi-cile à utiliser. Donc son assassin s'y connaît en chimie.

– Vous ne m'avez pas répondu : vous êtes policière ou médium ?

– Je suis quelqu'un qui veut savoir la vérité sur la mort de Gabriel, répond-elle sans se laisser déstabiliser. Qu'est-ce que mon métier peut bien vous faire ?

Elle sort une feuille où figure le bilan sanguin.

– L'avez-vous tué ?

– MOI ? TUER GABRIEL ??? Vous pensez vraiment que j'aurais pu ne serait-ce qu'y songer ? Enfin, c'était mon frère jumeau !

– Vous avez refusé qu'on fasse une autopsie, vous vouliez l'incinérer, et vous avez détruit son dernier manuscrit… Cela fait beaucoup pour un seul suspect. Et je ne parle même pas des témoignages qui disent que vous étiez perpétuellement en conflit, jaloux et hostiles l'un à l'autre.

Il la regarde, étonné, puis éclate de rire.

– Qui vous a raconté tout ça ?

– J'ai fait ma petite enquête.

– Dans l'au-delà ?

Elle ne répond pas. Il inspire profondément, cherchant visiblement à rassembler ses pensées.

– Vous êtes sérieuse quand vous dites qu'il a été empoisonné ?

Elle désigne la formule que Krausz lui a indiquée comme étant celle du poison mortel. Thomas remarque le nom du laboratoire qui figure dans l'en-tête.

– Krausz ? Parce que, en plus, c'est son ami Vladimir qui a effectué les analyses ? Soit. Admettons. Il a peut-être bel et bien été assassiné.

– Ce poison mettant 24 heures à agir, le geste mortel a été exécuté la veille de la mort de Gabriel. Donc le jour de votre anniversaire. Or vous avez été proche de son verre ou de son assiette à plusieurs reprises ce soir-là.

– Vous pensez réellement que c'est moi !

Comprenant qu'elle ne compte pas s'arrêter là, il décroche le téléphone pour demander à sa secrétaire qu'on ne le dérange pas durant au moins une demi-heure.

– Mademoiselle Filipini, reprend-il d'un ton calme, savez-vous seulement qui je suis vraiment ?

En réponse, Lucy lâche son petit soupir habituel, se cale dans le fauteuil et se met en mode réception.

42.

« Ma passion pour la physique est née un jour de vacances. J'avais 7 ans, j'étais désœuvré et, pour m'occuper, je m'amusais à faire des ricochets.

193

À un moment, j'ai raté mon tir et mon galet n'a pas rebondi. Il s'est enfoncé dans l'eau d'un coup, en produisant des cercles concentriques à mesure qu'il s'éloignait de la surface. Je suis resté longtemps à observer les vaguelettes qui partaient de l'endroit de l'impact, véritablement fasciné. Ensuite, j'ai jeté deux cailloux simultanément et remarqué que les vagues d'ondes, en se croisant, formaient des interférences.

Cela a été une révélation ; à partir de ce moment-là, je me suis passionné pour les ondes. D'abord l'eau, puis ensuite la lumière, et enfin le son. Tout est onde, tout est comme ce caillou que j'ai fait tomber dans l'eau et que j'ai observé.

J'ai essayé de transmettre ma passion pour les ondes à mon frère, mais il était trop occupé à rêver. Ses professeurs notaient sur son bulletin : "Élève tout le temps dans la lune." Je crois que cela le caractérisait bien. Avec Gabriel, comment dire ? Nous étions différents, mais aussi complémentaires. Lui était telle une plume tourbillonnant dans le vent, moi j'étais enraciné profondément dans le sol ; lui était dispersé, moi j'étais cohérent. Tout jeunes, nous étions très proches, comme des amis, puis nos chemins se sont séparés. Nous nous disputions souvent, car nos avis divergeaient en tout, mais nous restions connectés.

Comme vous le savez, mon frère admirait l'actrice américaine Hedy Lamarr pour sa beauté. Moi, c'était pour son intelligence. Saviez-vous qu'elle a inventé un système de guidage des missiles par ondes ? Inspiré par son exemple, j'ai très jeune fabriqué une machine dans la continuité de ses projets.

Mon plus grand rêve aurait été de créer une machine qui puisse détecter toutes les ondes, des plus larges aux plus petites. L'œil ne capte qu'une partie restreinte des ondes lumineuses ; même un chat en capte deux fois plus. Nous ne détectons ni les infrarouges, ni les ultraviolets. Et c'est la même chose pour les sons : nous ne captons pas les infrasons ni les ultrasons. En fait, nous ne percevons qu'une fenêtre réduite du monde et nous avons décrété que c'était là l'unique zone d'ondes importantes.

Pourtant, je suis persuadé que ce sont les ondes qui permettront de débloquer notre perception du monde et qu'il existe de nouveaux sens à découvrir. Il faut ouvrir les "portes de la perception" qu'évoquait Aldous Huxley et qui ont inspiré à Jim Morrison le nom de son groupe. J'aime imaginer comment nous pourrons, dans le futur, percevoir une infinité d'informations qui nous manquent aujourd'hui. Pour l'heure, mes recherches sont financées par l'armée, et je travaille sur les ondes larges, similaires aux ondes cosmiques, pour parvenir à envoyer des messages aux sous-marins. C'est tout ce qui m'intéresse, et non l'argent ou la gloire comme mon frère. Pourtant, nous avons eu à un moment les mêmes centres d'intérêt. Il savait combien les ondes me passionnaient, et il m'avait donc demandé de mettre au point un "détecteur de plaisir de lecture". J'ai relevé le défi et fabriqué un prototype. C'était une machine que l'on branchait sur une veine pour calculer le taux d'endorphines, les hormones du plaisir, qui variait au fil de la lecture.

Il a testé ma machine sur une dizaine d'étudiants mais les résultats obtenus, à mon avis, n'intéressaient que lui. Je lui ai alors dit que le problème était que les gens éprouvent généralement de la fierté à lire un roman ardu et de la honte à admettre qu'ils ont ressenti du bonheur à lire un roman facile. D'où le succès des prix littéraires et le mépris de la littérature de genre. D'ailleurs, j'évite moi-même de perdre mon temps à lire des polars ou de la science-fiction, même si je sais bien que je vais passer un bon moment. Je préfère me consacrer aux publications scientifiques.

Avec mon frère, nous nous stimulions mutuellement : je lui

lançais des défis dans le domaine littéraire et lui dans le domaine scientifique. "Chiche d'écrire une histoire dont le héros serait une bactérie de l'intestin !" "Chiche de fabriquer une machine qui détecte les odeurs nauséabondes !"

À chaque fois il rédigeait une nouvelle en suivant mes consignes et moi je réalisais le prototype demandé. Nous étions comme les hémisphères droit et gauche du cerveau, différents mais complémentaires : le droit dans la science, dans les nombres et le réel, le gauche dans les lettres et dans l'imaginaire.

À l'école, évidemment, j'étais avantagé, le système scolaire n'encourageant pas les rêveurs. Et puis, comme Gabriel était plutôt introverti et timide, il n'avait pas beaucoup de copains et encore moins de petites amies. Mais il a fini par trouver sa place, il est devenu "le raconteur d'histoires" de la cour de récréation. Je l'ai vraiment vu se transformer, comme un albatros hésitant et maladroit au sol mais qui, dès qu'il déploie ses ailes, virevolte avec grâce et aisance. Toute la famille l'encourageait, car nous aimions le voir planer.

Déjà, à l'époque, il avait ses détracteurs, certains professeurs notamment qui n'aimaient pas ses horribles histoires peuplées de monstres, de vampires, d'extraterrestres ou de morts-vivants… Il agaçait beaucoup de gens, en fait. Plusieurs fois, il s'est fait coincer par des chefs de bande ou simplement des brutes qui voulaient casser la figure au "type qui racontait des conneries". Il y a des fois où j'ai pu le protéger. Et d'autres où je suis arrivé trop tard et n'ai pu que panser ses plaies. Avec le recul, je dirais que les agressions le rendaient encore plus paranoïaque qu'il ne l'était de nature. Et par là même créatif, car la paranoïa le forçait à chercher des échappatoires dans son imagination et cela a nourri son œuvre. Il s'est toujours considéré comme incompris ; je crois que c'est ce qui lui a donné envie d'écrire des histoires de gens incompris dans lesquelles les lecteurs pourraient se reconnaître.

Quand il était journaliste et qu'il me racontait ses enquêtes, je l'encourageais à s'en inspirer pour écrire des romans. On ne l'aurait jamais laissé publier ce qu'il avait découvert, alors mieux valait qu'il le présente comme un récit fictif. De fait, c'est moi qui, le premier, l'ai poussé à devenir romancier plutôt que de végéter comme journaliste sous la coupe d'un rédacteur en chef à l'esprit étriqué. Comme je le lui répétais, le suprême paradoxe est que la vérité est dans les romans, le mensonge dans les journaux. Je le soutenais, je l'informais. Dans plusieurs enquêtes du lieutenant Le Cygne figurent mes recherches et nos conversations. Mais quand il a voulu écrire *Nous les morts*, je lui ai dit que c'était une mauvaise idée. Je me souviens que nous avions évoqué le cas d'Houdini et de Doyle. Doyle, le célèbre créateur de Sherlock Holmes, était très ami avec Houdini, le grand illusionniste. Mais le premier est devenu adepte des tables tournantes tandis que le second est parti en croisade contre les abus des spirites. Les deux amis se sont finalement fâchés jusqu'à devenir les pires ennemis possible. J'étais Houdini, il était Doyle.

Nous les morts a été, conformément à mes prévisions, un échec, mais mon frère, au lieu d'en conclure qu'il devait écrire des livres plus sérieux, s'est cru victime de l'incompréhension des médias. Sa paranoïa maladive l'empêchait une nouvelle fois de garder la tête froide. À cette époque-là, nous nous sommes un peu éloignés, au point de nous perdre complètement de vue pendant plusieurs années. Ce qui n'empêche que nous étions toujours connectés, et d'une certaine manière, sa réussite était un peu ma réussite. Évidemment, je l'aimais ; en fait, je l'aimais comme s'aime un couple qui se dispute parfois. Quand j'ai appris sa mort, je ne voulais pas y croire, j'ai pensé qu'il avait juste eu un malaise, au pire un AVC. J'étais persuadé qu'on allait le sauver, mais quand je l'ai vu dans le tiroir frigorifique, cela a été pour moi un déchirement. Je me sens incomplet depuis. Je pense à lui à chaque seconde. Et je vais vous dire, mademoiselle Filipini, s'il a été assassiné comme vous le prétendez, je veux être le premier à vous aider à trouver l'ignoble individu qui "m'a" fait ça. »

Lucy le fixe intensément.

– Vous ne m'avez pas répondu : pourquoi refusiez-vous qu'on fasse une autopsie ?

– Pour reprendre la métaphore du bras droit, je n'avais pas envie qu'on charcute quelque chose qui avait été une part vivante de mon corps.

– Et pourquoi désiriez-vous le faire incinérer ?

– Quand j'ai pris conscience qu'il était vraiment mort, j'ai souhaité qu'il disparaisse. Je n'ai pas d'explication rationnelle à vous donner, si ce n'est que je ne voulais pas que cette prolongation de mon corps pourrisse dans une boîte six pieds sous terre.

– Qu'est-ce qui vous a fait changer d'avis ?

Il retient la phrase qu'il allait prononcer et se lève pour aller lui chercher une tasse.

– Puis-je vous servir un peu de thé vert au riz soufflé ? J'ai beau être cartésien, il m'arrive moi aussi de rêver. Et je vais peut-être vous surprendre, mais j'accorde beaucoup d'importance à mes rêves. Le soir qui a suivi le décès de Gabriel, j'ai eu l'impression qu'il me parlait. Et vous savez ce qu'il m'a dit ?

– De ne pas l'incinérer ?

– Pas seulement. Il m'a déclaré que son œuvre était complète et qu'il n'assumait pas *L'Homme de 1000 ans.* C'est lui qui m'a indiqué comment détruire le fichier dans son ordinateur et la copie de sauvegarde. Alexandre de Villambreuse, évidemment, ne pense qu'à l'argent qu'il pourra gagner avec cet inédit, mais moi je pensais réellement à préserver la cohérence de l'œuvre qui allait survivre à Gabriel. Saint-Exupéry non plus n'avait pas terminé son dernier ouvrage, *La Citadelle*, et il a été publié n'importe comment, pour le seul profit de l'éditeur. J'ai fait ce que j'estimais le plus respectueux pour la mémoire de mon frère adoré.

– Vous l'avez lu ?

– Non, mais je sais qu'il avait déjà écrit une première mouture complète dont il était insatisfait et qu'il avait entièrement détruite. Cette deuxième version le faisait encore beaucoup douter. Et je le comprends d'autant mieux que j'avais participé à réunir la documentation qui lui a servi de base. Je lui avais notamment parlé du rat-taupe nu, cet animal extraordinaire qui vit en Éthiopie, sous terre, comme une fourmi. Ces animaux sont organisés en société, avec une reine, et ils ont pour particularité de ne pouvoir attraper aucun cancer ni aucune infection. Ils sont immunisés contre toutes les maladies et vivent dix fois plus longtemps que tous les mammifères similaires.

Lucy note l'information dans son carnet.

– C'était le secret de *L'Homme de 1000 ans* : utiliser les données de la science pour en faire de la science-fiction. Je lui avais aussi parlé de l'axolotl, cette salamandre mexicaine qui a la capacité de faire repousser toutes les parties de son corps, y compris son cerveau.

– L'axolotl ? Comment vous écrivez ça ?

Il épelle et poursuit :

– Ma troisième et dernière idée scientifique pour fournir de la matière à son *Homme de 1000 ans* était la tortue des Galápagos, qui a pour particularité de ne pas vieillir. Elle grandit, mais ne meurt que si elle est agressée.

– Désolée de vous le dire, mais ça a l'air passionnant. Cela m'aurait beaucoup intéressée de lire ce livre.

– Le problème, c'est que l'intrigue ne tenait pas. Gabriel a été dépassé par son sujet. Ou plutôt par ma documentation. Je lui avais donné ces trois idées à exploiter, mais elles étaient pour lui comme des braises brûlantes qu'il n'arrivait pas à manipuler. Il avait l'habitude de réécrire au moins dix fois ses intrigues avant de trouver la bonne, en repartant chaque fois de zéro. Or là il n'était pas du tout satisfait ; cela ne lui semblait pas encore « au point ». Il me l'avait clairement signalé.

La médium hoche la tête. Elle a fait le tour des questions qu'elle voulait lui poser mais n'a pas envie de partir.

– À mon tour d'en apprendre un peu plus sur vous, mademoiselle Filipini. D'abord, avez-vous couché avec lui ?

Lucy avale son thé de travers et se met à tousser.

– Non ! Quelle idée !

– Vous m'avez dit que vous étiez amis, j'ignore quand vous vous êtes rencontrés mais, connaissant la fascination de Gabriel pour Hedy Lamarr et vu votre ressemblance, cela me paraissait tout à fait possible.

Elle se lève comme pour mettre fin à la conversation.

– OK, deuxième question : en tant que… « médium », êtes-vous encore connectée à lui ?

– Il m'arrive de lui parler, en effet.

– Souvent ?

– Tous les jours.

– Alors ça veut dire qu'il n'a pas complètement disparu ?

Lucy Filipini se rassoit et saisit un cube blanc dans le sucrier.

– Ceci est un sucre, vous êtes d'accord ?

Elle le jette dans sa tasse et le regarde se diluer dans l'eau chaude de son thé.

– Alors maintenant, laissez-moi vous poser une question : est-ce que le sucre a disparu ?

Thomas apprécie la démonstration et l'encourage d'un geste à poursuivre.

– La réponse est non. Il a simplement changé de forme. Il est passé de l'état cubique, solide et blanc à l'état liquide, dilué et transparent. Un sens permet de le percevoir : le goût. Eh bien, l'esprit passe de la même façon de l'état perceptible par les yeux à l'état immatériel uniquement repérable par ceux qui ont développé une autre forme de perception.

– Je dois reconnaître que c'est une jolie métaphore.

Lucy garde le silence quelques instants, le temps de savourer son thé.

– Je sais que vous ne croyez ni aux fantômes, ni au Père Noël, ni à l'astrologie et que…

Il la coupe :

– Il n'y a que les imbéciles qui ne changent pas d'avis. Je suis rationnel, mais je suis aussi capable de me remettre en question.

– Qu'est-ce qui pourrait vous faire changer d'avis ?

– Vous.

Il la fixe intensément.

– Pour qu'un humain consacre autant de temps et d'énergie à résoudre le mystère d'un décès, c'est qu'il y a une raison précise. Or vous n'avez pas l'air trop allumée. On a donc une très belle femme se prétendant médium qui s'est procuré une fausse carte de police pour pouvoir rencontrer un type qu'elle pense *a priori* hostile à ses idées. Cela me semble bien suffisant pour qu'au moins j'envisage de revoir mes positions.

– Si ce n'est pas vous qui l'avez assassiné, qui pensez-vous que cela puisse être ?

– Selon vous, c'est à moi que profite le crime. Alors reposez-vous la question : à qui profite «vraiment» le crime? Et la réponse est : à son éditeur. Mon frère avait écrit une nouvelle intitulée «Gloire posthume». C'est l'histoire d'un auteur à la carrière minable, mais dont le décès est, par erreur, annoncé dans la presse, de sorte que l'auteur connaît le succès à titre posthume. L'éditeur publie de nouveau tous ses titres, qui caracolent en tête des palmarès. L'auteur veut révéler qu'il y a eu une erreur et qu'il est vivant, mais son éditeur lui déconseille de gâcher une telle opportunité. L'auteur obtempère, et les ventes continuent de monter. Un jour, comme l'écrivain n'en peut plus de rester dissimulé et s'apprête à tout raconter aux journalistes, l'éditeur finit par… l'assassiner réellement.

– Gabriel a vraiment écrit ça?

– C'était un texte prémonitoire, à mon avis. Avec le recul, on peut dire que mon frère a eu un destin idéal : gloire, fortune, et mort sans vieillir.

– Il avait pourtant l'impression d'être incompris.

– Je lui ai un jour demandé s'il valait mieux être un écrivain de talent sous-estimé ou un écrivain sans talent surestimé. Il a éclaté de rire et reconnu que, finalement, il n'échangerait pas sa place contre celle de la plupart des auteurs à la mode, même s'ils entrent à l'Académie française ou obtiennent le prix Goncourt.

Il tapote sur le clavier de son ordinateur et ouvre une page d'actualité.

– Venez voir. Alexandre de Villambreuse ne chôme pas. Quand il a compris qu'il ne pourrait pas éditer *L'Homme de 1000 ans*, il a fait rééditer *Nous les morts*. Moyennant quoi, ce livre qui a été un échec à sa sortie est actuellement numéro trois des ventes. Pour un éditeur, «un bon auteur est un auteur mort », croyez-moi. Et puis, au cas où vous auriez encore un doute, regardez.

Il montre à Lucy une autre page dont le titre s'étale en grosses lettres en haut de l'écran :

« JE VEUX INVENTER L'ÉCRIVAIN VIRTUEL DU FUTUR. »

– La dépêche est tombée tout à l'heure. Alexandre de Villambreuse a annoncé qu'il allait lancer un projet visant à fabriquer un logiciel informatique, Gabriel Wells Virtuel, pour que celui-ci rédige *L'Homme de 1000 ans* à la manière de son éponyme.

Lucy survole l'article quand soudain Thomas Wells lui demande :

– J'aimerais vous revoir dans de meilleures conditions pour vous aider dans l'enquête et découvrir ce monde des spirites que je connais si mal. Pourrions-nous envisager d'aller au restaurant ensemble un jour, mademoiselle Filipini ?

43. ENCYCLOPÉDIE : DOYLE ET HOUDINI, L'ÉCRIVAIN SPIRITE ET LE MAGICIEN SCEPTIQUE

Conan Doyle est né en 1859. Après des études de médecine, il devint très vite célèbre grâce à sa première nouvelle mettant en scène le détective Sherlock Holmes : « Une étude en rouge ». Il était parvenu à créer un nouveau type de personnage capable de résoudre les énigmes par la seule observation de détails apparemment anodins.
Conan Doyle participa d'ailleurs personnellement à des enquêtes policières. Ses observations et ses déductions permirent même d'innocenter deux condamnés : George

Edalji, un Indien inculpé pour chantage, et Oscar Slater, un juif allemand condamné pour violences.

Après avoir connu une gloire fulgurante, il se lassa de son héros qu'il mit à mort en 1893 dans la nouvelle intitulée « Le Dernier Problème ». Sherlock Holmes est assassiné, puis jeté dans les chutes de Reichenbach par son ennemi de toujours, le professeur Moriarty. Mais le public réagit avec hostilité à la mort du détective, au point que la reine d'Angleterre dut intervenir en personne pour que Doyle le ressuscite. Il réapparut ainsi dans *Le Chien des Baskerville*, publié en 1901.

Éduqué dans une école catholique en Écosse, Conan Doyle en était ressorti méfiant vis-à-vis de la religion. Cependant, des événements terribles le frappèrent : sa première épouse, Louisa, mourut de tuberculose en 1906 ; son fils Kingsley décéda de la même maladie en 1908 ; son frère cadet Duff mourut d'une pneumonie et il perdit ses deux beaux-frères et ses deux neveux durant la Première Guerre mondiale. Tous ces deuils entraînèrent Doyle dans une longue dépression. Il se tourna alors vers le mouvement spirite pour tenter d'entrer en contact avec ses chers disparus, et les aventures de Sherlock Holmes qui suivirent cette période macabre portent la marque de ce thème qui l'obsédait. En Russie, ces livres furent même interdits pour « promotion de l'occultisme ». Une rencontre allait alors changer sa vie : celle de Harry Houdini.

Né en 1874 à Budapest dans une famille juive pratiquante, Houdini était devenu une star aux États-Unis en tant que prestidigitateur. Il avait commencé sa carrière comme magicien de foire, puis avait connu un succès grandissant dans des numéros complexes d'évasion : il se libéra par exemple en 30 minutes de la prison de Chicago grâce à des passe-partout cachés dans son œsophage, une technique qu'il avait apprise d'un avaleur de sabres. Conan Doyle était très impressionné par le magicien américain qu'il croyait doté de vrais pouvoirs paranormaux. Cependant, si Conan Doyle pensait réussir à parler à ses proches défunts, Harry Houdini, qui venait de perdre sa mère adorée en 1913, conclut, après plusieurs tentatives infructueuses pour entrer en communication avec elle, que ceux qui prétendaient parler aux morts étaient tous des charlatans.

Ainsi, tandis que le premier devint mystique, le second se lança dans une croisade de démystification. Dès 1920, Houdini mit au point une série de tests pour dénoncer la malhonnêteté des médiums : il leur attachait les mains et les pieds et les mettait au défi de présenter leur performance ainsi entravés. Aucun ne réussit. Houdini consacra dès lors sa fortune et son temps à lutter contre les spirites escrocs qu'il arrivait facilement à démasquer et ridiculiser.

Cette chasse aux sorcières déplut à Doyle, et les deux hommes, jusque-là très proches, devinrent des ennemis jurés. De son côté, Houdini recevait de plus en plus de menaces de mort provenant des spirites et des théosophes. Finalement, celui qui fut par la suite considéré comme le plus grand magicien de tous les temps mourut le jour d'Halloween en 1926, à l'âge de 52 ans, des suites d'un violent coup de poing au ventre qui provoqua une hémorragie interne. L'illusionniste, qui n'avait pas voulu renoncer à donner son spectacle, était monté sur scène malgré une fièvre de quarante degrés. Il mourut noyé face à son public, lui qui, pour son tour de magie, s'était enchaîné et immergé dans l'eau. Or, en prévision de son décès, Houdini

avait conclu un pacte avec sa femme Bess et lui avait dit :
« Si je meurs, tu devras réunir les meilleurs médiums tous
les ans à la date de mon anniversaire. Si je suis devenu une
âme errante, je viendrai et je te dirai deux mots tirés d'une
vieille chanson – "Rosabelle Believe". Si un des médiums
les prononce, c'est que Doyle avait raison et que je peux te
parler depuis l'au-delà. » Pendant les dix ans qui ont suivi
la disparition de Houdini, la femme du magicien a honoré
le vœu de son mari, sans aucun résultat concluant. Le jour
du dixième anniversaire de sa mort, elle déclara : « Il ne
s'est pas manifesté, mon dernier espoir s'est envolé. Bonne
nuit, Harry. »

Quant à Conan Doyle, il mourut en 1930 d'une crise cardiaque à l'âge de 71 ans sans jamais avoir cessé d'être mystique et de défendre la cause spirite.

Edmond Wells,
Encyclopédie du Savoir Relatif et Absolu, tome XII.

44.

Après avoir découvert les joies du vol acrobatique, Gabriel
Wells s'initie avec son grand-père au vol longue distance à grande
vitesse. Il a été moineau, il a été épervier, il a été mouette, et le
voici désormais albatros, planant visage en avant pour fendre l'air,
qui ne provoque pour lui ni vent ni frottements. Pour ne pas se
perdre, ils suivent la ligne TGV Paris-Lyon.

– *À cet instant, on vole à plus de 300 kilomètres-heure*, signale
Ignace Wells.

– *C'est quoi notre limite de vitesse, papi ?*

— Il n'y en a pas. Quand on est une âme errante, on voyage à la vitesse de la pensée. Rien ne nous freine.

— Alors pourquoi on ne pratique pas le voyage instantané ?

— Pour l'instant, notre pensée n'est pas prête à accepter cela. Aller d'un point A à un point B doit, pour nous, se concrétiser par un déplacement géographique.

— On risquerait sinon de disjoncter ?

— Probablement. En tout cas, je n'ai jamais vu aucun fantôme tenter l'expérience.

Ils voient défiler sous leur ventre villes, villages et bourgades.

— Donc théoriquement on peut aller encore plus vite ? lance Gabriel en accélérant, son grand-père à sa suite.

— Le plaisir du vol est décuplé par le fait qu'il n'y a pas le moindre risque d'accident ou de chute.

— J'adore voler, papi, j'adore vraiment ça !

Ils franchissent les Alpes en suivant le train dans un tunnel et arrivent au-dessus de Genève qui grouille de piétons et d'embouteillages.

— Et maintenant, comment faire pour retrouver la trace de Samy Daoudi ? On cherche encore un alcoolique ?

Ils repèrent le commissariat central de Genève et, après avoir visité plusieurs bureaux, identifient le secteur informatique. Gabriel et son grand-père partent alors à la recherche des vivants aux auras les plus trouées.

Ils en trouvent un.

— Et voilà la faille dans la citadelle. Celui-ci a une enveloppe gazeuse ; une vraie passoire !

— Comment ça se fait ?

— C'est un schizophrène. À toi de jouer !

Gabriel examine de plus près l'individu, scrutant chaque tache, chaque perforation, chaque défaut d'étanchéité dans le nuage de vapeur lumineuse qui l'entoure. Il choisit l'orifice le plus proche du sommet du crâne et y introduit un doigt.

Lorsqu'il sent l'esprit de l'homme, cela lui procure une impression étrange, comme s'il se connectait à une source de courant électrique instable.

Ignace lui fait signe de se dépêcher. Alors, à la manière dont il a vu son grand-père opérer, Gabriel incite le policier suisse à allumer son ordinateur, tout en ayant l'impression de tenir par la main un enfant à qui il aurait demandé de lui montrer ses jouets.

Gabriel se concentre et lui suggère de rechercher dans les fichiers le nom de Samy Daoudi. Apparaît alors un fichier. Sur la photo est inscrit le mot « DISPARU ». Quelques lignes signalent que cet individu fait partie d'une liste de Français entrés sur le territoire mais jamais ressortis et absents de tous les fichiers administratifs ou bancaires.

La dernière trace de Samy Daoudi est à la clinique des Edelweiss, à Genève, où il s'est installé le soir même de son arrivée en Suisse. Comme il n'a pas commis de délit et que personne n'a lancé de recherches à l'époque pour le retrouver, il n'y a pas davantage d'informations.

— *Tu as déjà entendu parler de la clinique des Edelweiss, papi ?*

— *Bien sûr. C'est là où toutes les stars font de la chirurgie esthétique. Je sais même où elle est. Viens, suis-moi.*

Ils quittent le commissariat central et volent le long de la rive nord du lac Léman pour arriver dans un hôtel du siècle dernier entouré d'un grand parc. Le parc est lui-même ceinturé par un mur surmonté de barbelés, gardé par des maîtres-chiens et protégé par des panneaux « Accès interdit ».

Ils franchissent le mur d'enceinte et arrivent au seuil de la clinique dont la porte est ornée de la fleur blanche qui lui donne son nom. Une autre inscription, «ANONYMAT GARANTI», semble être là pour rassurer les pensionnaires.

– *Nous allons avoir du mal à retrouver la trace de Samy Daoudi ici*, s'inquiète Gabriel.

– *C'est une clinique, il doit donc y avoir des morts qui pourront nous informer.*

Ils repèrent la morgue. Une vingtaine d'âmes errantes tournoient sous le plafond comme des moustiques autour d'une lampe.

– *Pardon de vous déranger, messieurs-dames. Y en a-t-il un parmi vous qui était vivant il y a neuf ans et se rappellerait un homme qui serait arrivé un vendredi 13 avril ? Il était grand, avec des cheveux noirs, l'allure un peu timide*, lance Ignace.

– *Tu crois vraiment que cela va suffire à ce qu'on le reconnaisse ?* ironise un des ectoplasmes.

– *Il disait souvent « Si cela ne vous dérange pas ».*

– *Pourquoi on t'aiderait, d'abord ?*

– *Parce que nous avons un contact privilégié avec une médium.*

– *Et elle fait quoi, ta médium ?*

– *Elle a accès à des propositions de réincarnation dans des fœtus haut de gamme.*

Les autres ne semblent pas intéressés.

– *Ça n'a pas l'air de les motiver*, constate Gabriel, déçu qu'il n'y ait pas plus de solidarité entre âmes errantes.

Un jeune homme s'avance.

– *Moi je me souviens d'un type qui peut correspondre à votre description. Il s'est fait refaire le visage. Il a aussi changé de nom. Il s'est mis à porter la barbe. Un type gentil, un peu réservé. En effet il disait tout le temps « Si cela ne vous dérange pas ». Mais je ne vous donnerai son nom qu'à une condition : je veux que vous utilisiez votre amie médium pour intercéder, non pas au-dessus, mais en dessous.*

Les trois ectoplasmes s'isolent pour parler sans être entendus par les autres. Le jeune reprend :

— *Il faut d'abord que je vous raconte comment je suis arrivé ici. J'avais 19 ans et je roulais tranquillement sur une départementale, quand un véhicule a surgi en zigzaguant pour me doubler, avant de me faire une queue-de-poisson et de me percuter. Ma voiture a basculé dans le ravin, a fait plusieurs tonneaux et s'est enflammée. Comme j'étais coincé par ma ceinture de sécurité, j'ai brûlé vif. Les secours sont arrivés suffisamment vite pour me sauver et ils m'ont amené dans cette clinique qui comporte un service pour grands brûlés. J'ai tenu huit mois. Mes douleurs ont été atténuées à grand renfort de morphine, mais j'avais des périodes de lucidité. C'est là que j'ai croisé votre ami. À cette époque je ne faisais qu'agoniser lentement, je souffrais terriblement.*

— *Ils ont fait de l'acharnement thérapeutique ? Ah, les salauds !* compatit Ignace.

Le jeune homme hoche la tête et poursuit :

— *Le chauffard qui m'a percuté, par contre, n'a pas eu une égratignure. Il a été arrêté, les gendarmes l'ont fait souffler dans le ballon et ont constaté qu'il était ivre au moment de l'accident. C'était un récidiviste, il avait déjà écrasé un piéton en état d'ivresse. Mais son avocat a été très fort : il s'en est tiré avec une peine de trois mois de prison avec sursis et un retrait de permis de conduire de six mois qu'il n'a même pas respecté.*

— *Vous voulez qu'on vous venge ?*

— *Ce n'est pas ce qui m'importe. Après ma mort, ma mère a monté un comité de soutien pour qu'il écope d'une peine plus conséquente et surtout qu'on l'empêche de recommencer. Elle a mobilisé* une dizaine de bénévoles qui continuent aujourd'hui encore à distribuer des tracts, elle multiplie les pétitions, elle passe son temps à essayer de rencontrer des politiciens pour obtenir gain de cause.

– C'est bien, non ?

– Non, ma mère est malheureuse. Et moi je l'aime. Ce qu'elle appelle mon « assassinat par un fou dangereux » la ronge. Elle est obsédée par ce chauffard, elle y pense sans cesse, elle ne dort plus. Les trois quarts de son temps sont consacrés à cette affaire. Mon père a craqué et l'a quittée. Beaucoup la considèrent comme une extrémiste de la lutte contre l'alcool au volant. Je ne veux plus qu'elle soit tourmentée par ma mort. Je vais vous donner son nom et son adresse. J'aimerais que votre médium aille lui dire que j'ai pardonné à mon assassin et que je souhaiterais qu'elle fasse de même, afin qu'elle bâtisse son propre bonheur plutôt que de vouloir réparer l'irréparable.

– Je vous promets que ce sera fait ! déclare aussitôt Gabriel.

– Il vous faudra lui fournir des « clefs d'authenticité » pour qu'elle sache que c'est bien moi. En voici trois, retenez-les bien : 1) mon surnom était « Loulou », 2) mon doudou était une girafe nommée Albertine, 3) mon meilleur copain à la maternelle s'appelait Vincent. Cela devrait suffire à la convaincre. Si ce n'est pas le cas, ajoutez que je détestais les tomates.

– Accessoirement, vous pourriez aussi nous donner comme clef le nouveau nom de Samy Daoudi, rappelle Ignace. C'est quand même pour ça qu'on est venus…

– Bien sûr. Excusez-moi, je n'y pensais plus. Il s'appelle désormais Serge Darlan. Et je crois qu'après l'opération il est retourné à Paris.

Les deux enquêteurs s'envolent déjà pour franchir les Alpes et regagner la capitale.

45.

Lucy Filipini est avec un client. Grand et imposant, il arbore des rouflaquettes qui lui donnent l'air de sortir tout droit du siècle précédent.

– Je suis historien et je voudrais parler à Napoléon, s'il vous plaît.

Il a prononcé cette phrase comme s'il commandait un hamburger avec supplément fromage dans un fast-food.

La médium affiche un air désabusé, hausse les épaules, ferme les yeux puis se concentre.

Elle sollicite Dracon qui va lui-même chercher, trouver et ramener l'ancien empereur.

– *Qui ose me déranger ?* demande Napoléon.

Lucy répète à son client ce message. L'autre, émerveillé, répond aussitôt :

– Un de vos admirateurs.

– *Appelez-moi sire. Vous ne savez pas à qui vous vous adressez ?*

Lucy, sans grand enthousiasme, répète mécaniquement les propos de l'âme errante.

– *Et puis virez-moi tous ces chats ! Je déteste les chats ! Vous ne savez donc pas que je suis ailourophobe ?* reprend Napoléon.

– Qu'est-ce que vous avez contre les chats ? demande la jeune femme.

– *On ne peut pas les apprivoiser, ni les dompter. Ils vivent la nuit. Ils sont perfides. Ils ont une sexualité débridée. Je préfère les chiens, qui sont obéissants et qui nous aiment.*

La médium consent en maugréant à éloigner ses chats. Son client reprend :

– Alors, sire, je voudrais savoir pourquoi vous avez opéré ces choix stratégiques. Pourquoi préférer le maréchal Grouchy au maréchal Masséna pour la si déterminante bataille de Waterloo ?

– *Masséna prenait trop d'initiatives personnelles, et il en devenait imprévisible. J'avais besoin qu'on m'obéisse aveuglément. Grouchy me semblait plus fiable. Mais, avec le recul, je dois reconnaître que c'était un imbécile et que, pour faire la guerre, il vaut mieux un homme intelligent pas forcément fidèle plutôt qu'un homme fidèle pas forcément intelligent.*

Grâce à la médium qui rapporte ces propos, un dialogue s'installe entre les deux hommes. L'historien pose plusieurs questions précises sur les choix militaires et politiques de l'empereur : pourquoi la campagne de Russie ? Pourquoi avoir fait assassiner le duc d'Enghien ? Quels étaient ses vrais sentiments pour l'impératrice Joséphine ? Pourquoi a-t-il dit : « En amour, la seule victoire, c'est la fuite » ? Pourquoi avoir choisi l'abeille comme symbole ?

Napoléon répond, visiblement ravi de voir que l'homme connaît si bien son parcours.

– J'aurais adoré vous servir, sire ! déclare l'historien. Demandez-moi ce que vous voulez, je ferai tout pour vous satisfaire.

– *Si vous me vénérez réellement, il faut que vous découvriez ce qui est réellement arrivé à ma dépouille. Je ne le sais pas moi-même. J'ai entendu dire ici que des collectionneurs anglais avaient récupéré mon cadavre pour leur cabinet de curiosités… Et s'il vous plaît, tant que vous y êtes, virez-moi des Invalides cette dépouille qui n'est pas la mienne mais celle de mon majordome !*

L'historien se lève, promet qu'il va faire tout son possible, et claque des talons dans un salut militaire impeccable.

– C'est 150 euros, annonce Lucy.

L'homme paye et s'en va à reculons, en effectuant mille courbettes.

– *Et moi, qu'est-ce que je fais maintenant ?* demande Napoléon, dépité. *N'y a-t-il personne d'autre qui veut avoir l'honneur de me parler par votre truchement ?*

– Euh… non ! Vous pouvez disposer, sire, répond Lucy d'un ton désabusé.

– *Parfait. Je me retire. Et n'hésitez pas à me rappeler si un autre de mes admirateurs veut savoir comment me satisfaire.*

Ce n'est qu'une fois qu'il est parti qu'elle repère la présence de Gabriel.

– *Cette séance m'a beaucoup impressionné*, lance l'écrivain.

– Ça m'énerve, ces morts qui continuent de se comporter comme s'ils étaient vivants et qui se figurent que tout le monde devrait être à leur service ! Napoléon, c'est un cas ! En plus, vous avez vu, il déteste les chats.

Elle se passe la main dans les cheveux, puis avale plusieurs comprimés de vitamines.

– En fait, Napoléon est victime d'une mauvaise plaisanterie que lui a faite le chevalier de Saint-George pour se venger. Il a donné l'idée aux Anglais de grimer le corps de son majordome Cipriani pour qu'il ressemble à celui de son maître et de l'y substituer.

– *Qui était le chevalier de Saint-George et pourquoi lui en voulait-il ?*

– Saint-George était guadeloupéen, métisse, escrimeur, militaire et compositeur de musique, et c'était l'ami (et probablement l'amant) de Joséphine. Napoléon, jaloux, a ordonné la destruction systématique de toutes ses œuvres. Tant que l'âme errante du chevalier n'aura pas obtenu des excuses de l'âme errante de Napoléon, il empêchera ce dernier de retrouver son vrai cadavre. J'ai déjà évoqué le sujet avec le ministre de l'Intérieur, mon ami Valladier. Il est bien au courant qu'il s'agit du corps de Cipriani et non de Napoléon, mais il ne voudrait pour rien au monde priver les Invalides du million de visiteurs qui viennent chaque année se recueillir sur le tombeau de l'empereur.

– *Passionnante, cette anecdote. Vous avez un accès privilégié aux coulisses de l'Histoire, à ce que tous les journalistes voudraient connaître : le témoignage des morts sur ce qu'il s'est vraiment passé et qui n'est pas forcément en adéquation avec ce qu'on lit dans les livres d'histoire.*

– Beaucoup de vérités auxquelles nous avons accès dans l'invisible n'ont pas intérêt à être révélées au grand public.

– *Donc vous êtes la seule à savoir ?*

– Pour ce que ça me sert… J'affronte les fous d'en bas mais aussi ceux d'en haut. Et je me demande si je n'entretiens pas leurs névroses en tentant de les réconcilier. Ils croient tous que leur problème est le plus grave du monde. Je ne gère que des broutilles. Par moments, j'en viens même à me demander si ce ne serait pas mieux que les deux mondes ne communiquent pas.

– *Ne soyez pas si sombre. Vous faites un très beau métier.*

– Un métier qui consiste à écouter des gens qui râlent et se plaignent du matin jusqu'au soir…

– *Non, qui consiste à instiller un peu de vérité dans les mensonges officiels. Je suis sûr qu'il y a des gens auxquels vous faites beaucoup de bien. Sans parler des âmes que vous aidez à s'élever vers la lumière.*

Lucy Filipini inspire bruyamment pour signifier que cela lui fait plaisir d'entendre ce point de vue, mais qu'elle n'est pas totalement convaincue. Elle ouvre la porte pour permettre aux chats de revenir dans la pièce. Tous se frottent contre ses jambes.

Tout en les caressant, elle annonce :

– J'ai vu votre frère jumeau.

— *Je vous écoute.*

— Il soupçonne votre éditeur.

— *Comme par hasard...*

— Il veut m'inviter au restaurant.

— *Eh bien, il n'a pas attendu longtemps pour vous draguer.*

Du doigt, elle désigne une robe noire sexy au décolleté bordé de dentelle.

— Chacun ses outils pour enquêter. Et vous, où en êtes-vous de l'enquête sur Samy ?

— *Il a subi une opération de chirurgie esthétique et il a changé de nom. Cela corroborerait l'hypothèse selon laquelle il était poursuivi par des gens dangereux.*

— Et cela expliquerait qu'il n'ait pas pu m'appeler et que je n'aie pas réussi à le retrouver.

— *Il serait apparemment rentré en région parisienne. Mon grand-père et moi pensons pouvoir trouver rapidement sa nouvelle adresse et vous la transmettre.*

Elle sent son cœur s'emballer, n'osant y croire, et Gabriel sent une onde de pur bonheur traverser la médium, dont l'aura s'irise de vibrations dorées.

Il constate qu'il perçoit de mieux en mieux les mouvements de son énergie. Il a perdu l'odorat mais l'a échangé contre un nouveau sens qui lui permet de voir les auras et de sentir l'énergie des êtres, que l'on appelle « l'énergorat ».

— *Je connais son nouveau nom : Serge Darlan.*

Elle ferme les yeux et se délecte de cette nouvelle sonorité.

— Serge... Darlan...

La seule évocation du nouveau nom de son amour teinte son aura d'irisations rose fuchsia. Gabriel reprend :

— *Donc demain vous continuez votre enquête sur mon éditeur. Et moi je continue mon enquête sur votre amoureux. Encore un petit détail : pour obtenir cette information, nous avons fait une promesse à un jeune homme qui a perdu la vie suite à un accident de voiture, et qui veut que vous transmettiez à sa mère un message afin qu'elle renonce à vouloir venger sa mort.*

À ce moment-là, la sonnette résonne :

– *Vous attendez un client ?*

– Non…

Elle décroche le combiné de l'interphone :

– C'est pour quoi ?

– Police !

Elle ouvre. Deux hommes en imperméable noir et de haute stature s'affichent dans l'encadrement de la porte.

– C'est vous la spirite ? On peut entrer ?

– Que voulez-vous ?

– C'est au sujet d'un meurtre.

46. ENCYCLOPÉDIE : LE FANTÔME D'HEILBRONN

Le 26 mai 1993 commença une enquête criminelle qui allait défrayer la chronique pendant seize ans dans toute l'Europe. L'affaire débuta dans la ville d'Allemagne d'Idar-Oberstein quand fut découvert le corps d'une retraitée. Elle gisait à son domicile, étranglée par un fil de fer. Le cadavre portait des marques de violences. Rien n'avait été dérobé, il n'y avait aucun témoin, aucun mobile.

En prélevant l'ADN sur la scène de crime, la police scientifique put établir que le criminel était une femme. Il fut toutefois impossible de l'identifier car elle n'était fichée nulle part.

En mars 2001, on retrouva le même ADN près du cadavre

d'un brocanteur qui avait lui aussi subi une attaque d'une extrême violence avant qu'on lui défonce le crâne. La victime étant de forte corpulence, on s'étonna qu'une femme seule ait pu avoir autant d'énergie.

Le 25 avril 2007, à Heilbronn, en Allemagne, deux policiers se firent tirer dessus depuis une voiture qui prit ensuite la fuite. La policière, Michele Kiesewetter, 22 ans, mourut sur le coup d'une balle dans la tête. Son collègue Martin, 25 ans, resta trois semaines dans le coma. À son réveil, il était amnésique, donc dans l'impossibilité de décrire le visage de la personne qui les avait agressés. La police recueillit des traces d'ADN et s'aperçut que c'était celui des affaires citées précédemment. La presse baptisa alors la tueuse en série le « Fantôme d'Heilbronn » et le public se passionna pour son arrestation, que tous jugeaient imminente. Mais l'arrestation tardait…

La police proposa finalement 20 000 euros à tout témoin susceptible d'aider l'enquête, qui piétinait, et Interpol fut mis à contribution. Le journal allemand *Bild* qualifia cette affaire de « plus grande énigme criminelle de l'Histoire ». Plus de 30 enquêteurs furent mobilisés à plein temps, et 200 policiers participèrent de près ou de loin à l'enquête en Allemagne, mais aussi en France et en Autriche où l'ADN de cette mystérieuse tueuse en série avait été retrouvé sur plusieurs scènes de crime. 1 400 pistes différentes furent envisagées. Mais les meurtres continuèrent de se succéder, tous différents, tous portant les traces ADN du fameux « Fantôme d'Heilbronn », qui semblait narguer la police. La tension montait et la récompense grimpa à 300 000 euros.

En mars 2009, l'affaire fut pourtant résolue d'une manière

aussi banale qu'inattendue. Un enquêteur découvrit sur une simple intuition l'identité de la personne possédant ce fameux code génétique. Il s'agissait... d'une employée de l'usine fabriquant les bâtonnets qui servaient aux prélèvements d'ADN de la police scientifique. Par une erreur de manipulation, elle avait touché ces bâtonnets censés être complètement stériles et donc laissé des traces.

Le « tueur en série » laissait en fait la place à différents criminels ayant commis des meurtres isolés.

C'était peut-être le meilleur tour du « Fantôme d'Heilbronn » : il n'a existé que dans l'imagination de ceux qui s'intéressaient à lui.

Edmond Wells,
Encyclopédie du Savoir Relatif et Absolu, tome XII.

47.

Son sang bat dans ses tempes. Lucy a pâli. Elle a rapidement saisi une fiole remplie de pilules aux herbes et les engloutit d'un coup avec un verre d'eau. Plusieurs chats se sont postés en hauteur, montrant les canines, prêts à bondir sur ces nouveaux venus qui ont osé entraîner un changement émotionnel si négatif chez leur maîtresse.

– Vous avez un casier judiciaire, n'est-ce pas, mademoiselle Filipini ? lance le policier blond.

– Vous reconnaissez cette personne ? demande le brun.

Il lui montre la photo de William Clark.

– En effet. C'est un client.

– Il a été retrouvé pendu ce matin dans son château de Mérignac.

– Qu'ai-je à voir avec cette histoire ?

– Sa femme a signalé qu'il vous a rendu visite, qu'il est revenu bouleversé et qu'ensuite, dans la nuit, il s'est levé et est allé dans une autre pièce pour se pendre.

– Il s'est donc suicidé…

– Son épouse pense que c'est vous qui lui avez fait un lavage de cerveau pour le forcer à se tuer. Elle a porté plainte contre vous et elle a des amis suffisamment haut placés pour que sa plainte ait été retenue. Nous ne faisons qu'obéir aux directives de notre hiérarchie.

Lucy hoche la tête. Le mot « hiérarchie » l'a fait tiquer.

– Je crois savoir ce qu'il lui est arrivé, mais cela n'a rien à voir avec moi. Il est en effet venu me consulter pour que je l'aide à se débarrasser d'un fantôme. J'ai essayé de le satisfaire, mais sans succès, car il s'agit d'un fantôme très ancien, bien installé dans ce château.

Le policier brun semble nerveux.

– Donc il vous a demandé de le débarrasser du fantôme, vous n'y êtes pas arrivée, il a payé, puis il est parti effrayé…

– Il était juste un peu déçu, rien de plus.

– Donc, si on résume : il est rentré chez lui, il est monté se coucher, puis il a eu un accès soudain de dépression qui l'aurait incité à mettre fin à ses jours. C'est ainsi que vous interprétez les faits, mademoiselle Filipini ?

Les chats se dressent sur leurs pattes et se mettent à cracher, de plus en plus hostiles. La médium esquisse un geste pour les apaiser.

– C'est probablement ce qu'il s'est passé.

– Vous êtes consciente que votre activité pourrait être considérée comme une forme d'abus de faiblesse envers des personnes fragiles, voire influençables ? dit le blond.

– Ce n'est pas un meurtre.

– C'est un délit puni par la loi. Et vu que vous avez un passif judiciaire et que Mme Clark connaît des « gens haut placés », cela pourrait avoir des conséquences fâcheuses. Je pense donc que le mieux serait que vous vous montriez plus coopérative, poursuit le policier blond, qui fixe avec une légère appréhension le chat qui s'approche de lui.

– Nous avons découvert que ce n'est pas la première plainte déposée contre vous. Une médium voisine a déjà déposé une main courante pour concurrence déloyale.

– Et il y a d'autres signalements de vos voisins, dit le brun, pour, je cite : « pratique de la sorcellerie », « élevage d'animaux en grande quantité dans un appartement », et même « commerce avec des entités diaboliques ».

– De qui provient cette dernière plainte ?

– Le prêtre exorciste de l'église du bout de la rue prétend que vous attirez les démons.

– Nous ne sommes plus au Moyen Âge, l'Inquisition n'a plus cours.

– Chaque plainte prise à part est en effet non recevable. Mais toutes ensemble, elles forment un faisceau qui suggère que vous créez un trouble dans le quartier. Or cette affaire du château de Mérignac tombe au moment précis où le gouvernement a décidé de lancer une campagne contre les sectes en général et contre celles qui abusent de la faiblesse psychologique des gens en particulier, répond le blond.

Lucy songe que le choix des médias de mettre en vedette telle ou telle affaire détermine si la tendance du gouvernement est au laxisme ou à la répression. Elle se souvient comment elle avait écopé de la peine maximale essentiellement parce qu'une star du rock était à la même période mort d'overdose. Petite cause, grands effets. Elle cherche à reprendre ses esprits, fait signe à un chat d'approcher et l'installe sur ses cuisses. Elle jauge ses adversaires avant de lâcher :

— Très bien. Je dois vous signaler que si Mme Clark connaît « des gens haut placés », comme vous dites, et si vous, vous ne faites qu'obéir à votre hiérarchie, il se trouve que moi je connais les deux. Il s'avère en effet que, par le plus pur des hasards, votre ministre de l'Intérieur vient régulièrement me consulter…

La phrase fait son effet, le policier brun change aussitôt de ton.

— Le ministre Valladier ?

— Lui-même. La plupart des présidents et des ministres ont trop de responsabilités et de choix difficiles à assumer pour se permettre de négliger l'influence des forces invisibles. Tous les rois, tous les chefs d'État, tous les hommes de pouvoir ont leur astrologue, leur médium, leur spirite attitré. Nostradamus était le médium de la reine Catherine de Médicis et moi, celle de Valladier.

— Bon, admettons. Mais vous voudriez vraiment nous faire croire que M. Clark s'est tué sans que cela ait le moindre lien avec votre séance ? demande le blond, qui a perdu de sa superbe.

— Si vous voulez mon avis, c'est le fantôme du baron de Mérignac en personne qui l'a poussé au suicide.

— Pardon ?

— William Clark l'avait défié ici même. Or le baron de Mérignac, ancien propriétaire du château, revendiquait ses droits depuis sept générations.

— *Dix-sept !* précise une voix dans l'invisible.

– Ah tiens, vous êtes là, vous ? répond Lucy.

Gabriel se retourne et reconnaît l'ectoplasme.

– *Je voulais voir ce que vous alliez raconter et, évidemment, vous m'avez balancé sans tergiverser,* répond ce dernier.

– Pardon, mademoiselle Filipini, vous me demandez si je suis là ? s'impatiente le policier blond.

– Non, je ne vous parle pas à vous. Il s'avère justement que le fantôme du château est présent.

Le policier blond semble contrarié. Il discute à voix basse avec son collègue.

Lucy ferme les yeux pour se recentrer.

Gabriel constate que cette nouvelle situation lui a fait perdre le chatoiement qu'avait fait naître l'idée des retrouvailles avec son bien-aimé.

– *Monsieur le baron, vous ne pourriez pas l'aider, au lieu de l'enfoncer ?* se permet Gabriel.

– *De quoi je me mêle ? Vous êtes qui, vous ?*

– *Un ami de cette demoiselle dans l'au-delà.*

– *Oui, eh bien je vous prierais de ne pas interférer avec notre affaire.*

– *Elle est accusée à tort de ce qui me semble être « votre » crime. Vous savez, elle a déjà fait de la prison et elle est un peu traumatisée par le système judiciaire.*

L'autre le fixe sans aménité.

– *Elle n'avait qu'à pas défendre un voleur de château contre son légitime propriétaire.*

– *Allons, soyez raisonnable… Vous êtes mort ! Et d'ailleurs, pourquoi n'êtes-vous pas dans votre château, s'il vous tient tant à cœur ? Qu'est-ce que vous faites là ?*

– *Vous voulez que je vous dise ? Je m'occupe. Quand vous serez un fantôme plus expérimenté, vous comprendrez que tout le problème quand le temps n'est plus compté, c'est précisément de s'occuper.*

Gabriel ne répond pas, envisageant une nouvelle fois les inconvénients de l'infinité du temps.

— *Avez-vous forcé ce M. Clark à se suicider ?*

— *Cet Anglais ne dormait pas beaucoup, son aura était toute trouée, alors quand j'ai vu une faille dans sa protection psychique, je l'ai mis face à ses propres contradictions. C'est le choc de la vérité qui l'a tué. Il se prenait pour quelqu'un de bien et il a découvert qu'il n'était qu'un usurpateur.*

L'ectoplasme lâche un long rire aigu.

— *Quoi qu'il en soit, il ne faut pas laisser Lucy dans cette situation*, reprend Gabriel. *Elle pourrait vous proposer un fœtus de toute première qualité pour vous réincarner, monsieur le baron.*

— *Je ne suis pas corruptible, et de toute façon je ne souhaite pas me réincarner. Je veux juste régner sur MON château familial, qui porte l'écusson de MA lignée, sans que des étrangers viennent déplacer les meubles, entreprennent de construire une piscine dans la champignonnière, fichent en l'air mon jardin à la française pour en faire un golf, fassent sauter les blasons sculptés au-dessus de la cheminée, remplacent ma cave à vin par un bar à whisky. Encore moins un Anglais !*

Pendant ce temps, chez les vivants, le policier brun semble préoccupé par un détail de la conversation.

— Vous dites que Valladier est votre client ?

— Plus que cela. C'est un ami.

— Qu'est-ce qui nous le prouve ?

— J'ai son numéro de portable, je peux l'appeler.

— Vous voulez dire que vous avez son numéro de portable personnel ?

Elle sort son smartphone, fait défiler la liste de ses contacts et appuie sur la touche d'appel. Après une sonnerie, une voix grave se fait entendre dans le haut-parleur de l'appareil, que Lucy enlève rapidement pour plus de confidentialité.

– Allô… Jean-Jacques ? Oui, c'est moi, Lucy. J'ai un petit service à te demander. Oui… Oui… Oui… Mais je ne t'appelle pas pour ça… Oui… D'accord… Non, je t'appelle parce que je suis face à deux de tes employés avec qui j'ai un léger différend. Je voulais savoir si tu pouvais arranger les choses…

– Je ne fais que mon travail ! s'offusque aussitôt le policier blond.

Elle écoute la réponse de son interlocuteur, hoche la tête, puis se tourne vers le blond.

– Monsieur le ministre veut vous parler.

Le policier n'ose pas toucher l'appareil, comme s'il était brûlant. Son collègue l'attrape et le plaque contre son oreille. Aussitôt, une voix résonne. Il écoute en silence puis bafouille :

– Oui, monsieur le ministre… Bien sûr, monsieur le ministre. En effet, monsieur le ministre.

Il raccroche, l'air penaud.

– Je vous prie de m'excuser, mademoiselle Filipini.

Il est déjà debout, rapidement suivi par son comparse brun. Les deux hommes franchissent la porte en esquissant un salut poli.

Les chats miaulent, victorieux.

Le baron de Mérignac commente :

– *Vous voyez, Lucy s'en est très bien tirée toute seule, nous avons bien fait de ne pas intervenir. Il n'y avait pas de quoi s'inquiéter. Elle a du répondant. Et un bon réseau.*

– *Vous avez quand même tué William Clark.*

– *L'invisible comporte aussi cet avantage : pas de police, pas de justice, pas de prison, ni même… de culpabilité. Ayez bien conscience, vous le petit nouveau, qu'ici on peut tout faire, sans remords ni morale – on est vraiment libre. Ici, les bourreaux côtoient les victimes, les salauds côtoient les saints, et tout ce petit monde cohabite sans la moindre tension. D'ailleurs, vous voulez que je vous dise ? Je vais aller voir Clark. Et je vais lui expliquer calmement pourquoi il avait tort.*

Le baron effectue une petite courbette puis s'envole.

Gabriel rejoint Lucy, dont l'aura reprend progressivement des teintes plus chaudes. Il sait comment lui donner encore plus de couleurs. Il s'approche de son oreille et murmure :

– *Demain j'aurai trouvé l'adresse exacte de Samy.*

L'aura de la médium s'irise de marbrures dorées. Gabriel se dit qu'il a beaucoup plus de pouvoir qu'il ne le pensait : il peut rendre cette femme heureuse par une simple phrase.

Lucy ne prend même pas la peine de dîner et file se coucher pour rêver du lendemain. Il lui tarde de retrouver la trace de son amour perdu.

Quant à l'écrivain défunt, il rejoint son grand-père. Il lui tarde de savoir la vérité sur l'énigme de sa propre mort.

48.

Le soleil éclaire progressivement la chambre.

Lucy ouvre un œil et récite son mantra matinal.

« Merci d'être vivante.

Merci d'avoir un corps.

J'espère me montrer digne aujourd'hui de la chance que j'ai d'exister. »

Et elle ajoute :

« Je ferai tout pour que mes talents servent la cause de la vie en général et de l'élévation des consciences chez mes congénères vivants en particulier. »

Lucy inspire profondément, expire, s'étire, et va nourrir ses chats. Puis elle va prendre une douche en chantant « What a Wonderful World » de Louis Armstrong et poursuit sa routine du matin en sifflotant. Lorsqu'elle aperçoit sur son bureau une photo où elle est avec Samy, elle se tourne vers le soleil, le visage illuminé par un sourire permanent.

Elle prend le volant de sa Smart et roule jusqu'à l'immense bâtiment des éditions Villambreuse. Devant, sont garés plusieurs camions de la télévision.

La médium progresse au milieu d'un groupe de photographes et d'employés de la maison qui sont réunis face à une estrade. Alexandre de Villambreuse, costume noir, chemise noire, cheveux grisonnants, est debout et attend que le silence se fasse.

Enfin, lorsqu'un régisseur lui fait signe que les caméras sont prêtes, il s'approche du micro.

– Les éditions Villambreuse existent depuis cent vingt ans, et le slogan de mon grand-père, Childéric de Villambreuse, le fondateur de la maison, était déjà : « Éditions Villambreuse : un temps d'avance ». Notre époque bouge, mais, malheureusement, l'édition française est une vieille dame poussiéreuse, arc-boutée sur ses privilèges ancestraux, ses traditions archaïques, ses auteurs, le plus souvent grabataires, qui s'adressent à des lecteurs eux-mêmes souvent âgés.

Quelques murmures réprobateurs accueillent ces propos.

– De fait, quand je suis entré dans la profession, les dix auteurs qui vendaient le plus avaient dépassé les 80 ans, ils étaient académiciens, éditeurs, critiques, jurés de prix littéraires. Leurs livres avaient pour thèmes de prédilection la nostalgie de leur jeunesse, les souvenirs de leurs amours puis de leur libido perdues, le charme authentique de tout ce qui est ancien, à commencer par le vin. Or les vieilles personnes, qu'elles soient auteurs ou lecteurs, s'acheminent lentement vers la mort. Et un art qui ne survit que par le culte du passé n'a pas la moindre chance d'occuper une place dans l'avenir. C'est ma conviction. La littérature française ne pourra rayonner dans le monde que si elle est moderne et non réactionnaire. Il faut arrêter de ne produire que des livres d'histoire et de souvenirs ! Le passé est dépassé !

La rumeur contestataire se propage parmi les journalistes qui considèrent que l'éditeur insulte la culture, mais ce dernier n'en tient pas compte et poursuit :

— Je me souviens de la levée de boucliers au sein de ma propre entreprise quand, jadis, j'ai annoncé qu'on allait passer de la machine à écrire à l'ordinateur. Cela a donné lieu à une grève ! Les directeurs de collections ont exigé des secrétaires pour ne pas avoir à se mettre à l'informatique. Je pense que le monde de l'édition française a un problème avec la technologie. Peut-être parce que le système éducatif est tel que dès le lycée, section littéraire et section scientifique sont nettement séparées et se regardent donc avec méfiance. C'est peut-être pour ça que, lorsque j'ai lu Gabriel Wells et que je l'ai rencontré, je me suis dit que ce garçon était la passerelle entre le cerveau gauche et le cerveau droit. Je l'ai vu comme le fer de lance de la conquête de la jeunesse et de l'instauration d'une littérature dynamique quand tous les autres auteurs ne font que se crisper sur leur glorieux passé et leurs privilèges ancestraux.

Villambreuse semble satisfait de sa sortie, mais une nouvelle rumeur de désapprobation traverse le clan des journalistes.

— J'ai aimé Gabriel Wells comme un fils spirituel et sa mort m'a foudroyé. Il devait me remettre son manuscrit, mais son frère jumeau, pour des raisons qui me semblent encore obscures, a trouvé plus judicieux de le… détruire!

L'assistance semble choquée, entretenue dans sa réaction par l'éditeur qui ne peut retenir un léger rictus de rage.

– Je vais probablement lancer une procédure judiciaire contre lui, mais cela ne fera pas revenir le manuscrit. Alors j'ai cherché comment faire pour recréer ce qui a disparu. J'ai demandé à mon fils, qui est très calé en informatique. Eh bien, il m'a répondu qu'il existait une solution. Et cette solution s'appelle l'«intelligence artificielle». Il m'a appris qu'il existait des systèmes qui pouvaient reproduire la pensée d'un être humain en synthétisant le maximum d'informations sur lui. J'ai donc fait enregistrer tous les textes des livres de Gabriel Wells déjà publiés, de ses conférences, auxquels j'ai ajouté ses courriers, ses notes, tout ce qu'il a lui-même publié sur les réseaux sociaux. J'ai même entré des données sur sa famille, son ADN, quelques témoignages de ses amis qui ont accepté de participer à cette expérience. L'entreprise Immortal Spirit m'a proposé de reconstituer une sorte de… comment dire… de «copie conforme» de l'esprit de Gabriel. Ce programme informatique simple est capable d'exprimer la pensée de cet auteur disparu prématurément. J'ai baptisé ce projet GWV, «Gabriel Wells Virtuel». Mais comme une démonstration vaut mieux que tous les discours du monde, je laisse la parole à Sylvain Dureau, directeur d'Immortal Spirit.

Les regards et les objectifs se tournent vers un jeune homme à grosses lunettes arborant un tee-shirt sur lequel est inscrit «ALL YOU NEED IS WIFI». Le garçon a un appareil dentaire et de l'acné, mais il semble passionné.

– Tous les jours, 150 000 personnes en moyenne meurent dans le monde. Que reste-t-il d'eux? En général, des souvenirs qui finissent par disparaître et des photos qui inéluctablement jaunissent et s'abîment. Ce que nous offrons à Gabriel Wells a vocation à se généraliser, mais, pour l'instant, nous en sommes au stade expérimental.

— Allez-y, expliquez-leur, s'impatiente l'éditeur.

— Pour créer l'intelligence artificielle reproduisant l'esprit de cet écrivain, nous avons utilisé un logiciel de réception d'informations, le BOTIS – Bot pour Robot, Is pour Immortal Spirit. Alexandre de Villambreuse nous a fourni une masse de données – textes, images, sons – grâce auxquelles nous avons reproduit son visage en trois dimensions, sa voix avec toutes ses intonations, quelques-uns de ses tics et particularités. Sans entrer dans les détails techniques, nous avons mélangé tout cela et ainsi obtenu le « Gabriel Wells Virtuel ».

Il laisse passer un temps pour permettre aux journalistes de noter les informations.

— Le logiciel est doté d'un système qui parvient à déterminer ses arrière-pensées. À la demande de M. de Villambreuse, nous avons mis cet appareil au point en un temps record. Sans nous vanter, il existe évidemment quelques produits concurrents aux États-Unis, en Corée, en Russie et au Japon, mais nous Français sommes actuellement les meilleurs dans ce domaine. Passons maintenant à la démonstration proprement dite.

Apparaît alors sur le grand écran une tête en trois dimensions en tout point similaire à celle de Gabriel Wells, qui semble flotter dans l'air. Le cou s'arrête sur une surface lisse, telle une sculpture. Ses narines frémissent, ses paupières battent régulièrement, son visage est parcouru d'infimes soubresauts, ses lèvres se soulèvent pour dévoiler des dents, des gencives, une langue animée.

Des sons s'élèvent tout à coup du haut-parleur de l'ordinateur :

– Bonjour, mesdames et messieurs.

La tête effectue un mouvement de haut en bas.

– Je suis GWV, le Gabriel Wells Virtuel, conçu et réalisé par la firme Immortal Spirit. Je suis heureux de pouvoir faire revivre la pensée de feu Gabriel Wells. Je peux discuter naturellement en utilisant tout ce que je sais sur lui et même penser comme lui. Qui veut me poser la première question ?

Un journaliste lève la main.

– Comment doit-on s'adresser à vous ?

– Faites-moi plaisir, appelez-moi simplement Gabriel, ce sera plus facile pour dialoguer. Et parlez-moi comme vous lui parleriez s'il était là face à vous.

– Dans ce cas, « Gabriel », savez-vous que vous êtes mort ?

Quelques quolibets émergent de l'assistance.

– Bien sûr. Mais mon esprit survit grâce à ce programme. Et, comme l'a écrit mon modèle : « Un jour viendra où on ne pourra plus différencier le réel du virtuel. Alors, enfin, on ne jugera les esprits que sur la qualité de leurs idées et non sur leur apparence. »

– Donc, « Gabriel », pouvez-vous écrire des romans ?

Sans lui laisser le temps de répondre, Alexandre de Villambreuse se saisit du micro.

– Il est en train d'apprendre à écrire à la manière de Gabriel Wells. À installer comme lui l'intrigue dès la première phrase, à construire sa narration selon des modèles géométriques cachés, à coder de manière énigmatique certains débuts de phrases…

Il s'arrête puis reprend plus lentement :

– Je compte faire écrire au GWV, Gabriel Wells Virtuel, le roman du GWO, Gabriel Wells Organique, qui a été détruit.

– Son fameux *Homme de 1000 ans* ?

– Parfaitement ! Ce chef-d'œuvre que son frère a fait disparaître avec malveillance alors qu'il était près d'être livré à ses lecteurs. Oui, mesdames et messieurs les journalistes, dès que le Gabriel Wells Virtuel aura fini de rédiger le roman, je le publierai.

– Sous quel nom ? demande une voix dans l'assistance.

– Nous ne tromperons pas le public, le livre sera signé « Gabriel Wells Virtuel ».

La salle est de nouveau parcourue d'une rumeur.

– Les éditions Villambreuse prouveront ainsi au monde qu'elles sont les plus modernes et les plus en avance technologiquement parlant. D'ailleurs, je ne vous cache pas que si Gabriel Wells Virtuel nous livre un bon roman, nous ne comptons pas nous arrêter là. Nous publierons ensuite des romans du Victor Hugo Virtuel, du Gustave Flaubert Virtuel, ou même – allez, soyons fous ! – une épopée de l'Homère Virtuel. Ainsi, nous donnerons à tous ces morts la chance de poursuivre leur œuvre. Les éditions Villambreuse vont permettre de les ressusciter.

Un long silence s'ensuit. L'éditeur continue :

– Je suis conscient que nos projets sont ambitieux, mais l'avenir appartient aux audacieux.

L'assistance paraît sceptique. C'est Lucy qui prend l'initiative d'applaudir en premier. L'éditeur lui adresse un petit signe de tête. Bientôt, d'autres personnes se joignent à elle et enfin toute la salle.

Derrière Alexandre de Villambreuse, sur l'écran, la tête en relief de Gabriel Wells toujours souriant fait une courbette comme si c'était lui qu'on applaudissait.

– Maintenant, dit l'éditeur en essuyant son front perlé de sueur, je vous laisse, mesdames et messieurs les journalistes, rejoindre les ordinateurs portables que j'ai mis à votre disposition. Chacun contient le programme Gabriel Wells Virtuel, vous pourrez donc tous interviewer mon auteur préféré simultanément.

Lucy le rejoint.

– Puis-je parler en tête à tête avec l'ADVO, l'Alexandre de Villambreuse Organique, ou bien il existe un ADVV, Alexandre de Villambreuse Virtuel, qui pourrait le remplacer ?

– Vous êtes journaliste ?

Elle sort sa carte.

– Police. C'est presque pareil. On pose des questions.

Il recule imperceptiblement, avec un léger sourire aux lèvres.

– Que me voulez-vous ?

– On vous suspecte d'avoir assassiné Gabriel Wells.

C'est elle qui sourit désormais, satisfaite d'avoir réussi à prendre le dessus.

– Allons dans mon bureau pour parler plus tranquillement. Inspecteur… ?

– Filipini. Capitaine Lucy Filipini.

Il la guide dans un dédale de couloirs étroits et vétustes avant d'arriver dans un somptueux bureau moderne décoré de tableaux abstraits et de piles de livres qui forment comme une colonnade. Au-dessus du bureau trône le portrait d'un homme en costume, avec cette inscription : « Childéric de Villambreuse, 1909, fondateur ».

– Qu'est-ce qui vous fait penser qu'il a été assassiné ?

– L'autopsie a prouvé qu'on l'a assassiné avec un poison rare, qu'il est difficile de se procurer et qui est donc certainement onéreux. Typiquement le genre de poison qu'utiliserait un homme qui se veut à la pointe de la modernité.

– Mais qui aurait pu… ?

– Vous, peut-être.

– Vous plaisantez ? C'est moi qui ai créé Gabriel. Sans moi, vous n'auriez jamais entendu parler de lui. Quand je l'ai rencontré, il était au chômage, inconnu, je l'ai imposé contre la

233

volonté de mes directeurs de collections, qui le trouvaient trop décalé.

– À qui profite le crime ? Vous l'avez peut-être inventé, mais vous le contrôliez de moins en moins. J'ai entendu dire qu'il vous reprochait de ne pas promouvoir sa diffusion à l'étranger et qu'il menaçait de passer à la concurrence. Vous alliez perdre votre créature, en revanche s'il mourait et si vous le remplaciez par un logiciel d'intelligence artificielle, non seulement il ne vous coûtait plus rien en droits d'auteur, mais en plus vous preniez le contrôle sur son œuvre. Vous avez remis en vente tous ses livres et *Nous les morts* est déjà en tête des ventes. Ainsi, vous êtes gagnant sur tous les tableaux : vous devenez le maître de tout ce que son esprit a produit dans le passé et de tout ce que son esprit artificiel produira dans le futur.

Alexandre de Villambreuse allume son ordinateur et semble absorbé par la contemplation d'une page Web. Un instant, Lucy redoute qu'il ait tenté d'entrer son nom dans un moteur de recherche, mais il ne semble pas avoir découvert d'informations sur elle. Il affiche une moue désabusée.

– Gabriel était un ami. Même s'il était parti chez un autre éditeur, je l'aurais toujours considéré comme tel. Notre lien allait au-delà d'une simple relation d'auteur à éditeur. Si j'ai lancé le programme Gabriel Wells Virtuel, c'est parce que je ne connais pas actuellement d'autre écrivain susceptible de raconter des histoires aussi originales que les siennes.

– Pensez-vous qu'il approuverait votre démarche ?

– Sans la moindre hésitation.

– L'avez-vous tué ?

– Non ! Bien sûr que non !

Elle le fixe longuement.

– Alors qui, à votre avis ?

– Il faisait un métier qui suscite beaucoup de jalousie. Moi, à votre place, je réfléchirais selon le rasoir d'Okham. Plutôt que de me demander à qui profite le crime, j'irais au plus simple et j'interrogerais celui qui a dit qu'il voulait le tuer…

– Qui est… ?

– La plupart des écrivains se haïssent, mais il n'y a pas de plus grande haine que celle qui oppose les écrivains qui ne vendent pas de livres et ceux qui en vendent. Moisi est aussi écrivain. Il a tous les critiques à ses pieds, il tient des chroniques littéraires dans des journaux prestigieux et à la télévision, il est membre de jurys de prix littéraires, et il a gagné l'estime de toute la profession, mais ses romans se vendent très peu. Ce qu'il écrit est ennuyeux, prétentieux ; ses phrases sont interminables et le vocabulaire qu'il emploie tellement sophistiqué qu'on doit lire ses livres un dictionnaire à la main. Quant à l'intrigue, c'est toujours la même : sa jeunesse d'enfant soi-disant battu (son père, que j'ai eu la chance de connaître et qui était un type charmant, doit se retourner dans sa tombe de voir son propre fils bâtir sa carrière sur des mensonges qui salissent sa mémoire) et ses orgies parisiennes avec des politiciens, journalistes ou autres écrivains de sa clique.

– C'est une littérature qui a aussi droit de cité, il me semble. Il a déjà reçu plusieurs récompenses prestigieuses.

– On pourra considérer que les prix littéraires sont autre chose que des petits arrangements entre copains quand on jugera les ouvrages à l'aveugle, sans le nom de l'auteur et de l'éditeur, sur la seule qualité du texte. Point.

– Vous êtes dur. Les jurés de ces prix sont des célébrités, des grands noms reconnus de la littérature.

– Moisi est persuadé qu'il fait de la littérature intelligente pour les gens intelligents et que Wells fait de la littérature idiote pour les idiots. Chaque millier de livres de Gabriel vendu était pour lui comme un coup en pleine poitrine. Il ne dormait pas la nuit, tant il était pétri de haine envers Gabriel. N'avez-vous jamais lu ses articles sur Wells ? Il disait que c'était une honte que Wells soit publié, il insultait ses lecteurs, mettait au défi les libraires d'avoir le courage de le boycotter. Lors de leur dernière rencontre télévisée, il l'a menacé de mort en direct.

– Et Wells lui en voulait ?

– Une querelle millénaire oppose les auteurs et les critiques. Son grand-oncle Edmond en a parlé dans un passage de son encyclopédie. Il essayait de rester au-dessus de la mêlée. Mais cela l'affectait forcément. Qui peut supporter de se voir insulter en public par des critiques qui, le plus souvent, ne lisent même pas les livres dont ils font la chronique ?

Alexandre de Villambreuse s'arrête et fixe longuement Lucy.

– Je ne m'en étais pas rendu compte tout de suite, mais de près vous êtes encore plus éblouissante, reconnaît-il.

49.

Après plusieurs tentatives, les âmes errantes de Gabriel et Ignace Wells finissent par repérer à Paris celui qui semble être Serge Darlan, lequel n'a plus du tout la même apparence que Samy neuf ans plus tôt. Il porte désormais une épaisse barbe noire, son nez est plus plat, et ses joues ont été creusées.

Il conduit tout en parlant dans son kit mains libres, ponctuant ses phrases de « si cela ne vous dérange pas ». Gabriel note que si la chirurgie esthétique peut modifier le physique, la voix trahit toujours l'esprit. Il appelle ensuite plusieurs femmes qui se révèlent être ses quatre sœurs. Ils doivent visiblement se retrouver pour passer la soirée chez une certaine Faustina Smith-Wellington.

Gabriel et Ignace décident de le suivre, dans l'espoir de découvrir plus tard son adresse personnelle.

La voiture arrive au niveau de la place Denfert-Rochereau et contourne la majestueuse statue de lion qui trône au centre du carrefour.

— *Tiens*, remarque Ignace, *c'est le quartier où j'habitais.*

Serge Darlan roule sur l'avenue du Maine et se dirige vers la rue de la Tombe-Issoire, toujours talonné par les deux enquêteurs de l'invisible. C'est alors que résonne une voix criarde dans le ciel :

— *Igny ! Igny ! Enfin je te retrouve ! Je t'ai cherché partout.*

L'âme errante d'une jeune femme leur barre la route. Elle porte des vêtements depuis longtemps démodés. Gabriel ne la reconnaît pas tout de suite. Ignace pousse un cri :

— *Magda ! Oh non ! Pas toi !*

— *Oh mon amour, je suis si heureuse de te retrouver enfin ! Si tu savais depuis combien de temps je te cherche !*

Déjà l'ectoplasme de la jeune femme s'avance la bouche en cœur pour mimer un baiser et Gabriel finit par reconnaître sa grand-mère. Comme elle a choisi une apparence de trentenaire, elle a l'air évidemment beaucoup plus jeune qu'Ignace. Ce dernier s'enfuit dans la direction opposée.

— *On ne peut pas rester ici, Gabriel !* lance-t-il.

— *Mais, papi, il faut continuer à suivre Samy !*

— *Désolé fiston, il y a des limites au supportable. J'espérais que Magda s'était réincarnée, mais maintenant que je sais qu'elle vit aussi dans les limbes et qu'elle m'a retrouvé, je ne veux pas prendre le risque qu'elle me harcèle.*

Ils volent au loin, mais l'âme errante de Magdalena est

toujours derrière eux, de plus en plus ravie de ces retrouvailles qu'elle n'espérait plus.

— *Igny ! Igny !*

— *Je déteste quand elle m'appelle comme ça ! J'ai l'impression qu'elle veut m'ignifuger.*

— *Elle nous rattrape, papi !*

— *J'ai une idée ! Suis-moi fiston, je sais peut-être comment semer cette sangsue !*

Il se dirige vers une petite bicoque verte sur la place Denfert-Rochereau et Gabriel reconnaît l'entrée des catacombes.

— *Qu'est-ce que tu veux faire ici, papi ?*

— *On ne pourra jamais la semer dans l'invisible, mais par contre on peut la semer au milieu de la foule. Et une foule de six millions de cadavres, je peux te dire que c'est le plus haut niveau de densité d'ectoplasmes au mètre carré de tout Paris.*

Ils descendent les escaliers en colimaçon pour arriver à l'entrée des catacombes. Sur le linteau est inscrit : « ARRÊTE-TOI ! C'EST ICI L'EMPIRE DE LA MORT. » Gabriel se dit qu'on ne peut pas leur proposer de meilleure invitation. L'écrivain n'a jamais visité ce lieu macabre. Maintenant qu'il est mort, il ne ressent rien de négatif, bien au contraire. Ces murs recouverts de crânes, de tibias et de cubitus ont pour lui quelque chose de rassurant. Les lignes de crânes aux cavités orbitales vides semblent le saluer. Ils forment des frises, des arabesques, des figures géométriques harmonieuses. La musique qui résonne en permanence, même à cette heure tardive, est « La Danse macabre » de Saint-Saëns. Elle donne à ce décor de squelettes une dimension magique. Gabriel songe que bien des problèmes de l'humanité sont dus à la peur de la mort, entretenue à dessein par ceux qui prétendaient ne pas la redouter – les prêtres – afin de prendre l'ascendant sur les esprits les plus faibles.

Le jour où l'homme sera plus serein face à la mort, se dit Gabriel, *les hommes d'Église perdront leur pouvoir. Ils le savent, c'est pour cela qu'ils entretiennent l'obscurantisme.*

En face d'eux apparaissent à cet instant les âmes errantes de tous ces cadavres. Ils sont habillés de la même manière, dans un style correspondant à l'époque située entre Louis XIV et Napoléon III.

Une voix familière se fait alors entendre :

– *Mon chéri, reviens, c'est moi, Magdalena ! Ta Magda ! Je t'aime et je voudrais tellement rester à tes côtés !*

Ignace l'ignore et fonce vers le groupe d'âmes errantes le plus compact en les suppliant : « *Cachez-moi s'il vous plaît, je suis poursuivi.* » Les ectoplasmes analysent vite la situation et, trop heureux d'avoir un service à rendre dans ce lieu où ils s'ennuient beaucoup, se regroupent spontanément pour former un mur qui camoufle Ignace. Évidemment, comme ils sont transparents, il faut plusieurs épaisseurs pour obtenir une certaine opacité. Heureusement, il y a plus d'un kilomètre de couloirs et plusieurs millions de fantômes réunis au même endroit, ce qui donne à Gabriel l'impression d'être dans le métro à une heure de pointe.

Son grand-père et lui se cachent dans un coin et sont rapidement rejoints par un autre esprit. Ce n'est pas Magdalena. Gabriel ne distingue pas son visage, mais quand il recule et se retourne d'un coup, ce que voit l'écrivain fait sursauter son âme : c'est une âme errante atteinte d'Alzheimer qui a perdu le souvenir de son propre visage et qui a donc un faciès parfaitement lisse, *comme une fesse*, songe Gabriel.

– *Pouvez-vous me dire qui j'étais s'il vous plaît ?* demande l'homme sans visage.

– *Désolé, je ne suis même pas de votre époque.*

239

— *Connaîtriez-vous dans ce cas quelqu'un susceptible de me renseigner ?*

— *Désolé, nous essayons de nous cacher et...*

Trop tard : Magdalena les a vus et accourt vers eux.

— *Je vous en prie, dites-moi qui je suis !* supplie l'homme.

— *Nous sommes pressés. Laissez-nous passer s'il vous plaît*, le coupe Ignace.

— *Je vous dirai qui vous êtes si vous ralentissez l'âme qui nous poursuit, c'est d'accord ?* propose Gabriel.

— *Je suis prêt à tout pour savoir*, dit l'homme à tête de fesse.

— *Vous êtes l'homme au masque de fer !* lance Gabriel sur une intuition subite.

Aussitôt, l'homme, ravi, imagine une sorte de casque de scaphandrier qu'il dispose sur son visage lisse. Il se redresse, reprend contenance et lâche :

— *Oh, merci ! Vous ne pouvez pas savoir l'horreur que c'est de ne pas savoir qui on est. Je vais maintenant pouvoir me renseigner sur l'histoire de mon ancienne enveloppe charnelle. Mon existence d'âme errante a enfin un sens. Que puis-je faire pour vous en retour ?*

— *Faites tout pour empêcher qu'une certaine âme errante nous rattrape ; vous la reconnaîtrez facilement, elle a un chignon ridicule.*

Le tout récemment promu homme au masque de fer hoche la tête et se place en position de blocage, tel un rugbyman, au moment où Magdalena apparaît. Il arrive à la contenir quelques instants, mais ne peut l'empêcher de finalement le contourner.

Les deux fuyards foncent dans la zone la plus dense des couloirs. Ignace zigzague pour semer son ex-épouse, et Gabriel essaie de tenir le rythme pour ne pas être distancé par son grand-père. Il observe en passant tous ces gens comme s'il visitait un musée et parfois les salue poliment avant de leur indiquer d'un signe de bloquer la femme qui vole derrière eux.

Enfin, Ignace semble avoir réussi à se débarrasser de son ancienne compagne. Par sécurité, au lieu de remonter directement au-dessus des catacombes, il préfère s'enfoncer dans un mur latéral pour rejoindre le métro.

— *Tu t'imagines si elle m'avait retrouvé ! Je l'ai subie toute ma vie et je devrais continuer à la subir « après » !*

Il ne peut réprimer un frisson de pure épouvante.

— *Du coup, on a perdu Samy Daoudi.*

— *Peut-être pas*, rétorque son grand-père. *Je crois savoir comment le retrouver. Il a parlé d'une certaine Faustina Smith-Wellington. Ce n'est pas un nom banal. Or je sais qui c'est et où elle habite. Viens.*

50. ENCYCLOPÉDIE : LES ENTERREMENTS DE NOS ANCÊTRES

Les cimetières tels que nous les connaissons actuellement sont des inventions récentes. Jusqu'en 1800, la tombe individuelle était essentiellement réservée aux défunts importants : rois, nobles, généraux ou prêtres. En France, par exemple, l'usage voulait qu'on creuse dans les quartiers les plus mal famés des fosses communes, qu'on baptisait « champs de repos ». Il s'agissait de tranchées en général de 10 à 30 mètres de large sur 10 à 20 mètres de long, et de 5 à 10 mètres de profondeur, où l'on pouvait entasser jusqu'à 20 000 cadavres. Ils étaient nus ou dans des linceuls, et on rangeait les corps en les serrant le plus possible les uns contre les autres. Lorsqu'un étage était plein, les fossoyeurs le recouvraient de dix centimètres de terre et ils recommençaient avec une deuxième couche, puis une troisième, et ainsi de suite, jusqu'à rejoindre la surface.

L'ensemble formait des sortes de « lasagnes de cadavres », dont le sommet était recouvert de planches mobiles pour que de nouveaux corps puissent facilement être ajoutés. Il émanait de ces champs de repos une odeur nauséabonde. Quand il pleuvait, ces charniers dégageaient des vapeurs pestilentielles qui rendaient l'air irrespirable et teintaient même les murs et les rideaux. Les rats proliféraient au milieu des ossements et des chairs humaines en putréfaction. Quand une fosse était pleine, soit on la vidait dans des galeries plus larges situées en périphérie des villes avant de la remplir avec de nouveaux corps, soit on la recouvrait de terre et on construisait des maisons par-dessus, oubliant même qu'il y avait une fosse commune sous les fondations. Une troisième possibilité consistait à continuer à entasser les corps à la surface et les laisser devenir des monticules, voire des petites collines, sur lesquels la vie suivait son cours. Des historiens de l'époque ont noté la présence de nombreux cochons qui venaient fouiller le sol pour déterrer les morts, ainsi que des chiens qui venaient récupérer des os à ronger. Parfois, en raison des pluies, des rats et des gaz qui s'accumulaient dans ces charniers, le sol, travaillé par cette matière en putréfaction, s'effondrait, entraînant maisons et occupants au milieu des squelettes et des rats. Ce ne fut qu'en 1786, à la suite de l'explosion de la cave d'un restaurateur rue de la Lingerie sous la pression d'un charnier voisin, que le Parlement décida, pour des raisons d'hygiène, de vider tous les ossuaires parisiens connus. Leurs locataires furent alors entassés dans une galerie à la limite sud de Paris : les fameuses Catacombes de la place Denfert-Rochereau. Dès lors les dépouilles ne furent plus réparties en fonction du niveau social mais en fonction de la taille des os.

Edmond Wells,
Encyclopédie du Savoir Relatif et Absolu, tome XII.

51.

Lucy, de retour chez elle, s'installe face à son ordinateur et lance le replay de l'émission de télévision *Du goudron et des plumes*. Le thème, « La littérature de l'avenir », s'affiche en plein écran. Le générique montre des livres qui dansent sur une majestueuse musique symphonique. Trois invités en costume sont assis dans des fauteuils et l'animateur commence à interroger le premier écrivain, mais Lucy a déjà appuyé sur le bouton avance rapide pour parvenir à la fin de l'émission, au moment où Gabriel Wells rejoint le fauteuil des interviewés, « sur le gril ». Il ne semble pas très à l'aise. L'animateur, enjoué, manipule ses fiches et se tourne vers ses chroniqueurs :

— Et maintenant place au sniper, place au tueur, place à celui que tous les auteurs redoutent : Jean Moisi. Alors, Jean, qu'avez-vous pensé du dernier opus de notre invité ?

— Couverture nulle. Titre nul. Et surtout, absence totale de style. Pour moi, le style fait tout, or le sien est tout simplement inexistant. Wells est le pire auteur que je connaisse, il est la honte de la profession. On devrait interdire ses livres.

— Mais il a quand même beaucoup de lecteurs ! Et il touche en priorité les jeunes, un public que la littérature peine à intéresser...

— Il a beaucoup de lecteurs parce que le public en général ne connaît rien à la bonne littérature, et les jeunes le lisent parce qu'ils sont incultes et ne savent pas reconnaître un livre de qualité.

— Il attire aussi les gens dans les librairies.

— Parce que les libraires qui se compromettent en vendant ses ouvrages ne sont motivés que par l'appât du gain et ont perdu de vue l'esthétique et le style !

— Wells, que pensez-vous de l'avis de Moisi sur votre travail ?

— Tout d'abord, je tiens à le remercier. Je suis très honoré que mon travail ne trouve pas grâce aux yeux de M. Moisi. C'est un doux plaisir que de déplaire aux critiques qui n'aiment que les livres ennuyeux. Si je regarde bien, tous les livres qu'il a adorés ont, comme par hasard, été oubliés, et ceux qu'il a bannis ont connu le succès. Avoir une mauvaise critique de Moisi, c'est comme marcher du pied gauche dans un excrément de chien, cela porte bonheur.

— Comment osez-vous ? demande Moisi, offusqué.

— La seule chose qui me navre, c'est que l'opinion de M. Moisi ne s'appuie pas sur la lecture effective de mon ouvrage. Il a parlé de la couverture et du titre car ce sont les seuls éléments qu'il connaît de mon travail. Je vois à son aspect que l'exemplaire qui est devant lui n'a même pas été ouvert, je ne comprends donc pas très bien sur quoi se fonde l'opinion qu'il a de mon style.

— Je sais lire sans abîmer les livres. Vous essayez de faire diversion, mais je profite de cette tribune pour exprimer tout haut ce que tous mes collègues pensent tout bas. Vous êtes un écrivain médiocre.

— Mon seul adversaire ici est votre manque de curiosité. Je reconnais que vous n'êtes pas le seul à n'avoir jamais ouvert mes ouvrages. Mais ce n'est pas parce que vous êtes nombreux à avoir tort que cela vous donne raison.

– Et alors comment sont censés faire les lecteurs pour connaître les nouveautés en librairie si vous remettez en question toute une profession dont le rôle est de les informer ?

– D'abord, je ne remets pas en question toute la profession. Il y a des critiques formidables. Et puis il existe d'autres sources d'informations pour les lecteurs : les libraires, le bouche-à-oreille, les blogs tenus par des passionnés, les professeurs de français ou les parents qui veulent donner envie de lire à leurs enfants.

– C'est un peu facile de remettre en question tout un système qui a fait ses preuves…

– Je ne reconnais qu'un seul critique : le temps. Le temps donne leur vraie valeur aux œuvres. Il fait oublier les auteurs anodins et immortalise les écrivains novateurs.

L'animateur, qui souhaite soutenir son chroniqueur, décide de revenir à la charge :

– Et qu'avez-vous à répondre à Moisi quand il vous reproche votre absence de style ? demande-t-il.

– La littérature qu'il aime est essentiellement cosmétique. C'est du maquillage qui sert à cacher les rides et les boutons. La forme est mise en valeur pour dissimuler la faiblesse du fond. Ou, pour utiliser une autre image, le style est la sauce d'un plat. On met beaucoup de sauce, bien grasse et bien salée, de la sauce au beurre ou de l'huile de friture, quand on veut saturer les papilles pour cacher le goût de la viande. Or, pour moi, la viande, c'est l'intrigue. Si elle est bonne, elle n'a pas besoin de sauce.

Moisi reprend la parole :

– Marguerite Duras disait que pour faire un bon roman il n'y a pas besoin d'intrigue. C'est là toute l'innovation et la modernité du Nouveau Roman. On se débarrasse de l'intrigue, prétexte inutile, pour privilégier le raffinement du style. Point à la ligne.

Vous n'allez quand même pas contredire la grande Marguerite Duras !

– Donc, Jean, insiste l'animateur, vous pensez que Gabriel Wells ne sera pas un auteur marquant dans les années à venir ?

– M. Wells n'est pas un auteur *tout court*. Il n'est rien. Sa présence sur ce plateau et dans le monde littéraire en général est en soi un problème. Le fait de vouloir plaire au plus grand nombre n'est rien d'autre que de la démagogie. Et le fait d'invoquer le temps comme seul critique est de la prétention. Il croit quoi ? Qu'on le lira encore dans cent ans ? Vouloir plaire aux générations futures est utopique. Pour ma part, je défendrai toujours la littérature classique qui, à mon avis, est la seule de qualité. Soyons sérieux : la littérature fantastique, l'heroic fantasy, la science-fiction, les polars, les thrillers, les romans d'horreur, la bande dessinée, ou encore les romans érotiques, qui inondent les rayons des supermarchés, ne sont pas de la « vraie » littérature puisqu'ils sont le produit de l'imaginaire. Un bon roman parle forcément du réel et du présent ; il est alimenté par l'expérience de l'écrivain qui ne doit parler que de ce qu'il connaît personnellement et non de ce qu'il fantasme.

– Vous en pensez quoi, Wells ? demande l'animateur.

– L'autofiction, qui est en effet l'unique littérature à la mode actuellement en France (ou plutôt à Paris), n'est qu'une thérapie déguisée. L'auteur qui raconte par exemple son enfance n'a rien inventé : il se contente d'observer. Ce n'est pas lui qui crée ses parents, son cadre de vie, ceux qui participent à sa vie. Ces écrivains ne sont rien d'autre que des autobiographes, et ils devraient indiquer « Dieu » comme co-auteur puisque c'est lui qui a inventé les acteurs, le décor et même les situations qu'ils décrivent.

– Comment expliquez-vous ce rejet systématique de votre travail de la part de célèbres critiques comme Moisi ?

– Ils vivent dans un monde parallèle avec leurs propres valeurs. Je les respecte, mais elles me semblent incomplètes. C'est comme de faire écouter du rock and roll à un critique de musique classique : il trouverait forcément cela sans style, simpliste, et démagogique. Pourtant, le rock a survécu à l'épreuve du temps et a touché les jeunes parce qu'ils sont en général plus ouverts.

– Et vous aimez la musique classique, Wells ? poursuit l'animateur.

– Bien sûr. Et j'aime aussi le rock, car les deux ne sont pas incompatibles. De la même manière, je lis à la fois des auteurs de polars *et* les grands stylistes comme Proust ou Flaubert. Ce qui est étonnant, c'est qu'il y ait dans le domaine musical des journaux consacrés à la musique classique et d'autres au rock ; en littérature, il n'y a que des médias qui aiment exactement les mêmes livres. Ils sont comme des moutons qui broutent tous ensemble la même herbe au même moment. Dommage pour les lecteurs, qui ont peut-être envie de nouveauté et de diversité. Ils ne sont même pas tenus au courant du fait que certains explorent de nouvelles voies. Selon moi, ce qu'il faut préserver c'est précisément la diversité de la littérature. Il n'y a pas de mauvais genre littéraire en soi, il y a de bons et de mauvais ouvrages dans tous les genres.

– Et que pensez-vous du fait qu'on trouve vos livres dans les supermarchés ?

– Ce n'est pas moi qui décide des lieux de distribution de mes romans. Et pour moi, le seul objectif des auteurs est d'augmenter le nombre de lecteurs en général.

– Moisi vous a quand même clairement refusé le titre d'écrivain. Qu'avez-vous à répondre à ça ?

– Mon ennemi n'est pas Moisi, mon adversaire c'est l'attrait des séries américaines, du cinéma, des jeux vidéo et de la télévision qui font recevoir les histoires de manière complètement passive, alors que les romans incitent les lecteurs à créer leurs propres images et les transforment en réalisateurs de cinéma. Moisi est aussi un écrivain, donc je pense qu'il doit me percevoir comme un concurrent. Pourtant, le soleil brille pour tout le monde. Entre auteurs, nous ne sommes pas rivaux, nous ne nous volons pas des lecteurs. Car, je le répète, selon moi notre seul objectif est d'amener de plus en plus de gens à lire. Et plus il y aura de gens qui lisent, plus il y aura de gens intelligents.

– Démagogie ! Démagogie ! peste Moisi. Ce que Wells appelle « augmentation du nombre de lecteurs », moi j'appelle cela « nivellement par le bas ». Il ne suffit pas de défendre les livres, il faut aussi inciter les lecteurs à consommer de la qualité ! Wells fait de la sous-culture.

– Je crois qu'en voulant défendre l'intégrité de ce que vous nommez la bonne littérature, vous risquez d'en devenir le fossoyeur, réplique Gabriel.

– Vous n'êtes pas un professionnel de l'écriture, monsieur Wells, vous n'êtes qu'un amateur qui a eu de la chance et qui n'existe que grâce à des thèmes racoleurs. Je suis docteur en littérature du XXe siècle. Avouez-le, vous, vous n'avez même pas fait d'études !

– C'est exact. Et j'en suis fier. Le *Titanic* a été construit par des ingénieurs qui avaient fait des études et l'Arche de Noé par un autodidacte. On a vu lequel a coulé et lequel a survécu au Déluge.

Quelques rires dans le public attisent la colère du critique qui se lève en tapant du poing sur la table. Il darde son index vers son bouc émissaire et articule lentement :

– J'espère que vous allez mourir vite, Wells, et enfin débarrasser la littérature de votre encombrante présence.

– Quant à moi, j'espère que vous allez être heureux et que vous serez ainsi moins tenté de vous élever en dénigrant vos confrères.

– Je me sens suffisamment investi dans mon devoir de sauvegarde de la bonne littérature pour imaginer un jour vous éliminer purement et simplement. Et je dirai pour finir qu'un bon écrivain de science-fiction est un écrivain mort. Ainsi, il peut au moins visiter les mondes imaginaires.

L'animateur rit de la formule, le public rit aussi et applaudit. La caméra se tourne vers Gabriel Wells dont on s'attend à entendre une dernière repartie, mais il reste silencieux, comme s'il n'avait plus envie de se battre. Il a l'air blessé, comme si la haine assumée de Moisi avait fini par transpercer sa carapace.

L'animateur poursuit l'émission en présentant une série d'autres livres qui lui semblent passionnants. Lucy voit bien que Gabriel est absent, impatient de pouvoir quitter le plateau. Touchée de le voir si mal à l'aise, la jeune femme éteint son écran. Elle ne se doutait pas que la littérature pouvait créer autant de hargne entre critiques et écrivains, tout comme elle ignorait que les premiers puissent être des concurrents des auteurs. Elle imagine cela comme une compétition sportive, de patinage artistique par exemple, où le juge concourrait dans la même compétition. Ce ne serait pas équitable.

Déterminée à confronter le journaliste, elle cherche sur Internet les coordonnées de l'éditeur de Moisi, et réussit à obtenir l'adresse du critique.

52.

Samy et ses sœurs sont accueillis par une femme corpulente couverte de bijoux et outrageusement maquillée. Ils enlèvent leur manteau, et s'installent dans une pièce à la décoration très chargée. Au-dessus d'eux, un hibou empaillé déploie ses ailes, et tout autour se dressent des statues de la Vierge Marie, d'un Bouddha obèse, de l'archange saint Michel qui terrasse un dragon de sa lance. Un tableau représente Diane chasseresse, un autre la déesse égyptienne Isis. La seule source de lumière provient d'une centaine de bougies rouges alignées. Les nouveaux arrivants s'assoient autour d'une table ronde.

C'est l'une des sœurs qui parle en premier :

– C'est la première fois que nous tentons cette expérience, explique-t-elle.

– Il faut vous mettre en cercle et vous toucher l'extrémité des doigts. Surtout, lorsqu'elle viendra, n'ayez pas peur et ne rompez pas le contact : il ne faut en aucun cas briser la chaîne.

Faustina Smith-Wellington allume une grosse bougie puis articule lentement :

– J'appelle l'esprit de votre mère. Quel était son prénom ?

– Mounia.

– Mounia, j'appelle ton esprit. Je te propose de communiquer avec nous selon le cadre suivant : tu soulèveras une fois la table pour dire oui et deux fois pour dire non. Mounia, es-tu là ?

Il ne se passe rien et tous attendent, un peu inquiets.

– Cela ne marche pas à tous les coups, mais ça vaut la peine d'attendre, les rassure Faustina. Elle peut mettre du temps à nous rejoindre si elle est dans des limbes éloignés. Mounia, reprend-elle à l'intention de l'âme errante, s'il te plaît, ce sont tes enfants qui sont là, ils veulent te parler.

Il ne se passe toujours rien.

— Mounia, j'appelle ton âme pour qu'elle vienne discuter avec nous. Manifeste-toi quand tu le pourras. Mounia, es-tu là ?

Tout est calme. Mais soudain une bougie s'éteint, puis une autre, et encore une autre.

Un moment passe, jusqu'à ce que la table se soulève et reste quelques secondes en lévitation.

— Maman ! crie l'une des sœurs, émue.

— Surtout, ne rompez pas le cercle ! rappelle la médium.

La table retombe brusquement sur ses quatre pieds. Gabriel a du mal à en croire ses sens immatériels…

— *Mais il n'y a aucun esprit aux alentours !* s'étonne-t-il.

— *Viens voir*, lui suggère son grand-père.

Ignace traverse la table et lui montre que Faustina actionne avec le pied une pédale reliée elle-même à un vérin hydraulique qui lui permet de soulever la table à volonté.

— *Lucy te l'a dit : 95 % des médiums sont des charlatans. Ce qui est plus étonnant, c'est que son cher Samy se laisse si facilement berner.*

— *Il va être heureux de retrouver Lucy. Il découvrira ce que c'est qu'une médium authentique.*

— Maman… Maman… C'est vraiment toi ?

La table se soulève une fois.

— Allez-y, posez vos questions. Elle est à votre écoute.

— Est-ce que tu souffres là où tu es ? demande l'une des sœurs.

La table se soulève deux fois.

— Est-ce que tu y es bien ?

La table se soulève une fois.

— Maman, nous sommes venus te voir parce que Sonia a

rencontré un homme dont elle est tombée amoureuse. Nous pensons qu'il ne lui convient pas, mais elle ne veut rien entendre. Nous voulions avoir ton avis avant d'agir. Est-ce que nous devons l'autoriser à fréquenter cet individu ?

La table se soulève deux fois.

— Est-ce à cause de sa maladie ? demande une sœur.

De nouveau la table se soulève deux fois.

— Est-ce à cause de ses mauvaises habitudes de vie ? demande une autre sœur.

La table se soulève une fois.

Le dialogue continue entre les filles et la pédale hydraulique de la médium, au plus grand dam de celle qui espérait recevoir l'approbation de sa mère.

Gabriel, fasciné, ne quitte pas Samy des yeux.

Comme il a de la chance d'être à ce point aimé par une femme aussi extraordinaire que Lucy ! se dit-il.

Samy, même s'il se tient en retrait, semble bouleversé par la discussion qui s'installe entre sa mère défunte et ses sœurs en mal d'amour, qui évoquent à tour de rôle leur fiancé, actuel ou désiré.

— *L'ex-fiancé de Lucy a l'air embarqué*, note Ignace.

— *Oui, Samy semble ne se douter de rien.*

— *C'est ce qu'avait déjà décrit en son temps Harry Houdini. Le marché est envahi par des spirites charlatans qui abusent de la crédulité de leurs clients. Ils ont pour mission de combler un besoin universel : parler aux chers disparus. Selon un sondage récent, l'humanité compte actuellement 8 milliards d'individus. Parmi eux, 6 milliards croient qu'on peut parler aux défunts, 5 milliards ont déjà fait des expériences de tables tournantes ou d'autres rituels, et 3 milliards sont en contact régulier avec un ou une médium qui prétend les mettre en relation avec des anges, des démons ou des fantômes.*

252

— *Je ne me rendais pas compte que le mystère de l'après-vie fascinait à ce point.*

— *Pourtant tu l'as écrit dans* Nous les morts *: 90 % de l'humanité est superstitieuse ou croyante.*

— *Ce n'est pas parce que je l'écris dans mes romans que j'en suis intimement persuadé. Tu sais que je suis avant tout un être qui doute. Mais il est vrai que j'ai aussi écrit que ne pas s'intéresser à ce qu'il va advenir de nous est une forme d'inconscience.*

— *Je n'ai jamais compris comment tu te positionnais par rapport à tous ces sujets.*

— *Je suis un explorateur intrigué. Après tout, vouloir savoir ce qu'il se passera après notre trépas me semble une curiosité légitime, non ?*

Ils observent les cinq personnages et leur médium.

— *Bon, en tout cas, Samy et ses sœurs ont l'air plutôt sympathiques,* reprend Gabriel. *Je dois t'avouer que j'avais des doutes sur son intégrité, mais M. Daoudi devenu Serge Darlan n'est pas l'escroc que je craignais. C'est juste un comptable qui a eu la malchance d'avoir un patron malhonnête qui lui a fait cacher de la drogue et porter le chapeau.*

— *Si ce n'est que Samy s'est quand même enfui…*

— *Il a voulu sauver sa peau. Mais à le voir, on se rend bien compte que c'est juste un petit garçon qui espère avoir une conversation avec sa maman adorée…*

— *Alors on fait quoi, fiston ?*

— *Nous n'avons pas le choix, j'ai promis à Lucy. À nous de remettre sur les rails cette histoire d'amour interrompue. On va rester jusqu'à ce qu'ils aient fini cette cérémonie et on va suivre Samy pour obtenir son adresse. Ce sera ensuite à elle de jouer.*

En dessous d'eux, une des sœurs pleure car elle va devoir

renoncer à celui qu'elle aime, mais elle ne rompt pas pour autant le contact avec les mains de ses sœurs.

Faustina Smith-Wellington, pour sa part, garde cet air grave censé rappeler à ses clients que quoi qu'il se passe, cela ne dépend pas d'elle mais du monde invisible dont elle n'est qu'une humble servante.

53.

Lucy sonne à l'adresse que lui a donnée l'éditeur de Moisi. C'est une soirée privée dans un appartement chic de Paris, en face de la Comédie-Française. Elle pensait pouvoir forcer l'entrée grâce à sa carte de police, mais ce sont son physique et sa robe qui lui servent de passe-droit. En effet, le valet en tenue stricte qui lui ouvre la jauge rapidement de haut en bas puis lui autorise l'entrée sans rien lui demander de plus. Dès qu'elle a franchi le seuil de l'immense appartement, elle aperçoit une petite foule composée de jeunes femmes maigres et élégantes, courtisées par des hommes plus âgés et bedonnants. Une vingtaine de serveurs circulent pour verser du champagne ou servir du caviar. Lucy est d'autant plus surprise que l'éditeur de Moisi lui a signalé qu'il s'agissait de l'appartement d'un politicien d'extrême gauche plutôt véhément dans ses attaques contre le monde capitaliste. Elle se souvient de ses discours contre les banques qui affament le peuple, ou de ses positions favorables à un impôt à 100 % sur les plus grosses fortunes de France. Les seuls éléments qui pourraient permettre d'identifier les convictions politiques du propriétaire de ce superbe lieu sont des portraits de Staline, Che Guevara, Fidel Castro, Mao Tse Toung, Hugo Chávez et Pol Pot, qui ornent tous les murs.

Elle s'adresse à un convive qui la fixe avec insistance :

– Je cherche Jean Moisi.

– Moisi ? Il doit être sur la terrasse.

Elle s'engage dans l'escalier et découvre une terrasse de cinq cents mètres carrés qui donne sur tout Paris illuminé. Plusieurs baffles diffusent des chants révolutionnaires d'Amérique latine. Sur des divans sont installées une centaine de personnes parmi lesquelles Lucy reconnaît des acteurs célèbres (souvent engagés à l'extrême gauche), des journalistes, des avocats médiatiques, des chanteurs. La plupart fument le cigare et boivent du champagne. Au milieu circulent des filles encore plus jeunes qu'à l'étage inférieur, dont Lucy se demande même si elles sont toutes majeures. Mais comme elle n'est pas là pour enquêter sur les délits de droit commun, elle interroge à nouveau ceux qu'elle croise pour savoir où se trouve Moisi. Finalement, un homme obèse consent à l'informer :

– Quand on ne sait pas où il est, c'est soit qu'il se tape une fille dans les toilettes, soit qu'il se fait une ligne de coke derrière cette haie de plantes.

Elle avance dans la direction indiquée et trouve en effet le célèbre critique littéraire en train de sniffer de la poudre blanche avec un billet de cent euros roulé en tube. Une fille peu vêtue est assise à califourchon sur ses genoux.

– Puis-je vous parler, monsieur Moisi ?

Elle montre sa carte de police. Il l'examine de la tête aux pieds comme s'il s'agissait d'acheter un cheval de course : il fixe un instant sa poitrine, revient sur ses jambes, puis hausse les épaules en dégageant la fille qui est assise sur ses cuisses.

Lucy s'assoit face à lui tandis qu'il se sert une coupe de champagne et boit son contenu d'un trait.

– Nous enquêtons sur l'assassinat de Gabriel Wells. Or il se trouve que vous avez proféré des menaces de mort à la télévision la veille de son décès.

— Encore Wells ! Celui-là, il m'enquiquinera décidément même après sa mort ! Quelle plaie !

— L'avez-vous tué ?

— Non, mais je me réjouis qu'il soit mort, et si je pouvais rencontrer son assassin je lui donnerais une médaille sans hésiter.

Il se ressert en champagne, sans prendre la peine de lui en proposer, et lève sa coupe avec un rictus méprisant.

— Qui cela pourrait-il être, selon vous ?

Il réfléchit comme s'il était à la recherche d'une inspiration poétique.

— Vous voulez vraiment que je vous dise ? À bien y réfléchir, je crois savoir qui l'a tué.

Il inspire avec nervosité.

— Je vous écoute.

— Lui-même. Ce qu'il écrivait était si mauvais qu'un sursaut d'intégrité aura entraîné une prise de conscience de sa propre médiocrité et cela l'aura anéanti.

— L'analyse de son sang prouve qu'il a été empoisonné.

— Cela n'est pas incompatible, il a fait des études de criminologie. Qui mieux que lui peut trouver le poison le plus efficace pour mettre fin à ses jours ? Oui, j'en suis persuadé, il devait se dégoûter lui-même. Il se sera regardé dans une glace et dit que l'escroquerie avait assez duré, qu'il fallait laisser la place aux vrais écrivains. Ce serait bien là la seule idée intéressante qu'il ait jamais eue, si vous voulez mon avis.

Quelques convives viennent vers lui pour le saluer.

— Ah ! Jean ! J'ai adoré votre prestation à la télévision la dernière fois, lui dit une femme d'une quarantaine d'années couverte de colliers et de bracelets précieux. Vous l'avez bien ridiculisé, ce Gabriel Wells ! C'est important que des gens comme vous défendent la qualité contre la médiocrité littéraire ambiante. Pourrais-je avoir un autographe ? Je le mettrai dans un de vos livres. Je les ai tous.

Il regarde la femme de haut en bas, hésite un instant sur la conduite à adopter, remarque qu'elle doit avoir la peau lissée par des injections de Botox et consent finalement à signer rapidement le papier qu'elle lui tend.

Une autre femme arrive et en profite pour réclamer la même chose dans une surenchère de compliments.

— Donc, le suicide de Wells, reprend le critique littéraire à l'intention de Lucy. Enquêtez dans cette direction, vous verrez que ce n'est pas aussi extravagant que cela en a l'air.

À cet instant apparaît l'animateur de l'émission *Du goudron et des plumes*, qui se dirige vers lui :

— Jean, je t'ai cherché partout ! Il faut qu'on parle de la prochaine émission : on reçoit Dutilleux. Cette fois-ci il faudra que tu le couvres d'éloges, on est d'accord ? J'ai besoin de lui pour un truc perso.

Jean Moisi se tourne vers Lucy.

— Je vous ai tout dit, mademoiselle, maintenant je dois m'occuper de mes convives.

L'animateur de télévision toise aussi Lucy, sans lui dire ni bonjour ni au revoir. Ce silence gênant entre deux interlocuteurs qui se font face mais ne se parlent pas lui semble insupportable. Autour d'elle, d'autres regards la fixent. Jamais elle ne s'est sentie aussi salie par de simples yeux. Des rires fusent de plusieurs directions différentes. Des rires un peu forcés, des gloussements de plaisir ou d'encouragement. Alors que Lucy se dirige vers la sortie, un serveur lui propose une coupe de champagne qu'elle refuse poliment. Un autre lui offre des petits fours, mais elle les dépasse sans s'arrêter. Pour la première fois, elle a le sentiment que le meurtre de Wells risque de rester insoluble. Elle monte en voiture et roule sur les bords de la Seine, contemplant la ville qui est superbe la nuit, sous les lumières clignotantes de la tour Eiffel.

– *Alors, comment s'est passée votre journée ?* demande Gabriel Wells qui apparaît soudain.

– Je reviens de chez notre dernier suspect.

– *Je vous écoute.*

– Moisi ? Il vous déteste viscéralement. Je ne comprends pas comment cela peut atteindre un tel niveau. Mais il m'a tout l'air du genre de type qui parle beaucoup et qui agit peu, du genre à agresser verbalement mais pas physiquement. Même s'il a ouvertement souhaité votre mort, je pense que ce n'est qu'une posture.

– *Lequel vous semble le plus susceptible d'être passé à l'acte ?*

Elle réfléchit longtemps avant de lâcher :

– Votre frère. Je ne sais rien de votre relation, mais il semble y avoir entre vous une sorte de mélange amour/haine qui, à mon avis, pourrait être à l'origine d'un tel acte. Et puis, c'est le seul des suspects à avoir des connaissances scientifiques, donc qui soit capable de manipuler des produits chimiques complexes.

– *J'ai quand même beaucoup de mal à l'imaginer m'empoisonner...*

– Et vous, Gabriel, où en êtes-vous de l'enquête sur Samy ?

– *Mission accomplie.*

– Pardon ?

– *J'ai retrouvé votre Samy !*

Les pupilles de Lucy se dilatent, elle pile sec, et toutes les voitures derrière elle l'évitent de justesse, multipliant coups de klaxon et insultes.

Gabriel glisse alors à l'oreille de la médium l'adresse où elle pourra le retrouver.

54. ENCYCLOPÉDIE : LA RÈGLE DU MICROPÉNIS

La guerre opposant critiques et auteurs ne date pas d'hier. Voltaire, après avoir assisté à une représentation de *Hamlet* de Shakespeare, la décrivit comme « une pièce vulgaire et barbare, l'œuvre d'un ivrogne ».

À propos de *Madame Bovary*, le critique du *Figaro* écrivit : « M. Flaubert n'est même pas un écrivain. »

Quand Léon Tolstoï publia *Anna Karénine*, le critique du journal *Le Courrier d'Odessa* désespérait de trouver « une seule page contenant une idée ».

Le critique du *San Francisco Examiner* s'indigna à propos du *Livre de la jungle* : « Je suis désolé, monsieur Kipling, mais vous ne savez même pas parler anglais correctement. »

À propos des *Hauts de Hurlevent* d'Emily Brontë, le *North British Review* adressa à l'auteur le reproche suivant : « Ce sont les défauts des livres de votre sœur Charlotte multipliés par mille ; la seule consolation est qu'il ne sera pas beaucoup lu. »

À propos du *Journal* d'Anne Frank, un journaliste estima : « Cette fillette ne décrit aucune perception ni aucun sentiment particuliers qui pourraient susciter pour ce livre autre chose qu'une simple curiosité. »

En général, les écrivains victimes de tels jugements se donnent rarement la peine de réagir, mais Michael Crichton, connu pour avoir écrit entre autres *Jurassic Park*, fait exception. Son roman *État d'urgence* avait été

259

chroniqué par le journaliste Michael Crowley dans le journal *New Republic*. Dans son article, Crowley accusait l'ouvrage d'être de la propagande anti-intellectuelle menée par un ignorant. L'année suivante, Crichton fait paraître un nouveau livre, *Next*. Ce roman met en scène un pédophile pourvu d'un pénis particulièrement petit et portant le nom de Mick Crowley. Le personnage est décrit comme un journaliste vivant à Washington, de la même allure et du même âge que le critique. Seul le prénom a été légèrement modifié. Cette anecdote a permis d'établir la « règle du micropénis » : plutôt que de se lancer dans un procès en diffamation ou de demander un droit de réponse, un auteur qui se fait insulter dans un journal ou un média et qui, n'étant pas lui-même journaliste, n'a pas la possibilité de s'exprimer en retour pour se défendre, a le droit de créer dans un roman un personnage visant à dénoncer la vraie personnalité du critique. Chacun ses armes...

Edmond Wells,
Encyclopédie du Savoir Relatif et Absolu, tome XII.

55.

Enfin ils se retrouvent. Leurs paupières battent de plus en plus vite. Les palpitations de leurs cœurs s'accélèrent.

Samy tremble d'émotion.

Lucy tente de dépasser les multiples modifications de son visage et reconnaît son regard. Elle fond en larmes, et ils s'étreignent de toutes leurs forces.

— C'est toi ? demande-t-elle comme si elle n'osait y croire.

– Oh ! Mon amour !

Ils n'arrivent pas à parler et se contentent de pleurer. Puis Samy parvient enfin à articuler une phrase :

– Je suis si heureux de te retrouver, Lucy !

– Et… Et… Et moi donc ! bégaie-t-elle.

Il l'invite à entrer. Ils s'assoient sur le divan et Samy serre ses mains dans les siennes.

– J'ai tellement attendu ce moment !

– Je t'ai cherché partout. Je suis si heureuse de te retrouver !

– Merci, mon Dieu ! Enfin tu es là, devant moi. Tu n'as pas changé, Lucy !

Elle le fixe, hésite avant de poser la question qui lui brûle les lèvres :

– Pourquoi as-tu disparu, Samy ?

– Mon patron était un escroc. À de nombreuses reprises, il m'a demandé de faire des faux pour déjouer les contrôles, de mentir, de cacher de la drogue. Par peur de perdre mon emploi, j'ai toujours accepté de fermer les yeux. Le jour où je t'ai demandé ton aide, il m'avait averti que je risquais d'être perquisitionné et demandé exceptionnellement de mettre la valise ailleurs que chez moi. Quant à lui, il a paniqué et quitté la France. Un de mes collègues redoutait qu'il envoie des tueurs à gages se débarrasser de moi avant que je décide de témoigner contre lui. J'ai hésité à te prévenir mais j'ai eu peur d'être sur écoute et d'établir malgré moi une connexion avec toi. C'est pour cela que j'ai détruit mon téléphone portable et que je n'ai pas pu te contacter. Mais grâce à la vidéosurveillance, la police est parvenue à remonter ma piste et ils ont découvert que j'étais venu te voir. Voilà pourquoi ils ont perquisitionné chez toi. Oh mon amour, comme je regrette de t'avoir demandé ce service !

Tout à sa joie de le retrouver, Lucy serre son amant encore plus fort contre son cœur.

— Ensuite, je me suis réfugié en Suisse, à Genève, dans une clinique. Là, j'ai changé de nom, de visage, et je me suis fait faire un faux passeport.

Il lui caresse les cheveux d'un geste tendre et poursuit :

— Même mes sœurs n'étaient pas au courant. Quand tout s'est calmé, au bout d'un an, je suis rentré à Paris. J'ai immédiatement essayé de te téléphoner, mais ton numéro n'était plus attribué. J'ai appris que tu avais été incarcérée dans un centre pénitentiaire à Rennes et j'ai compris que je ne pourrais pas te joindre. J'ai été tenté de venir te rendre visite mais, la mafia ayant des sbires dans toutes les prisons, je me suis douté que, dès l'instant où je t'aurais recontactée, ils finiraient par découvrir qui j'étais et qui tu étais. Il faut me comprendre, Lucy ! J'avais si peur qu'ils te fassent du mal… Alors j'ai attendu, des mois, puis des années…

— Pourquoi n'es-tu pas venu me chercher à ma sortie ?

— Je suis venu, mais trop tard – tu étais déjà partie. Je me suis dit que le mieux était de ne plus risquer de te causer d'ennuis. Je t'avais fait déjà suffisamment de mal. Et je le regrettais tellement. Voilà la vérité, mon amour. Je t'aime, Lucy. Je n'ai jamais cessé de t'aimer. Tu ne peux pas savoir comme j'ai rêvé de cet instant. Mes sœurs vont être aux anges. Maintenant que tu es là, tout va pouvoir recommencer comme avant.

La médium entend des bruits dans l'escalier.

— Ah ! Justement, les voilà !

En reconnaissant l'ancienne compagne de leur frère, les quatre femmes poussent des cris de joie. Elles la serrent dans leurs bras et l'embrassent à tour de rôle.

— Tu nous as tant manqué, Lucy. Quel bonheur de te retrouver, petite sœur !

– Tu n'as pas changé, ma beauté !

– Tu es encore plus ravissante.

Samy intervient :

– Crois-moi, malgré cette parenthèse de neuf ans, je suis resté exactement le même. Nous allons pouvoir reprendre nos projets de mariage et d'enfants. Allez, mes sœurs, préparons un grand dîner pour fêter ça !

– Oh oui ! On va faire honneur à Lucy ! Mets-toi à l'aise, on s'occupe de tout, dit la plus jeune.

Ils disparaissent tous dans la cuisine, où ils s'activent pour préparer un bon repas.

Lucy perçoit alors la présence de Gabriel.

– Je sais ce que vous vous dites, mais vous vous trompez, chuchote-t-elle.

– *Je ne pense rien. Je vous écoute et je vous observe, c'est tout.*

– Vous ne pouvez pas comprendre ce que c'est que l'amour avec un grand A, Gabriel. C'est une force magique qui transcende tout. Maintenant je vous demande de me laisser profiter de ces instants que j'ai tant attendus, sans que vous veniez les perturber avec vos ondes pleines de…

– *Pleines de quoi ?*

– … de doutes.

Samy revient auprès de Lucy.

– Tu me parlais, ma chérie ?

– Non, je parlais toute seule. Je me disais que j'avais tant attendu cet instant que je voulais profiter de chaque seconde.

– Alors viens, nous n'avons plus une minute à perdre.

Ils dînent, ils chantent, ils boivent, ils rient. Puis les deux amoureux vont dans la chambre et se déshabillent avec des gestes maladroits et passionnés.

Lucy prend un instant pour allumer des bougies et mettre une musique douce. C'est un air du groupe australien Dead Can Dance qui a pour spécialité d'adapter les chants funéraires en morceaux de rock. La voix profonde de la chanteuse Lisa Gerrard s'élève sur l'air de « Sanvean ».

Lucy vient se blottir contre son partenaire. Après s'être longuement caressés puis embrassés, ils font l'amour.

– *Comme ils sont beaux !* déclare Ignace, attendri, qui flotte au-dessus d'eux.

– *Dire que tu m'as traité de voyeur la première fois que tu m'as rejoint…*

– *À mon époque, on ne faisait pas autant de préliminaires, et la plupart des femmes n'envisageaient même pas de demander à l'homme de se retenir jusqu'à ce qu'elles aient un orgasme.*

– *Les gens savaient malgré tout s'aimer.*

– *Oui, mais ils s'aimaient moins bien que maintenant. C'est peut-être aussi ce qui explique pourquoi c'était si compliqué avec Magda : je ne la faisais pas jouir et elle n'osait probablement pas me le dire. Mais moi non plus je n'étais pas satisfait. Nous faisions toujours l'amour face à face, dans le noir complet, et elle gardait sa chemise de nuit. Tout ce qui pouvait ressembler à un peu de fantaisie était pour elle des perversions.*

– *Cela ne vous a pas empêchés de donner naissance à mon père et à ma tante…*

– *Quand même, j'aurais bien aimé m'y prendre comme ces deux-là. Ça a l'air bien, l'amour avec un grand A.*

Lucy pousse un hurlement de plaisir.

– *Et voilà. On ne peut qu'admirer l'artiste !*

Il mime un applaudissement.

– *Papi, cela fait neuf ans que Lucy attend cela, elle lui est restée fidèle, c'est une libération pour elle.*

Les deux amoureux poursuivent leur étreinte.

– *Quand même, quelle énergie !* doit bien reconnaître Gabriel.

– *Cela me rappelle une blague. Un professeur d'université lance un petit sondage ; s'adressant à l'amphithéâtre rempli d'étudiants, il demande :* « *Combien d'entre vous font l'amour tous les jours ?* » *Sur la centaine d'étudiants présents, seulement une vingtaine lèvent la main. Le professeur poursuit :* « *Combien font l'amour deux fois par semaine ?* » *Là, une trentaine lèvent la main.* « *Combien une fois par semaine ?* » *La moitié de l'amphithéâtre réagit.* « *Combien une fois tous les quinze jours ?* » *De nouveau, quelques bras se lèvent.* « *Tous les mois ?* » « *Tous les deux mois ?* » « *Tous les trois mois ?* » *Et pour finir :* « *Combien font l'amour une seule fois par an ?* » *Là, un type se désigne.* « *Vous faites vraiment l'amour une seule fois par an ? Pourtant vous avez l'air très joyeux, comment est-ce possible ?* » *Alors l'étudiant répond :* « *Parce que c'est précisément ce soir.* »

Gabriel lâche un petit rire mais ne peut détourner les yeux des amoureux, qui sont entourés d'une sorte de halo doré.

– *Tu as vu leur aura ? Ce serait donc ça, l'*« *Amour avec un grand A* » *?*

– *En fait, l'amour est une forme de spiritualité à part entière,* songe tout haut Ignace.

– *Il faut respecter leur intimité,* le coupe Gabriel.

– *C'est toi qui me dis ça ?*

– *Oui, viens, montons sur le toit et attendons qu'ils aient fini.*

Ils traversent le plafond, s'assoient sur les tuiles près de la cheminée.

– *On parlait de quoi déjà ?*

Lucy émet un nouveau hurlement et soudain son âme fait irruption à travers le toit.

Elle ne reste qu'une dizaine de secondes, puis redescend aussi vite qu'elle était apparue, comme si elle était reliée à son corps par un élastique.

— *Je ne savais pas que l'orgasme pouvait provoquer des sorties fugaces de corps !* s'émerveille Gabriel.

Lorsque les bruits cessent enfin, Gabriel et Ignace retournent dans la maison. Samy ronfle tandis que Lucy se fait couler un bain moussant. Elle s'y immerge et ferme les yeux.

— Je sais que vous êtes là, signale-t-elle en étalant la mousse pour dissimuler son corps nu. J'espère que vous ne m'avez pas observée durant nos ébats sous la couette…

— *Lucy, je voudrais vous présenter mon grand-père, Ignace.*

— Enchantée, Ignace !

— *Moi de même !* répond ce dernier. *Vous voir si heureuse m'a donné envie de renaître dans la chair pour retrouver cette sensation si particulière…*

La jeune femme garde les yeux clos et dit, amusée :

— Vous voulez renaître, Ignace ?

— *Trouvez-moi une bonne affaire et j'abandonnerai mon statut d'âme errante !*

— Il va falloir être plus précis. Vous voulez renaître dans quel genre de fœtus ?

— *Tout ce que j'ai vécu récemment, ainsi que le fait de tout raconter à Gabriel, m'a permis de faire le point sur ma vie précédente. Je crois que j'ai peur des femmes, je crois que je n'ai jamais vraiment parlé avec une femme, je crois que je n'ai jamais compris une femme… J'aimerais remédier à cela.*

Lucy se mouille les cheveux.

— *À mon époque*, poursuit Ignace, *la libération sexuelle n'existait pas, il fallait se marier pour faire l'amour, et nous étions tellement inexpérimentés ! On avait inventé le mot « pudeur » pour justifier le silence sur ce sujet jugé tabou. Si on voulait en savoir un peu plus, il fallait aller voir des prostituées, ce que je n'ai jamais pu me résoudre à faire.*

– Vous aviez trop de principes, ironise Lucy en appliquant du shampooing sur sa chevelure.

– *Le mode de communication préféré de ma compagne, c'était les reproches. Et, vers la fin, nous ne faisions plus du tout l'amour ; mon seul plaisir était de boire du bon vin. Je crois que j'ai raté quelque chose de très important dans la vie : la sexualité.*

Lucy se masse le cuir chevelu.

– *Où veux-tu en venir, papi ?* questionne Gabriel.

– *Je veux évoluer dans ce domaine.*

– *Tu veux renaître en femme ?*

– *Je veux renaître en… acteur de film porno.*

La déclaration fait pouffer de rire Lucy qui, par inadvertance, se met du shampooing dans l'œil et pousse un petit cri.

Cela réveille Samy qui s'approche de la porte close de la salle de bains.

– Ça va, chérie ?

– Oui, je riais encore du plaisir que tu m'as procuré !

Elle se rince l'œil. Revenant à ses interlocuteurs de l'au-delà, elle murmure :

– Je vais appeler Dracon pour qu'il demande à la Hiérarchie ce qu'il y a comme fœtus disponibles actuellement.

Elle reste encore quelques longues minutes dans son bain, les yeux fermés. Ses cornées bougent sous ses paupières comme si elle rêvait, puis enfin elle annonce :

– J'ai peut-être quelque chose qui pourrait vous convenir, Ignace. Le père du fœtus auquel je pense est dans la fabrication de lingerie à Pigalle. Il a sa propre ligne, qui privilégie les matières comme le cuir, les chaînes, le latex. Il a épousé une strip-teaseuse et ils fréquentent des clubs échangistes.

– *N'est-ce pas un peu too much ?* s'inquiète Gabriel.

– Il faudrait savoir ce que vous voulez !

– Bon, OK.

– La femme va bientôt accoucher d'un petit garçon qui, normalement, devrait baigner dans une ambiance familiale très libérée sexuellement. Vous voulez mettre votre esprit dans ce fœtus, oui ou non ?

– Eh bien, c'est-à-dire que…

– Il faut vous décider. C'est fatigant ces gens qui, quand on leur offre ce qu'ils demandent, changent tout à coup d'avis.

– Très bien, j'accepte.

– Dans ce cas, Ignace, je fais tout de suite la réservation. Le fœtus va s'appeler Maximilien.

– Et pour l'enquête ? Tu me laisses tomber, papi ? demande Gabriel avec inquiétude.

– Je sens que l'intuition de Lucy sur Thomas est la bonne et j'aime autant éviter d'assister à cet instant délicat où j'apprendrai qu'un de mes descendants a tué l'autre.

– Mais il faut bien essayer d'en avoir la preuve !

– Désolé, dit Ignace, *l'envie de me réincarner pour faire l'amour avec une multitude de partenaires est bien plus forte que celle de résoudre l'énigme de ta mort. Je t'adore, Gabriel, mais je n'ai plus la patience d'enquêter avec toi. Je veux renaître, faire l'amour avec fantaisie et découvrir plein de trucs salaces. Ma génération a été sacrifiée dans ce domaine, c'est une immense injustice.*

– Et tu renonces donc à savoir la vérité sur ma mort ?

– La vérité, finalement, n'est qu'un point de vue.

– J'ai été assassiné, ce n'est pas seulement un point de vue ! C'est un fait !

Ignace ne se départ pas de son flegme ectoplasmique :

– Je ne conteste pas que tu as été assassiné, je signale seulement qu'on associe la pratique même de l'assassinat à quelque chose de négatif, alors que, si on réfléchit bien, ça ne consiste qu'à transfor-

mer un corps vivant en un corps mort. L'assassin est, somme toute, celui qui libère l'esprit.

— *Certes, mais...*

— *Personnellement, j'aurais rêvé d'être assassiné, mais personne ne s'est donné cette peine et je le regrette, crois-moi !*

— *Mais enfin, papi, tu ne peux pas me...*

— *Arrête de m'interrompre, Gabriel. Tu n'es décidément qu'un égoïste. Il n'y a pas que toi qui comptes. Pour ma part, je viens d'avoir une révélation : l'amour est plus intéressant que la vérité.*

Alors qu'apparaît une étoile qui clignote avec un peu plus d'intensité que les autres, Ignace se tourne vers la lueur et, avec un dernier salut de la main, déclare :

— *En avant pour de nouvelles aventures !*

— *Papi... tu me disais qu'il y a pire que mourir : être oublié. Sache que je ne t'oublierai jamais. Amuse-toi bien !*

Alors Ignace s'envole et disparaît dans la lumière.

Gabriel lâche un soupir désabusé qui n'expulse aucun air.

— *Et vous, Lucy ? Vous en êtes où ?*

— Ces retrouvailles ont changé la donne. J'arrête d'être médium. J'arrête l'enquête sur votre mort. Je n'ai plus qu'un seul objectif : avoir un enfant avec Samy.

— *Vous me laissez tomber tous les deux ? Je ne saurai donc jamais qui est mon assassin ?*

— Nous vous avons beaucoup aidé, maintenant vous devez continuer seul. De toute façon, nous sommes tous toujours seuls, même si parfois on a l'impression de fusionner avec quelqu'un. Mais ces instants, aussi illusoires soient-ils, méritent d'être vécus pleinement. J'ai assez souffert, je veux profiter de mon grand amour retrouvé.

Elle se lève prestement et s'enveloppe dans un peignoir.

– Maintenant, je vous demanderai de me laisser vivre tranquillement ce bonheur.

– *Et vos chats ?*

– Ils risquent de me refiler la toxoplasmose. En tant que future femme enceinte, je ne veux pas prendre ce risque.

– *Vous allez réellement abandonner vos chats ?*

– L'amour pour un humain est plus fort que l'amour pour un animal. Je vais les donner à une amie qui dispose d'un grand jardin et qui a déjà plusieurs chats.

Gabriel Wells ne sait plus quel argument avancer. Quand il voit qu'elle ouvre la porte et se dirige vers Samy, il comprend qu'il n'a plus sa place à côté d'elle. Alors il monte, traverse le toit et s'envole dans la nuit.

« Il ne me reste plus qu'à reprendre l'enquête tout seul, depuis l'au-delà. Je vais revoir un par un les principaux suspects, je vais les sonder à ma manière, et je découvrirai enfin qui m'a tué. »

56. ENCYLOPÉDIE : ALLAN KARDEC

Allan Kardec, de son vrai nom Hippolyte Léon Denizard Rivail, est le fondateur du mouvement spirite en France.

Né à Lyon en 1804, il est initié aux tables tournantes en mai 1855 dans la mouvance lancée par les trois sœurs américaines Fox. C'est pour lui une révélation. Il décide de prendre le nom d'Allan Kardec, nom du druide qu'il est convaincu d'avoir été dans une vie antérieure.

Même s'il n'est pas lui-même médium, il en fréquente beaucoup et compile leurs témoignages dans un ouvrage intitulé *Le Livre des esprits*, publié en 1857, qui devient rapidement un best-seller.

Il crée aussi un journal, *La Revue spirite*, dans lequel il développe sa thèse selon laquelle le corps n'est qu'un vêtement de l'esprit, les médiums permettant d'après lui aux morts de communiquer avec les vivants.

Ses écrits séduisent quelques célébrités de l'époque comme Victor Hugo, Théophile Gautier, Camille Flammarion ou Arthur Conan Doyle, qui le suivent dans ses séances de tables tournantes.

Il meurt d'une rupture d'anévrisme en 1869, laissant inachevé un ouvrage dont le titre provisoire était *Prévisions concernant le spiritisme*.

Au-dessus de sa tombe en forme de dolmen est gravée sa devise : « Naître, mourir, renaître encore et progresser sans cesse, telle est la loi. » C'est l'une des tombes les plus visitées et les plus fleuries du Père-Lachaise.

Il est l'auteur français le plus lu au Brésil, pays dont toutes les villes possèdent une avenue Allan-Kardec. Six millions de Brésiliens sont aujourd'hui membres de son mouvement spirite.

Edmond Wells,
Encyclopédie du Savoir Relatif et Absolu, tome XII.

57.

— Le suspense a assez duré. Nous allons maintenant vous révéler ce que vous attendez tous.

Le public et les journalistes se taisent.

— Eh bien, le lauréat de cette nouvelle édition du prix Alain Rotte-Vrillet est…

Le présentateur laisse passer un moment avant d'annoncer :

– ... Jean Moisi ! Pour son dernier roman, *Nombril*.

L'écrivain s'approche de l'estrade sous les applaudissements de la petite foule réunie dans ce grand restaurant de Saint-Germain-des-Prés.

– Avouons-le : pour tous les jurés, que ce soit votre ouvrage qu'il fallait couronner était une évidence, et nous avons pris cette décision à l'unanimité, sans même qu'il y ait de réel débat. Voici notre humble récompense pour saluer votre précieux travail : un chèque de 20 000 euros qui vous permettra, je l'espère, d'écrire une suite à *Nombril*.

Jean Moisi reçoit le chèque géant en carton et remercie chaleureusement le présentateur. Il prend ensuite la parole :

– Je ne m'attendais pas à recevoir ce prix et lorsqu'on a dit mon nom, j'ai cru à une erreur.

Quelques rires fusent dans la salle.

– 1500 pages d'un texte essentiellement fondé sur le souvenir des moments difficiles de ma propre enfance, ce n'est pas forcément « grand public ». Je crois que mon livre est une sorte de grande claque nécessaire pour réveiller les foules endormies. Dans ce nouvel opus, je parle de mon dégoût pour mon propre père, qui m'a fait tant de mal. Ce n'est pas le premier roman où je le dénonce, mais cela me semble vital que tous les jeunes sachent qu'on peut honnir ses propres parents. Il faut libérer la parole sur ce sujet tabou.

Plusieurs personnes approuvent et toute la salle applaudit. Jean Moisi attend que le silence se fasse pour reprendre :

– J'ai milité jadis dans des groupuscules où l'on croyait qu'on allait changer le monde par la violence. Maintenant je le sais, on peut être beaucoup plus efficace par la culture.

La salle lui fait un triomphe, tandis que les photographes

bombardent de leurs flashs l'heureux lauréat qui brandit son chèque comme un trophée.

Le présentateur, considérant que Moisi a terminé son discours de remerciement, propose aux journalistes de poser des questions. Il désigne une jeune femme qui lève la main.

– Alain Rotte-Vrillet racontait dans son dernier ouvrage, *Donjon*, l'histoire d'une jeune fille mineure torturée dans un château par un vieux pervers. Est-ce que ces sujets sadomasochistes à tendance pédophile sont en phase avec votre vision de la littérature ?

– En tant que provocateur assumé, j'aime la provocation, et Rotte-Vrillet était lui aussi un maître dans cet art. Une autre question ?

– On dit que vous et vos amis mettez le système littéraire germanopratin en coupe réglée en influant sur tous les supports médiatiques et sur les éditeurs.

– Mes amis et moi nous battons pour que la littérature pour adolescents ne devienne pas la littérature de référence des adultes.

Quelques rires approbateurs se font jour.

– Mais ne croyez-vous pas qu'il faut laisser le public choisir ? demande une journaliste.

– La triste réalité est la suivante : les lecteurs sont bien souvent un peu stupides. Si on les laisse choisir librement, ils se tournent le plus souvent vers la facilité. D'où le succès des auteurs les plus minables, comme Wells. C'est pour les aider qu'il faut empêcher une trop grande diversité littéraire, afin qu'ils n'aient le choix qu'entre du bon et du bon. Heureusement que nous, les critiques, sommes là. Nous créons le goût, nous créons l'opinion. C'est nous qui décidons ce que doit être la littérature du futur.

273

– Soit une copie de la littérature du passé ? ironise la journaliste.

– Il faudrait interdire tout ce qui est faux ou issu des délires des auteurs pour ne privilégier que la vérité vraie renvoyant à des problématiques sociologiques, politiques ou psychologiques.

– Mais l'imagination alors ?

– L'imagination, on s'en fiche. Le lecteur éduqué doit exiger l'authentique. *Nombril*, c'est du vécu, du réel, du tangible. Je ne parle que de ce que je connais : mon père, les femmes que j'ai rencontrées, les soirées auxquelles j'ai été convié, mes amis.

Jean Moisi descend de l'estrade sous les applaudissements, signe des autographes, serre des mains, embrasse des joues puis se dirige vers les toilettes.

Il se place face à un lavabo, s'observe dans la glace, se sourit et ne voit pas, debout juste derrière lui, le fantôme de Gabriel Wells.

Le critique dispose sur un miroir de poche trois lignes de poudre blanche dont il fait des petits tas avec une lame de rasoir. Il sort ensuite un tube doré qu'il utilise pour en inspirer un rail.

Gabriel l'examine. Lorsque Moisi intègre les cristaux de cocaïne dans son sang, son aura se gonfle comme un ballon et devient plus fine. Sa couleur se modifie aussi, passant du jaune au vert.

L'heureux lauréat se sent submergé par un sentiment de toute-puissance. Il s'observe avec admiration dans le miroir, puis replonge pour sniffer le deuxième rail.

Gabriel se souvient d'avoir lu que c'étaient les chimistes nazis qui avaient mis au point la formule du raffinement de la feuille de coca pour en faire de la cocaïne afin de rendre les soldats allemands plus féroces. Ces mêmes chimistes avaient aussi inventé l'héroïne pour redonner le moral aux soldats blessés. Moisi inspire la troisième ligne de cocaïne.

Or, à force de s'élargir et de s'étirer, son aura finit par se déchirer par endroits. Elle n'est plus protégée. Gabriel n'a dès lors aucune difficulté à enfoncer son doigt dans le crâne de son ennemi et ainsi entrer en contact direct avec son esprit :

– *Est-ce que tu as tué Gabriel Wells ?*

Le critique sursaute.

– Qui me parle !?

– *C'est moi, Alain Rotte-Vrillet. Si c'est le cas, tu as bien fait, moi aussi je déteste cet auteur. Tu peux tout me dire. Je serais si fier de toi si tu avais eu ce courage.*

– J'aurais bien aimé le faire. Je l'ai toujours détesté.

– *Donc tu ne l'as pas fait ?*

Moisi cherche d'où vient cette voix dans sa tête. Estimant que cela doit être un délire produit par les cristaux, il boit au robinet comme s'il espérait se laver le sang. Il s'asperge le visage.

Gabriel veut continuer à l'interroger, mais une voix résonne au-dessus de lui.

– *Arrêtez !*

Il se retourne et reconnaît celui qui lui parle.

– *Arrêtez tout de suite de vous faire passer pour moi !*

C'est le vrai Alain Rotte-Vrillet dans son uniforme de membre de l'Académie française, avec son habit et son épée dont le pommeau représente des corps nus de femmes entrelacés. Gabriel franchit le plafond mais l'autre le poursuit au-dessus du toit.

– *Comment osez-vous parler en mon nom le jour de la remise de mon prix ? Je ne laisserai jamais l'un de mes lauréats se faire manipuler par une âme errante ! Moisi n'a peut-être pas détruit votre enveloppe charnelle, mais moi je vais vous détruire ici et maintenant.*

Il dégaine son épée d'académicien. Gabriel Wells hausse les épaules :

– *Vous ne pouvez pas me faire de mal, je suis un pur esprit.*

– *Tu crois ça, petit écrivaillon ? Souviens-toi, quand tu étais enfant, tes plus grandes douleurs, tes plus grandes frayeurs ont-elles été causées par des blessures physiques ou psychiques ?*

L'académicien, dans un grand geste de sa cape verte, fait apparaître un personnage avec un large chapeau noir, des lunettes noires et une barbe noire qui tient un paquet ouvert.

– *Tu veux un bonbon, petit ? Vas-y, goûte mes bonbons !*

Surpris, Gabriel a un mouvement de recul.

– *Mon métier d'écrivain m'a permis de développer un sens aigu de la psychologie*, dit Rotte-Vrillet. *J'ai par exemple le don de sentir, quand je vois un adulte, ce qui lui faisait peur quand il était jeune. Et je sens que toi, tu avais peur de te faire kidnapper ! Regarde qui est avec nous. Tu reconnais ce monsieur avec son grand manteau, ses lunettes de soleil et son chapeau noir ? C'est le croque-mitaine !*

– *Allez, prends un bonbon mon petit, tu vas voir, ils sont délicieux !* insiste le personnage.

– *NON, JE NE VEUX PAS DE VOS BONBONS !* hurle Gabriel.

Le croque-mitaine s'avance.

– *Allez, prends un bonbon, je te promets qu'ils ne sont pas empoisonnés. En tout cas, ils ne tuent pas. Tout au plus ils te feront dormir. Et après, tu feras de jolis rêves. Tranquille. Dans ma cave. Avec tous les autres enfants que j'ai déjà attrapés.*

– *Non !*

Gabriel tremble. Rotte-Vrillet triomphe.

– *Voilà un adversaire à ta hauteur.*

Le croque-mitaine ne cesse de se rapprocher.

Gabriel comprend que, comme son corps prend l'apparence

correspondant à l'idée qu'il s'en fait, il est en train de redevenir un petit garçon. Il regarde ses mains potelées d'enfant, ses vêtements qui indiquent qu'il a tout au plus six ans.

– *Le croque-mitaine fait souffrir ton esprit, hein ? Pourtant, tu sais qu'il ne peut pas vraiment te nuire. Seule ton imagination est responsable de cette torture. Or, comme tu es un auteur plein d'imagination, tu souffres beaucoup plus que les autres.*

– *FAITES-LE PARTIR !* crie Gabriel.

– *En fait, ça a toujours été lui qui te faisait peur, le croque-mitaine kidnappeur. C'est pour cela que tu as écrit des articles à charge sur les réseaux pédophiles belges, et puis contre tous ceux qui aimaient les fêtes libertines un peu corsées. Quel intérêt y a-t-il à s'amuser si c'est autorisé ? Être puissant, c'est précisément oser faire ce qui est interdit. Tous les hommes de pouvoir font ce qui est interdit. C'est pour cela qu'ils se battent. Ce n'est pas pour l'argent, ni par désir de puissance, mais pour les orgies réprouvées par la morale.*

– *Faites-le partir !*

– *Dans mes livres, je n'ai fait que révéler cette vérité. La motivation des politiciens et des journalistes, ce sont ces petites fêtes très spéciales. Celles auxquels le* vulgum pecus *n'a pas accès. Et toi qui voulais… les dénoncer !!!*

Il éclate de rire alors que Gabriel ne cesse de rajeunir et que le croque-mitaine lui tend des bonbons.

– *Le directeur du comité de surveillance morale ou l'animateur de télé ? C'étaient mes amis. Pur hasard. Comme Moisi. Et toi, quelles sont tes perversions, Wells ? Sabrina ? Es-tu sûr que ce genre de sexualité conventionnelle te suffit ? Tu n'as pas au fond de ta tête, toi aussi, des fantasmes inavouables ? À quoi penses-tu durant l'amour ?*

Rotte-Vrillet ricane et le croque-mitaine continue de répéter :

– *Allez, prends un bonbon, cela te fera du bien. Tout ira mieux avec un petit bonbon !*

Gabriel n'arrive plus à réfléchir ni à parler. Cette peur enfantine dépasse sa raison.

Il se sent de plus en plus petit, de plus en plus fragile.

C'est alors qu'un mot enfantin s'échappe de sa bouche :

– *Au secours, papi !*

58.

Ignace Wells vole dans la lumière. Il est attiré au centre de la galaxie où se trouve le vortex qui aspire les âmes. Autour de lui, de plus en plus d'esprits virevoltent.

Il s'adresse à une vieille dame :

– *Vous allez être réincarnée en quoi ?*

– *Je compte me réincarner en chien. J'en ai marre de la vie de femme ; mon chien, lui, avait l'air heureux. Jouer toute la journée avec des enfants à rapporter une balle et enterrer des os doit être bien agréable.*

– *Moi, je vais me réincarner en président de la République*, dit un homme au-dessus d'eux. *Et vous ?*

– *Moi, on m'a réservé une place d'acteur porno. Dans ma vie précédente, j'avais une vie sexuelle désastreuse, je veux me rattraper.*

– *Faites attention, il y a forcément aussi des inconvénients*, dit la vieille dame qui veut se réincarner en chien.

Ils franchissent ensemble les membranes qui séparent les sept ciels. Sept couleurs, sept expériences. Puis ils se retrouvent dans un décor blanc au centre duquel se trouve la longue file des morts qui attendent leur jugement. Des anges volettent au-dessus d'eux.

Ignace en interpelle un et signale qu'un fœtus l'attend et que ce serait donc bien qu'il soit jugé rapidement pour éviter de rater son incarnation.

L'ange consent à ce qu'il passe devant et Ignace se retrouve face à ses trois juges.

— *Tout a déjà été prévu, je dois me réincarner dans une famille qui attend ma naissance à Paris. À Pigalle, pour être précis.*

— *Hum*, dit l'un des archanges, *vos points vous autorisent à avoir ce fœtus, et je sais que vous vous êtes arrangé avec une médium aux accès privilégiés... Toutefois, nous sommes un service administratif parallèle et si nous exauçons votre vœu, nous sommes obligés de vous donner un handicap en contrepartie.*

— *Mais ce n'était pas prévu, ça ! On ne m'a pas averti ! Quel genre de handicap ?*

— *Vous avez le choix. Soit une maladie grave, soit un accident grave, soit un syndrome.*

— *Un quoi ?*

— *Un syndrome. C'est... comment dire, un handicap psychologique un peu invalidant mais pas au point de vous rendre malheureux.*

— *Et je pourrai quand même être acteur porno ?*

— *Bien sûr, mais avec un syndrome.*

Ignace Wells commence à paniquer.

— *C'est quoi ces embrouilles ? Ça sent l'arnaque.*

— *Mais non, mais non, monsieur Wells. Vous êtes juste traité en fonction des points que vous avez accumulés dans votre vie précédente. Tous les esprits sont traités équitablement. C'est juste que pour pouvoir exercer le métier que vous avez demandé, il y a une contrepartie.*

Il fait un effort d'imagination.

— *C'est quoi vos syndromes, avoir mauvaise haleine ? Avoir un tout petit sexe ? Bégayer ? Être insomniaque ? Chauve ? Borgne ? Je*

279

ne veux pas de cancer, pas de sclérose en plaques ni de psoriasis ou d'eczéma. Les mains moites ? Non, je me doute que ça ne suffit pas. Attendez, laissez-moi deviner… Avoir un tic ? Boiter ? Être malchanceux ?

– Non, un syndrome, ce n'est pas exactement ça. C'est plus psychologique. Une sorte de petit « bug » qui fait que vous ne pouvez pas vous empêcher de faire des choses étranges. Donc, si vous êtes d'accord, vous naîtrez bien dans cette famille à Pigalle, vous aurez tous les atouts pour pratiquer le métier qui semble tant vous attirer. Mais vous aurez aussi le syndrome de votre choix…

Un autre archange affiche un air narquois.

– Nous avons récupéré une liste de syndromes à votre intention. Elle émane de quelqu'un de votre famille, Edmond Wells. Nous l'avons trouvée dans sa fameuse Encyclopédie du Savoir Relatif et Absolu. *Vous n'aurez qu'à choisir dans cette liste le syndrome que vous vous sentez le plus apte à supporter et qui sera compatible avec votre futur métier. Allons, ne traînez pas trop, le fœtus va bientôt arriver à maturité.*

59. ENCYCLOPÉDIE : LES SYNDROMES LES PLUS ÉTRANGES

L'esprit joue parfois des tours à son propriétaire. Il existe plusieurs fixations mentales étranges, qu'on appelle en psychiatrie « syndromes ». En voici quelques-uns parmi les plus originaux :

– Syndrome de Cotard : les personnes qui en sont atteintes pensent qu'elles sont déjà mortes, mais que leur entourage ne s'en est pas aperçu. Elles sont affligées qu'on continue de les traiter comme si elles étaient encore vivantes.

– **Syndrome de Noé** : cette maladie mentale implique d'avoir chez soi plus de huit animaux de compagnie et touche en particulier les femmes de plus de 60 ans. En 2011, on a ainsi découvert qu'une femme à Rochefort, en France, abritait plus de 200 animaux dans son studio : 17 chats, des écureuils, des tortues, des hamsters, des lapins, des pigeons, des poissons exotiques...

– **Syndrome de Targowla** : le sujet qui souffre de cette pathologie est atteint d'hypermnésie aiguë. Il se souvient de tout ce qu'il a vu et de tout ce qu'il a vécu dans les moindres détails, sans qu'il puisse oublier quoi que ce soit. Cette maladie a notamment frappé les rescapés des camps nazis. Certains hypermnésiques peuvent par exemple, après avoir observé une ville depuis un hélicoptère, en reproduire toutes les rues.

– **Syndrome de Capgras** : il est décrit en 1923 par le psychiatre français Joseph Capgras. Le malade a l'impression que tous ses proches, parents, amis ou connaissances ont été remplacés par des sosies qui ont usurpé leur identité pour le duper.

– **Syndrome de Fregoli** : les malades qui en sont atteints pensent que tous les gens qu'ils rencontrent ne sont qu'une seule et même personne qui se déguise pour se moquer d'eux, à la manière du transformiste italien Leopoldo Fregoli, célèbre pour sa capacité à changer très vite de vêtements.

– **Syndrome de Gilles de La Tourette** : c'est un trouble du cerveau qui entraîne des tics, des raclements de gorge, des reniflements, mais surtout l'émission incontrôlée d'insultes et de mots grossiers ponctuant chaque parole prononcée.

– **Syndrome d'insensibilité à la douleur** : ceux qui souffrent de cette maladie héréditaire ne vivent en général pas longtemps, car la douleur est le système d'alerte qui permet la survie.

– Syndrome de la main autonome : cette maladie peut apparaître lors d'une lésion du corps calleux qui relie les deux hémisphères cérébraux. L'une des mains peut alors prendre des initiatives indépendamment de l'autre. Ainsi, une main enlève de la bouche du malade la cigarette que l'autre main vient juste de déposer ; ou alors, contre la volonté de son propriétaire, la main se met à déboutonner ses vêtements, voire à lui donner des gifles…

– Syndrome Truman Show, qui tire son nom du film éponyme : la personne touchée pense que toute sa vie n'est qu'un spectacle mis en scène à la manière d'une émission de téléréalité et que des millions de spectateurs épient ses moindres faits et gestes devant leur écran.

– Syndrome de Stendhal : il provoque une accélération cardiaque, des bouffées de chaleur, des rougeurs, des vertiges, voire un évanouissement lorsque la victime est exposée à une œuvre d'art dont la beauté correspond à l'image qu'elle se fait de la perfection.

Edmond Wells,
Encyclopédie du Savoir Relatif et Absolu, tome XII.

60.

– *Papi, papi, au secours ! Reviens ! J'ai vraiment besoin de toi !*
Le croque-mitaine est maintenant à quelques dizaines de centimètres de lui.

– *Mange donc un de mes délicieux bonbons! Allez, ouvre la bouche et ferme les yeux.*

Gabriel ne peut plus résister. L'injonction l'hypnotise, il clôt les paupières et desserre les mâchoires.

Soudain, un rugissement rauque résonne derrière lui. Il se retourne et aperçoit un énorme chien, semblable à un lion.

L'homme au chapeau et aux lunettes noires s'arrête, inquiet. Le chien colossal lui agrippe la main pour le forcer à lâcher son sac de bonbons. L'homme hurle et disparaît finalement dans un nuage opaque.

Le chien revient vers son maître, un homme de haute stature à la moustache épaisse.

– *Rotte-Vrillet, vous devriez avoir honte de toujours vous atta- quer aux enfants! Vous abusez de votre ancienneté d'âme errante en terrorisant les nouveaux!*

– *Je reviendrai avec des renforts et vous ferez moins les fiers, tous les deux. Votre chien des Baskerville ne vous protégera pas la prochaine fois!*

Rotte-Vrillet s'est déjà envolé quand le sauveur s'approche de Gabriel, qui redevient progressivement adulte. Il grandit, ses poils poussent, sa peau se ride, et il retrouve avec soulagement son aspect de quadragénaire.

– *Les peurs d'enfance… C'est une manière facile d'attaquer l'esprit des autres; c'est minable, surtout de la part d'un collègue écrivain.*

– *Vous êtes…*

– *Ah? Vous m'avez reconnu? Je suis Arthur Conan Doyle.*

Gabriel n'en croit pas ses yeux.

– *Eh oui, c'est un des grands avantages du fait d'être mort : on peut se retrouver entre écrivains.*

– *Je vous dois…*

— *Pensez-vous, rien du tout,* l'interrompt le père de Sherlock Holmes.

— *Si. Je vous dois beaucoup et depuis longtemps, maître.*

— *Pas de ça entre nous. Nous ne sommes que des artisans. Des horlogers. Nous prenons des petits bouts d'intrigues pour en construire une longue.*

Gabriel se rend compte que les esprits ne connaissent pas la barrière de la langue. L'anglais et le français ont disparu, on peut communiquer avec n'importe qui très facilement.

— *Je vous admire tant! Ce n'est pas de l'artisanat; Sherlock Holmes, c'est la création d'un chef-d'œuvre intemporel.*

L'autre grimace :

— *Bon sang! Quand ce personnage arrêtera-t-il de me hanter? Quelle horreur d'avoir créé un être fictif plus connu que soi-même...*

— *Excusez-moi.*

— *Je vous taquine! Holmes m'énerve, mais c'est mon héros, alors il faut bien que je fasse avec. C'est un peu comme votre Le Cygne.*

Gabriel n'en revient pas :

— *Vous m'avez donc vraiment lu?*

— *Bien sûr. Quoiqu'il me semble plus juste de dire qu'entre auteurs on ne se lit pas, on se surveille. Et d'ailleurs, qu'avez-vous lu de moi précisément, monsieur Wells?*

Quand deux écrivains se rencontrent, ils redoutent cette question. Gabriel a l'impression de passer l'oral du bac français.

— *J'ai lu tout le cycle des aventures du professeur Challenger :* Le Monde perdu, Au pays des brumes, Quand la terre hurla, La Machine à désintégrer.

— *Vous connaissez mes textes sur Napoléon?*

— *Bien sûr :* La Grande Ombre, L'Oncle Bernac. *D'ailleurs, à propos de Napoléon, si cela vous intéresse, j'ai récemment appris que...*

– *Et lesquels de mes romans classiques connaissez-vous ?*

– *Euh...* Le Mystère Cloomber, L'Ensorceleuse, La Compagnie blanche...

Doyle lui donne une tape dans le dos qui le traverse.

– *Ça ira, ça ira ! Ne voyez dans ces questions que le signe de mon côté diva, inquiète d'être oubliée. Vous verrez, pour nous les écrivains, l'oubli est une terreur.*

– *Mon grand-père m'en a déjà parlé.*

– *C'est votre grand-père, Ignace, qui m'a fait découvrir vos romans. Je dois vous avouer que depuis Jules Verne, Barjavel et Boulle, je pensais qu'en France, la littérature de l'imaginaire était exsangue. Et puis vos livres m'ont intrigué. Quand j'ai vu que vous vous réclamiez de mon héritage, je me suis intéressé à vous.*

– *C'est un honneur.*

– *Puis-je vous dire la vérité ? En fait, je n'aime pas beaucoup vos romans.*

Gabriel est piqué au vif.

– *Vous avez d'excellentes idées, mais vous manquez de rigueur, vous ne travaillez pas assez la psychologie des personnages.*

– *Désolé.*

– *C'est dommage que vous soyez mort, je suis sûr que dix ans de plus vous auraient permis d'être parfaitement au point. Mais bon, vous allez continuer d'évoluer ici, dans les limbes. Vous avez beaucoup de choses à apprendre encore, et l'avantage c'est que désormais vous avez tout votre temps.*

– *Que me serait-il arrivé si vous n'étiez pas intervenu au moment de l'attaque du croque-mitaine ?*

– *Vous auriez pu rester coincé dans cet état d'enfant apeuré et vous auriez alors certainement été incapable de réfléchir ou de vous intéresser à autre chose qu'à votre bourreau. Cela aurait figé votre esprit.*

— *Combien de temps cela aurait-il pu durer ?*

— *C'est variable. Parfois, certains restent même tétanisés plusieurs années.*

Gabriel frissonne.

— *Ce que vous auriez dû essayer de faire comprendre aux gens, c'est que la pesanteur de la littérature française contemporaine empêche les autres pays de s'y intéresser. Jadis c'était un phare de la littérature mondiale, mais ses soi-disant défenseurs sont en réalité ses fossoyeurs. Bientôt, plus personne ne s'intéressera à ces romans français sans intrigue, à la seule gloire de leurs auteurs.*

— *Je me suis battu contre ça. Enfin, quand j'étais vivant.*

— *Si vous voulez inverser la tendance, il va falloir continuer à vous battre dans l'invisible. Mais vos adversaires sont très puissants, très unis, très organisés.*

Arthur Conan Doyle invite Gabriel Wells à voler avec lui au-dessus de Paris.

— *Vous êtes mort d'une manière douce, mais pensez à tous ces écrivains qui terminent mal, telles des baleines échouées. Je me souviens d'auteurs qui, n'ayant plus aucun lecteur à leurs séances de dédicaces, restaient des heures à attendre un hypothétique client. J'en ai vu, des auteurs en fin de carrière, et pas des moindres, qui étaient refusés chez tous les éditeurs et qui auraient eu plus de chances d'être publiés sous pseudonyme. J'en ai aussi vu qui, ayant perdu toute fierté, se compromettaient dans des emplois misérables. Ils devenaient nègres de gens qui ne savent pas écrire, jurés de prix littéraires, critiques, ou pire, professeurs de littérature. J'ai toujours trouvé paradoxal que ce soient ceux qui ont échoué qui donnent des leçons aux nouvelles générations.*

Conan Doyle rit de sa propre remarque. Gabriel Wells, qui n'en revient toujours pas de cette rencontre, lâche un petit rire gêné.

– *Chez nous, il n'y a ni retraite, ni pot de départ. Ce qui sonne le glas de notre carrière, ce n'est rien d'autre que le désintérêt progressif du public. Soyez heureux de ne pas avoir connu cette épreuve.*

Gabriel s'aperçoit qu'il n'avait jamais songé à sa propre fin en tant qu'auteur. Pour lui, sa carrière était une montagne à gravir dont il ne voyait pas le sommet. Il ne s'était jamais demandé ce qu'il adviendrait de la descente. Doyle lui fait soudain prendre conscience que son assassinat lui a évité l'épreuve de la déchéance et constitue en cela une sortie honorable. En mourant assassiné, il part de manière « romanesque ». Encore faudrait-il qu'on sache qu'il a été assassiné car, pour l'instant, sa nécrologie indique qu'il est mort dans son sommeil d'un arrêt cardiaque.

– *J'ai mené ma propre enquête sur votre assassinat par pur... jeu de l'esprit. Ce n'est pas Moisi le coupable. Il fanfaronne, mais dans le fond, c'est un faible. Il parle fort et de manière agressive pour attirer l'attention et essayer d'exister, mais ce n'est qu'un produit des médias, une marionnette, un clown pour la télévision. Il n'a aucun intérêt, même comme suspect.*

– *Alors qui ?*

– *À mon avis, ce n'est pas non plus Sabrina Duncan ni Alexandre de Villambreuse, vos principaux suspects. Tout comme Lucy et Ignace, mes soupçons se portent sur votre frère jumeau. Et la clef de l'énigme me semble être ce qu'il fabrique dans son laboratoire secret.*

– *Un laboratoire secret ? Vous avez vu ce qu'il y fait ?*

– *Non. J'ai juste vu quantité d'ordinateurs et d'appareils. Tant qu'il n'a pas pris de drogue ou d'alcool, je ne peux pas fouiller son esprit ou savoir ce dont il s'agit. Bon, maintenant je dois vous laisser. Ce fut un plaisir de discuter avec vous, mais je suis attendu pour une séance de spiritisme.*

— *Je vous demande pardon ? Vous faites encore du spiritisme dans l'au-delà ?*

— *Oui, je le pratiquais de mon vivant avec tout un groupe d'écrivains et nous avons décidé de continuer maintenant que nous sommes de l'autre côté du miroir.*

— *Est-ce indiscret de vous demander qui sont vos compagnons de séance ?*

— *Vous devez les connaître : Edgar Poe, H. P. Lovecraft, votre homonyme H. G. Wells, Aldous Huxley, mais aussi vos concitoyens, Balzac, Victor Hugo, Alexandre Dumas, Théophile Gautier, George Sand. C'est comme du « spiritisme inversé ».*

Il est amusé par sa propre formule. Gabriel Wells s'aperçoit à cette occasion qu'ils ont la même manie d'essayer de trouver des phrases percutantes qui pourraient servir de point de départ à leurs récits.

— *Savez-vous, monsieur Wells, qu'il y a beaucoup d'âmes errantes qui croient que ce sont elles les vivants et que le monde des vivants est celui des morts ? Cela prouve que l'esprit est tout-puissant : nous sommes ce que nous croyons être.*

De nouveau, Doyle affiche son petit regard en coin qui semble signifier : « Celle-là aussi il faudrait que je la note, elle pourrait servir. »

— *Allez, foncez chez votre frère et résolvez l'affaire Gabriel Wells. Si cela peut vous aider, sachez qu'il est actuellement dans son laboratoire au centre d'études des ondes de l'armée. Aile nord, laboratoire L63. C'est là qu'il se livre à ses expériences personnelles.*

Gabriel remercie chaleureusement l'écrivain puis, sans attendre, se rend au LPO. Contrairement à ce qu'il imaginait, le laboratoire L63 n'est pas un laboratoire souterrain mais une pièce située dans la tour nord surmontée d'une coupole d'astronomie.

Il trouve son frère penché non sur un télescope, mais sur un appareil étrange qu'il a du mal à identifier.

Il contourne l'objet, l'examine dans les moindres détails, mais ne parvient pas à comprendre à quoi il peut bien servir.

– *Ce n'est pas ce que vous croyez.*

Calé sous le plafond de la pièce se trouve un autre ectoplasme, les bras croisés.

– *Qu'est-ce que vous faites là ?* lui demande Gabriel.

– *Et vous ?*

– *C'est mon frère jumeau.*

– *C'est mon invention.*

61. ENCYCLOPÉDIE : LA MACHINE À PARLER AUX MORTS

L'inventeur, scientifique et industriel américain Thomas Edison (1847-1931) est connu pour avoir déposé avec ses équipes près de mille brevets d'inventions, dont les plus célèbres sont le télégraphe, le microphone, l'ampoule électrique, la lampe fluorescente, la pile alcaline, le phonographe et même la chaise électrique.

À la fin de sa vie, Edison rédigea un livre de souvenirs intitulé *Mémoires et observations*, dont le dernier chapitre a pour titre « Le Royaume de l'au-delà ». En voici un extrait :

« Il m'a toujours paru particulièrement absurde d'espérer que les "esprits" veuillent bien perdre leur temps à faire joujou avec des objets grossiers et aussi peu scientifiques que des tables, des chaises ou un jeu de type Ouija. »

Edison révéla par la suite qu'il avait consacré ses derniers efforts d'inventeur à tenter de mettre au point une machine sérieuse pour parler avec les défunts. Il avait même conclu un pacte solennel avec son assistant, William Dinwiddie : le premier qui viendrait à disparaître ferait tout pour envoyer un message au survivant depuis l'au-delà.

Edison mourut en 1931 et ses *Mémoires et observations* furent publiés dans leur intégralité en 1948. Toutefois, le dernier chapitre fut supprimé des réimpressions suivantes car on avait jugé qu'il était trop tourné vers l'occultisme et susceptible, à ce titre, de ridiculiser son auteur. C'est grâce à la première traduction française du livre, en 1949, que l'on découvrit ce chapitre disparu.

Dans ce texte, Thomas Edison expliquait qu'il était convaincu de la survie de l'âme et qu'il voulait enfin fournir aux spirites un outil scientifique performant. Il annonçait que non seulement il croyait aux fantômes, mais qu'en plus il les imaginait très bavards. Il rappelait que personne n'était « en mesure de délimiter avec précision le domaine de la vie », mais il reconnaissait n'avoir alors encore obtenu aucun « résultat susceptible de fournir une preuve définitive et incontestable de la survie de l'âme ».

Aucun prototype de la machine à parler aux morts d'Edison n'a jamais été mis au jour, mais on a en revanche retrouvé un croquis sur lequel on distingue une trompette en aluminium, un microphone, une antenne, et la formule chimique du permanganate de potassium.

Selon plusieurs témoins, il aurait assimilé la communication avec les morts à un échange situé au niveau des ondes électromagnétiques et émis le souhait que sa machine à parler aux morts figure un jour sur la table du salon de toutes les familles.

La TransCommunication Instrumentale, ou TCI, est née ainsi, avec Edison pour fondateur. Quelques dizaines d'années plus tard, on utilisera le mot « nécrophone » pour définir cet instrument.

Edmond Wells,
Encyclopédie du Savoir Relatif et Absolu, tome XII.

62.

L'appareil à dialoguer avec les morts ressemble à une fleur aux larges pétales noirs arrondis avec en son centre une tige jaune en guise de pistil.

— *Bon sang, il a continué à travailler sur le nécrophone de notre enfance !*

— *Cela n'a pas été difficile pour lui de prendre la relève, j'avais déjà bien balisé le terrain. Il faut dire qu'entre « Thomas », nous sommes connectés.*

Gabriel l'observe. Il reconnaît ce long visage, ces lèvres fines, cette longue mèche blanche qui lui barre le front, et même son attribut, un petit nœud papillon.

— *Thomas... Vous êtes « l'autre » Thomas ?*

— *Pas saint Thomas le sceptique, mais Thomas Edison le croyant. Votre frère est l'homme le plus avancé dans la poursuite de mes recherches. Le moment de jeter la passerelle entre le monde des vivants et celui des morts approche à grands pas. Je le sens. Vous le sentez. De plus en plus de gens le sentent, de ce côté-ci comme de l'autre. Et lui, votre formidable frère, il fonce. Je ne voulais rater cela pour rien au monde. C'est un instant historique. Après le premier pas sur la Lune de Neil Armstrong, nous allons maintenant assister à la première connexion avec le monde des morts de Thomas Edison et son assistant vivant : Thomas Wells ! Comme le voulait la formule de ces autres bricoleurs qui ont accompli un joli travail après ma mort : « Un petit pas pour les vivants et un grand pas pour les morts. »*

Gabriel voltige sous le dôme astronomique au-dessus de son frère.

— *Mais personne n'est au courant des recherches qui sont effectuées ici*, relève-t-il prudemment.

— *Je préfère que personne ne sache rien pour l'instant. Et pour être tout à fait honnête, j'aurais même préféré que vous ne soyez pas là.*

Pas de doute, l'homme en face de lui est bien l'âme errante de Thomas Edison.

En dessous d'eux, Thomas Wells semble pris d'une frénésie extrême, il règle l'intensité de sa fleur réceptrice d'ondes, puis enfile un casque audio équipé d'un micro.

— Allô ? Est-ce que quelqu'un m'entend ?

Le physicien effectue d'autres réglages.

— Allô ? Allô ? Quelqu'un me reçoit ? Y a-t-il une âme errante dans les parages ? Un esprit ? Allô ? Allô ? Si vous m'entendez, répondez-moi.

Au-dessus de lui, les deux ectoplasmes l'observent, hésitant sur la conduite à tenir.

— *Vous y allez ou j'y vais ?* demande Gabriel.

— *Je vous en prie, faites donc.*

— *Non, vous d'abord.*

— *Je n'en ferai rien.*

— *Moi non plus.*

C'est finalement Edison qui se lance :

– *Oui. Allô, allô ? Je vous reçois cinq sur cinq.*

Thomas Wells tombe à la renverse. Mais bientôt il se relève, hilare.

– Vous êtes encore là ?

– *Oui.*

– Qui me parle ?

Le vivant, totalement fébrile, effectue plusieurs mouvements maladroits, fait tomber des objets, fouille dans un tiroir, sort une caméra et lance l'enregistrement.

– *C'est moi, Gabriel,* enchaîne aussitôt l'écrivain.

– C'est toi mon frère ? Tu es là, Gaby ? Je t'ai senti. J'ai perçu ta présence avant de te parler, mais je ne croyais pas qu'on allait y arriver !

– *Je ne suis pas seul, je suis avec Thomas… Edison.*

– LE Thomas Edison ?

– *En personne.*

– *Maintenant on a la preuve que cela marche !* déclare l'Américain. *Vous n'avez plus qu'à faire breveter cette machine et bientôt tout le monde pourra parler avec ses chers défunts. Bravo, monsieur Wells, vous avez développé mon idée et l'avez rendue opérationnelle. Moi j'ai manqué de temps…*

Thomas Wells effectue d'autres réglages pour améliorer la qualité de la réception quand, tout à coup, la grille du ventilateur de la machine dégage une épaisse fumée blanche. Soudain, les plaques électroniques projettent des gerbes d'étincelles et s'enflamment. L'antenne réceptrice explose. Les flammes caressent le rideau qui s'embrase. Thomas a tout juste le temps de saisir l'extincteur et de projeter une poudre blanche sur le feu qui commence à se répandre. Dans son élan, il percute le pied de la caméra qui tombe et se brise d'un coup.

– *Je crois que la TransCommunication est interrompue*, lâche Gabriel, dépité.

– *Les plaques électroniques ont dû être soumises à une tension trop forte. Ce n'est qu'un problème technique. Il va réparer ça.*

Les deux hommes observent Thomas, qui est à la fois surexcité et déçu.

Il répète en boucle : « Ça a marché ! », « Ça a marché ! »

Thomas Edison murmure :

– *J'aurais bien aimé lui dire que je restais là en attendant qu'il répare la machine, mais il ne nous entend plus.*

C'est alors que surgit l'âme errante d'une jeune femme très maquillée et chaussée de talons hauts.

– *Lequel de vous deux est Gabriel Wells ?*

– *Moi, pourquoi ?*

– *Vous n'avez rien à faire ici, mademoiselle*, tranche Edison, agacé de voir sa découverte éventée avant qu'elle ait parfaitement abouti. *Partez tout de suite.*

– *Lucy est en grand danger. Je vous ai cherché partout ! Heureusement, Doyle m'a dit où vous étiez. Il faut que vous veniez immédiatement, Gabriel !*

– *Lucy Filipini ?*

– *Elle vient d'être kidnappée. C'est elle qui m'a chargée de vous retrouver.*

Gabriel regarde avec regret le nécrophone toujours fumant de son frère, qui s'affaire à le réparer.

– *Vous pouvez y aller, Gabriel, votre présence ici n'a rien d'indispensable. Je reste là pour m'assurer de la mise au point et de l'amélioration de ce prototype.*

L'écrivain hésite entre l'envie de voir le nécrophone fonctionner et celle de sauver son amie. De nouveau lui revient à l'esprit cette phrase terriblement vraie : « Choisir, c'est renoncer. »

294

63.

Sous le souffle du vent, les arbres ploient, les herbes se courbent, les papiers volants sont emportés, mais cela ne ralentit pas Gabriel et son étrange guide qui a surgi dans la tour d'astronomie. D'après le peu qu'elle lui a expliqué, Lucy serait enfermée dans la cave d'une maison isolée dans une banlieue au nord de Paris.

Ensemble, ils découvrent une villa en travaux devant laquelle sont garées deux voitures, une Porsche et une BMW. Au rez-de-chaussée, bien protégés des bourrasques, deux hommes affalés dans des sofas jouent, manette entre leurs mains crispées, à un jeu vidéo qui consiste à foncer en voiture dans une ville en essayant d'écraser un maximum de piétons.

Le plus petit joue d'une seule main et, de l'autre, caresse un chat obèse à poil long. L'animal est immobile et ferme les yeux pour ne pas être dérangé par les images de l'écran qui se succèdent si vite qu'elles l'irritent.

Gabriel suit l'âme errante de la jeune femme qui lui indique la cave et l'emmène dans un long couloir avec plusieurs portes.

– *Lucy!* appelle-t-il.

– Gabriel! répond une voix en provenance d'une pièce fermée.

Il traverse le bois de la porte et la trouve étendue sur un lit dans une pièce semblable à une cellule de prison, avec des toilettes, un lavabo et une table.

– *Que s'est-il passé, Lucy?*

– Je dormais, quand on m'a mis sur le nez et la bouche un mouchoir à l'odeur âcre. Je n'ai pas eu le temps de voir mon agresseur. Quand je me suis réveillée, j'avais un sac de toile noire sur la tête et les mains ligotées dans le dos. Aux secousses, j'ai compris que j'étais dans un coffre de voiture. Cela a duré plusieurs dizaines de minutes, puis les secousses se sont arrêtées. Des bras m'ont saisie par les épaules et par les pieds, et transportée jusqu'ici. Puis un grand type a enlevé le sac ; quand je me suis mise à hurler, il a mis sa main sur ma bouche et a dit : « Je te laisse de la nourriture et des vêtements, les toilettes sont là, et ce n'est pas la peine de crier, il n'y a pas de voisins. » C'est à cet instant que Dolorès est arrivée et a proposé de m'aider. Alors je lui ai dit d'aller vous chercher, Gabriel.

– *Dolorès ?* La *Dolorès de la prison de Rennes ?*

Celle-ci répond directement :

– *Ce serait un peu long à vous expliquer, mais disons qu'à ma sortie de prison, j'ai voulu me venger de celui qui nous avait trahies, ma sœur et moi. Je n'ai pas été assez rapide et je me suis fait tuer. Ensuite, j'ai erré longuement avant de me souvenir de la petite qui parlait aux morts. Alors j'ai voulu la contacter pour qu'elle m'aide à mener à bien ma vengeance. Je l'ai cherchée longtemps avant de finalement la trouver dans une cave en train de pleurer. C'est là qu'elle m'a dit qu'il fallait que je vous joigne.*

– *Attendez, attendez, que je comprenne bien. Lucy, vous dormiez avec Samy, chez lui, et vous avez été chloroformée et kidnappée. Mais lui, qu'est-ce qu'il lui est arrivé ?*

– Je ne sais pas. Soit il a été lui aussi kidnappé et il est dans une pièce à côté, soit ils l'ont… Oh non ! Ce serait affreux.

– *Cela ne me semble pas correspondre à des cambrioleurs. Quel intérêt de vous kidnapper ? Ils ne vont pas demander une rançon, car si oui, à qui ? À Samy ? À vos parents ?*

– Pourvu qu'ils ne l'aient pas déjà tué !

C'est alors qu'un bruit de serrure se fait entendre ; la porte s'ouvre et les deux hommes du rez-de-chaussée pénètrent dans la pièce.

– Vous parlez à qui ? demande le plus grand en cherchant partout la trace d'un téléphone portable.

Ne trouvant rien, il fait signe à l'autre qu'elle doit être folle et parler toute seule. Le plus petit hausse les épaules et sort de sa poche une seringue et une fiole.

– Qu'est-ce que vous me voulez ? Pourquoi m'avez-vous kidnappée ? Si c'est de l'argent que vous voulez, sachez qu'on peut discuter. Je dois avoir des économies, peut-être 2 000 euros à la banque. Si vous m'accompagnez, je peux sortir cet argent et vous le donner. En échange, vous me laisserez partir, d'accord ?

– Je crois qu'elle n'a pas compris ce qu'il lui arrivait, ironise le plus petit en enfonçant la seringue dans la fiole.

– Alors expliquez-moi ! Est-ce que Samy est vivant ? L'avez-vous tué ?

– Samy ! Elle s'inquiète pour Samy ! ricane le plus grand.

– Dites-moi ce qui se passe ! J'ai le droit de savoir ! Qu'est-ce que vous voulez ?

Il saisit la jeune fille et relève sa manche de force. Elle se débat.

– Calme-toi et tout se passera bien, dit le plus petit.

– Tu vas voir, déclare l'autre d'un air goguenard, ton esprit va voyager dans des contrées dont tu ne soupçonnes même pas l'existence, et après tu te demanderas pourquoi tu n'as pas fait ça plus tôt. En plus, il n'est même pas question d'argent, on t'offre le trip gratos.

– C'est quoi ? Vous avez mis quoi dans cette seringue ?

– Ça porte un joli nom qui te va bien… C'est de l'héroïne. Pour l'instant tu es inquiète, mais bientôt cela te fera voyager et tu nous demanderas, que dis-je, tu nous *supplieras* pour en avoir encore.

Il saisit le bras de Lucy.

– *Laissez-la !* crie Gabriel en donnant des coups de poing qui traversent la matière sans rencontrer de résistance.

– *On ne peut rien faire pour elle*, déplore Dolorès.

Le plus petit met un garrot en caoutchouc sur le bras de la médium, cherche sa veine dans le creux de son coude, puis enfonce l'aiguille. Lucy se débat en vain. Le liquide jaune entre dans sa veine et se mélange à son sang.

– *Pourquoi ils lui font ça ?* demande Gabriel.

– *Je crois savoir. C'est ce qu'ils font pour prostituer les filles. Ils les tiennent par l'addiction à la drogue.*

– *On ne peut pas la laisser comme ça !*

– *Elle est dans la matière, nous sommes dans l'immatériel, on ne peut rien faire.*

Les deux hommes s'en vont en lâchant :

– Fais de beaux rêves.

Lucy reste hébétée.

– Ga... Ga... Gabriel ?

– *Oui je suis là, Lucy ! Je suis là !*

– Gabriel, je... vous en prie... aidez-moi.

– *Lucy ! Dites-moi ce que je peux faire...*

– Ils vont venir, ne les laissez pas... entrer. Il faut que cela soit... vous...

– *Qui ça, « ils » ?*

Dolorès lui fait signe de lever la tête ; il distingue alors une dizaine d'âmes errantes collées au plafond qui affichent des airs ingénus.

– *Qu'est-ce qu'ils font là, ceux-là ?*

– *Ils veulent lui voler son corps*, répond Dolorès.

– *Comment est-ce possible ?*

– *Avec l'héroïne qui va progressivement agir sur son cerveau, son aura va perdre son étanchéité. Son esprit ne sera plus retenu et va donc quitter son corps. Toutes ces âmes errantes veulent évidemment profiter de cette occasion pour lui emprunter son enveloppe charnelle.*

— Comment sont-ils au courant ?

— *Cela a déjà dû se produire ici. Ils savent que, de temps en temps, des filles sont droguées, et que la dose est suffisamment forte pour provoquer une sortie de corps. Ces âmes errantes sont comme des vautours de l'invisible qui guettent leur proie.*

En effet, celles-ci s'approchent déjà.

— Gabriel ! Dolorès ! Je vous… entends… Ils sont là, n'est-ce pas ? Dites-moi s'ils sont là. Dites-moi la vérité !

— *OK, il y a une dizaine d'âmes errantes*, concède Dolorès.

— Ils veulent entrer en moi. Le premier qui entrera empêchera les autres d'entrer et après je ne pourrai rien faire. Il faut que vous entriez en premier, Gabriel.

— *Quoi ?*

— Je sais que ces charognards sont là… alors je vais vous demander quelque chose… Gabriel… prenez mon corps.

— *Je ne comprends pas ce que vous voulez dire.*

Elle esquisse une grimace et se mord les lèvres pour arriver à parler clairement :

— Votre esprit est intact. Ma chair n'est plus protégée par une aura opaque. Dans quelques secondes, je ne serai plus étanche. Tout pourra entrer en moi. Si ce n'est pas vous qui prenez possession de mon corps, ce sera une âme errante étrangère et je ne suis pas sûre qu'elle voudra me le rendre par la suite. Vous seul… me semblez digne de confiance… Je vais sortir de ce corps par le chakra 7, au sommet de mon crâne… Disposez-vous sur le bord et, quand je sortirai, vous entrerez pour me remplacer… Vous voulez découvrir ce que ça fait d'être dans un corps de femme ? se force-t-elle à articuler. Tout homme a sûrement eu envie de le savoir au moins une fois dans sa vie, non ? Et puis je sais bien que vous avez voulu… allez, avouez-le… pénétrer mon corps… et là je vous propose de le pénétrer complètement…

– *Mais pas comme ça !*

– *Si, il le faut,* dit Dolorès. *Elle a raison, vous devez entrer dans son corps et l'occuper, sinon il sera perdu. Une fois qu'une de ces âmes errantes parasites sera dedans, elle ne voudra plus en partir.*

– Rendez-vous… à mon chakra 7.

Déjà les autres âmes errantes, qui ont entendu la conversation, s'approchent elles aussi du sommet du crâne de Lucy, prêtes à descendre dans son corps dès que cette issue s'ouvrira.

– *Attendez ! Non, ne sors pas Lucy,* l'avertit Dolorès, *les parasites sont là aussi !*

– Je ne peux pas gérer ça, pas dans mon état actuel… Attendez… j'ai peut-être une idée. Vous allez vous approcher au plus près du sommet de mon crâne… Je vais compter jusqu'à 20. Quand vous m'entendrez dire le nombre exact de mes chats, que seuls vous et moi connaissons, vous entrerez d'un coup dans mon corps. Cela vous donnera l'avantage. OK ? Si vous êtes bien synchrone, cela peut fonctionner. Vous êtes prêt ?

Elle commence à compter. Autour de Gabriel, les autres âmes avides de voler ce corps se tiennent prêtes, elles aussi, à se précipiter.

– 1… 2… 3…

Elle a du mal à articuler clairement les nombres.

– 10… 11… 12… 13…

D'un coup, l'âme de Lucy sort comme une bulle.

Gabriel se précipite avant que les âmes errantes voisines n'aient eu le temps de réagir.

– *Vous avez réussi !* s'exclame Dolorès.

Les autres âmes errantes, déçues, abandonnent le terrain.

Lucy, devenue pur esprit, flotte face à son ancienne amie Dolorès.

– *Merci !*

Les deux anciennes détenues de la prison de Rennes miment un geste d'étreinte cordiale.

Gabriel, lui, a investi le corps de la jeune femme.

À peine a-t-il perçu la sensation plutôt agréable d'être de nouveau incarné que les effets de l'héroïne se font sentir ; déjà il ressent une certaine euphorie et voit des flashs colorés. Avant même qu'il n'ait eu le temps de percevoir précisément la forme et le volume de son corps, son esprit lui envoie des images déformées de tout ce qui l'entoure. Les murs se courbent, s'inclinent, se gondolent, le plafond s'élargit, s'éloigne, monte et descend, il a froid aux mains et sa tête est bouillante. Puis soudain il ressent une douleur aiguë à l'endroit de la piqûre, et sa bouche lui semble remplie de salive qui n'arrête pas de déborder, ce qui lui procure une sensation extrêmement désagréable. Il est pris de nausées.

– *Je suis là, tout près !* le rassure Lucy. *Je ne vous laisserai pas tomber, Gabriel. Vous m'entendez ? VOUS M'ENTENDEZ ?*

Dolorès semble pessimiste.

– *Ce n'est pas dit qu'en entrant dans ton corps il sache utiliser la capacité médiumnique de ton cerveau.*

– *Gabriel ! GABRIEL ! Vous m'entendez ???*

Il a des convulsions, puis quand elles cessent enfin, il arrive tant bien que mal à articuler :

– Oui. Oui, je vous entends, Lucy.

Les deux femmes sont rassurées.

– *Inspirez à fond.*

Gabriel voudrait respirer mais ses bronches le brûlent. Il tousse, crache. Il est partagé entre le plaisir d'être de nouveau incarné et la douleur provoquée par la deuxième vague d'énergie sombre que la drogue fait affluer en lui. Les hallucinations recommencent et le lit lui apparaît comme une sorte d'animal menaçant à quatre pattes. Il comprend que sa paranoïa naturelle est amplifiée par le poison. Le plafond est rempli de lames de rasoir aiguisées prêtes à pleuvoir sur lui. Son cœur connaît des arythmies. Les battements accélèrent ou ralentissent sans raison. Il fait un effort qui lui semble surhumain pour se lever et, malgré les vertiges, se dirige vers le robinet du lavabo pour essayer d'étancher sa soif insupportable.

Il place sa tête sous le robinet d'eau glacée.

– *Je suis désolée. Merci… de souffrir à ma place*, dit Lucy.

Il tente de marcher et tombe à quatre pattes. N'arrivant plus à se relever, il s'endort.

L'esprit libéré de Lucy Filipini vole dans la pièce au-dessus de son ancienne enveloppe charnelle actuellement occupée par l'esprit assoupi de Gabriel Wells.

Mais elle n'a pas le temps de profiter des joies de l'apesanteur. Elle se retourne vers Dolorès et lui pose la question qui lui brûle les lèvres :

– *Que crois-tu qu'il m'est arrivé ?*

– *Je suis allée voir dans les autres pièces ; il y a d'autres filles enfermées comme toi, probablement droguées elles aussi.*

– *Tu en déduis quoi ?*

– *Ça ressemble à un réseau de traite des Blanches.*

– *Mais ils ne peuvent pas venir chez les gens la nuit pour les kidnapper…*

– *À moins que…*

– *Non, c'est impossible. Samy a dû être tué ou blessé.*

– *Profite de ce que tu es un pur esprit pour réfléchir comme un « esprit éclairé ». OK, tu l'aimes. Mais reconnais que la probabilité que ce soit lui qui ait laissé ces types t'enlever dans ton sommeil est quand même non négligeable.*

– *Impossible. Samy m'aime.*

Dolorès la fixe d'un air navré. Les traits de Lucy se crispent.

– *Il faut que j'en aie le cœur net*, reprend-elle. *Allons chez lui et tu verras bien qu'il y a forcément une autre explication.*

– Non ! dit Dolorès. *On ne peut pas laisser ton corps ici sans surveillance. Cela te servirait à quoi de savoir la vérité sur Samy si ton corps est détruit ? Tu perdrais toute possibilité de le réintégrer. Et puis vis-à-vis de Gabriel, ce n'est quand même pas très fair play. Il est entré dans un corps drogué à ta demande.*

– *Alors tu proposes quoi, Dolorès ?*

– *Attendons qu'il se réveille. Ensuite, on l'aidera à s'évader, puis on s'occupera de savoir qui est vraiment ton Samy et pourquoi tu t'es retrouvée ici. Crois-en mon expérience d'ex-taularde : il faut d'abord aider ses amis avant de s'occuper de ses ennemis.*

Lucy accepte sa proposition.

Gabriel Wells dort toujours, étendu sur le lit étroit. Il rêve. Des images fluorescentes surgissent dans son esprit et se précisent peu à peu. Il rêve de l'un des thèmes principaux de son dernier roman, *L'Homme de 1000 ans* : la salamandre mexicaine axolotl.

L'animal géant blanc aux petits yeux ronds et aux longues mèches roses semble vouloir lui parler. Il a la voix de son grand-père Ignace :

« Gabriel… Gabriel… Accroche-toi à la vie… Accroche-toi… Ne meurs pas. Ce serait vraiment stupide de mourir maintenant. »

64. ENCYCLOPÉDIE : LA SALAMANDRE AXOLOTL

La salamandre axolotl est un animal pratiquement immortel, car toutes les parties de son corps sont aptes à repousser. Ce phénomène rappelle celui qui touche la queue des lézards qui, elle aussi, peut se reconstituer spontanément,

si ce n'est que chez l'axolotl, cette faculté de recréation s'étend à tout l'organisme, et même au cerveau. Tout morceau accidentellement coupé ou amputé repousse.

Cette spécificité s'explique par le fait que la salamandre axolotl peut rester à l'état larvaire toute sa vie. Tout comme un fœtus humain dans le ventre de sa mère, son corps est une masse de cellules souches, qui sont donc capables de se régénérer. Et tout comme un fœtus humain flottant dans son liquide amniotique, quand on en coupe une partie, elle ne cicatrise pas mais repousse.

Le nom d'axolotl vient d'un dialecte ancien, le nahuatl, et signifie « monstre d'eau ». Cette salamandre se trouve précisément dans les lacs de Xochimilco et de Chalco, dans le centre du Mexique, à 2 000 mètres d'altitude.

La salamandre axolotl est souvent d'une teinte blanc rosé ; elle est dotée de branchies en forme de fougères, réparties en longues houppes rouges ou roses qui lui donnent l'allure d'un albinos rasta. Cette allure assez sympathique a d'ailleurs servi de modèle à un Pokémon : Axoloto.

Tant qu'elle vit dans l'eau, l'axolotl respire comme un poisson. Elle peut s'y reproduire et elle ne vieillit pas. Il en va de même pour sa progéniture, qui connaît un processus de maturation similaire avant de se stabiliser à l'état fœtal et de pouvoir alors à son tour se reproduire.

Cependant, si le lac s'assèche, l'axolotl est forcée de sortir de l'élément liquide pour vivre sur la terre ferme. Elle connaît alors une métamorphose soudaine : sa peau blanche translucide s'assombrit pour devenir marron ou verte, elle n'utilise plus ses branchies pour respirer mais inspire de l'air avec ses poumons, elle perd la capacité de voir repousser ses membres amputés et le processus de vieillissement s'enclenche, lui offrant tout au plus cinq ans à vivre.

Actuellement, les axolotls sont étudiées par la recherche médicale dans l'espoir d'arriver à reproduire ce phénomène extraordinaire de « néoténie », qui entraîne la repousse systématique des organes et des membres.

Depuis 2006, les populations qui les environnent ont commencé à les considérer comme des aliments délicieux. Cette espèce de salamandre mexicaine est donc en danger d'extinction. Et si elle vient à disparaître, elle emportera avec elle le secret inscrit dans ses gènes qui permet à toutes les parties de son corps de repousser...

Edmond Wells,
Encyclopédie du Savoir Relatif et Absolu, tome XII.

ACTE III

Un secret dévoilé

65.

Après une journée complète de sommeil, de convulsions, de cauchemars, de fièvre, le corps de Lucy finit par s'apaiser, par évacuer la drogue et combattre ses effets. Ses paupières s'ouvrent, ce qui permet à l'esprit de Gabriel de voir enfin à travers ses yeux.

Il lui vient une première pensée qu'il sait ne pas être complètement sienne :

« Merci d'être vivante.

Merci d'avoir un corps. »

La suite lui arrive comme en écho :

« J'espère me montrer digne aujourd'hui de la chance que j'ai d'exister. Je ferai tout pour que mes talents servent la cause de la vie en général et de l'élévation des consciences chez mes congénères humains vivants en particulier. »

« Gabriel-dans-le-corps-de-Lucy » frissonne que des idées étrangères se mêlent aux siennes, mais il tremble aussi de froid ; il s'emmitoufle dans les draps et reste blotti en attendant de ne plus avoir de spasmes, puis tout se calme enfin. Il respire, se lève, marche vers le miroir qui se trouve au-dessus du lavabo de sa cellule.

La première fois qu'il se voit, il sursaute de surprise et aussi de frayeur. La jeune femme qu'il a face à lui a le visage blême. Il commence à ressentir le besoin d'un nouveau shoot d'héroïne, mais parvient tant bien que mal à se contrôler.

Il s'asperge le visage d'eau pour nettoyer les larmes séchées et le maquillage qui a coulé. Il palpe ses joues, qu'il trouve plus creuses, il touche son crâne, qu'il trouve plus petit. Il effleure ses cheveux devenus très longs. Il se scrute, observe ses petites mains, ses bras fins, les protubérances de ses seins.

Nouveau frisson.

Pour en avoir le cœur net, il se place face au miroir et soulève d'un coup son tee-shirt. Il voit alors sa poitrine aux larges tétons rose foncé. Il répète plusieurs fois ce geste.

Il se pince, croit rêver, se mord la langue puis recommence plus lentement à découvrir son propre torse. Il se palpe.

Il se dit que lui qui rêvait de faire l'amour avec Lucy est devenu Lucy, et qu'il lui suffit de tendre le bras pour se toucher à loisir.

La situation est tellement bizarre que, comme pour reprendre le dessus, il éclate d'un rire nerveux. Ce rire qui arrive dans ce corps qui lui est encore inconfortable le rassure et lui donne un regain d'énergie.

— *Vous m'entendez ?*

Il se retourne, mais ne voit personne.

— Qui me parle ?

— *C'est moi. Lucy. Je suis devenue un pur esprit, et vous vous êtes incarné dans mon corps. Je voulais vérifier que vous parveniez à m'entendre.*

— Je vous entends.

– *Cela doit être la part de médiumnité de mon cerveau qui continue d'agir. Ce sens est donc en partie lié à mon organisme et pas seulement à mon esprit.*

– *Et moi, vous m'entendez ? C'est Dolorès, l'amie de Lucy.*

– Oui, je vous entends aussi.

– *Parfait*, dit Lucy. *Souvenez-vous, Gabriel : nous avons procédé à un échange. C'était ma proposition, et je crois avoir fait le bon choix, car je n'avais pas assez de force mentale pour lutter contre les effets de la drogue, mais vous, vous êtes arrivé à la supporter. Vous avez survécu et maintenant vous pouvez continuer de vivre.*

– Vous voulez récupérer votre corps ?

– *Non, pas encore. Vous avez fait des études de criminologie, vous avez écrit des polars, votre esprit est plus mûr, plus stratégique, vous serez mieux à même de gérer l'évasion de cette cave. Moi, je serais juste maladroite. Souvenez-vous de mon intrusion dans la morgue : je me suis blessée et j'ai créé un attroupement.*

– Vous me prêtez votre corps jusqu'à quand ?

– *Vous pourrez le garder encore quelque temps une fois que vous vous serez évadé. J'ai un autre problème, un peu personnel, à résoudre.*

– Dans ce cas, je compte profiter moi aussi de ce sursis pour poursuivre l'enquête sur mon assassinat, ou plutôt sur la destruction de mon ancienne enveloppe charnelle, si vous n'y voyez pas d'objection.

– *J'ai l'impression de vous entendre négocier pour savoir qui prendra la voiture ce soir... Mais il n'est pas encore sorti d'ici !* rappelle Dolorès.

– *Nous allons pouvoir nous entraider. Déjà, je vais vous indiquer ce que font vos geôliers là-haut,* propose Lucy.

Elle disparaît un moment et lui annonce :

– *Ils dorment. C'est le moment d'agir.*

311

Alors, faisant appel à la partie Gabriel Wells de son esprit, il trouve deux clous qu'il tord pour trafiquer la serrure jusqu'à ce que le pêne glisse doucement vers l'intérieur.

La porte s'ouvre.

— *Prenez les vêtements les plus épais, dehors il fait froid*, lui conseille Dolorès.

— *Et puis mettez un soutien-gorge si vous devez courir. Vous n'allez pas tarder à vous rendre compte que c'est quand même plus pratique.*

Gabriel doit s'y reprendre à plusieurs fois avant d'arriver à attacher les agrafes dans son dos. Il franchit la porte et s'aperçoit que ses talons hauts le rendent instable. Le soutien-gorge le gratte.

Finalement, il préfère tenir ses chaussures à la main et marcher pieds nus. Il entend un gémissement et regarde dans l'œil-de-bœuf. Une fille est étendue. Il repère six portes et six filles qui semblent être dans l'état dans lequel on a cherché à mettre Lucy.

Il sort les clous pour trafiquer la première serrure.

— *Mais qu'est-ce que vous faites ?* s'exclame Dolorès.

— Je vais libérer mes voisines, voyons.

— *Cela ne fera que rendre votre évasion plus difficile. Sauvez votre peau, et ensuite vous reviendrez aider ces pauvres filles. Si vous vous faites toutes attraper, vous ne serez pas plus avancés, ni elles ni vous.*

— Et vous Lucy ? Vous n'avez aucune compassion pour vos compagnes de détention ?

— *Dolorès a raison. Mieux vaut assurer l'évasion de mon corps plutôt que vouloir aider les autres filles et faire tout capoter.*

Il sait qu'il n'a pas le temps de défendre son point de vue, alors il emprunte les escaliers et monte jusqu'au rez-de-chaussée.

Il voit les deux hommes dormir avachis dans le divan, face à la télévision encore allumée.

Il avance à pas de loup, mais son pied percute un meuble, il ressent une douleur fulgurante, grimace et retient difficilement un gémissement.

L'un des hommes ouvre les yeux.

– Hé! Mais qu'est-ce que…

Il se précipite pour attraper la fugitive, mais au-dessus de lui Lucy a déjà trouvé une parade : elle s'est connectée à l'esprit du gros chat pour l'inciter à se déplacer. L'homme trébuche sur le félin et s'étale de tout son long.

Gabriel court pour rejoindre la Porsche. Par chance, les clefs sont sur le tableau de bord. Il verrouille les portes alors qu'il entend crier derrière lui :

– Il ne faut pas la laisser filer! VITE! ATTRAPE-LA!

Gabriel dépose les chaussures à talons hauts sur le siège passager, pas pressé de remettre ces objets de torture.

Il roule, poursuivi par la BMW des geôliers. Des frissons et des soubresauts dus à la drogue dans son sang le parcourent encore. Il respire difficilement. Ses mains tremblent.

Il se dit qu'il n'avait jamais jusque-là pris véritablement conscience de sa chance d'être dans de la chair vivante, matérielle, tangible.

Il ressent la différence qu'il y a à être dans ce corps plus petit, doté de seins, de cheveux longs, à la peau plus fine et plus douce, et… sans pénis.

Il serre les cuisses, mais ne sent rien d'autre que l'étoffe de sa culotte de soie au niveau de son entrejambe.

Il sourit à ces sensations nouvelles qu'il trouve finalement très agréables.

Il a gagné des protubérances en haut et il en a perdu en bas.

313

Il passe un doigt sur sa bouche et sent ses lèvres plus char-
nues, se regarde dans le rétroviseur et se trouve… belle, tout en
distinguant derrière lui la voiture de ses poursuivants.

Il pense à la propriétaire du corps qu'il pilote, se disant qu'elle
a tout pour réussir : intelligence, sensibilité, créativité, médiumnité et beauté. Son seul point faible, c'est… Samy. Les femmes
sont en général plus intelligentes que les hommes, sauf lorsqu'elles tombent amoureuses – elles se révèlent alors plus naïves
que des petites filles.

– *Attention, à droite, un camion !* crie à ce moment-là Lucy-
esprit.

Gabriel-femme évite de justesse un poids lourd qui double
une voiture en sens inverse.

– *Si ce n'est pas indiscret, vous comptez aller où avec « mon »
corps ?*

– Je vais aller retrouver Vladimir Krausz.

– *Pourquoi lui ?*

– Il reconnaîtra votre visage et moi je le connais bien. Son
centre d'analyses est doté d'une section destinée aux toxico-
manes, il dispose de tous les appareils nécessaires pour purifier le
sang. Mais d'abord il faut que je me débarrasse de ces deux-là.

Se souvenant de scènes de courses-poursuites qu'il a décrites
dans plusieurs de ses romans, il improvise une stratégie qui
consiste dans un premier temps à rejoindre Paris. Une fois qu'il a
franchi le périphérique au niveau de la porte de Saint-Ouen, il se
précipite dans les rues de plus en plus étroites de Montmartre,
grillant au passage plusieurs feux rouges. Il évite de justesse des
vélos, et rase une voiture dont il arrache un rétroviseur.

– Ah, les femmes au volant ! Regardez-moi celle-là ! hurle un
piéton qui assiste aux embardées de la Porsche dans les ruelles.

Les deux hommes dans la BMW tentent de ne pas perdre de

vue leur proie, mais ils sont bloqués par un camion d'éboueurs qui manœuvre lentement. Malgré leurs coups de klaxon, auxquels les éboueurs répondent par des gestes provocateurs, ils sont mis hors jeu.

– *Bien joué, Gabriel! Vous conduisez vraiment très bien… pour une femme*, plaisante Dolorès.

Déjà Gabriel-femme roule en direction des Champs-Élysées qui abritent le laboratoire de Vladimir Krausz. Arrivé sur place, il remet les chaussures à talons hauts de Lucy, ce qui le grandit de plusieurs centimètres, il s'avance d'une démarche mal assurée, à la manière d'une personne saoule, puis demande à voir son ami en urgence.

La réceptionniste, Ghislaine, reconnaît immédiatement la jeune femme et se montre cette fois-ci plus coopérative, la conduisant sans rechigner jusqu'au bureau de Vladimir Krausz.

– Content de vous revoir, mademoiselle Filipini! s'écrie celui-ci. J'avais peur que vous ne me recontactiez plus, avoue-t-il. Vous m'avez fait une telle impression lors de votre première visite…

Il l'observe un peu mieux et s'aperçoit qu'elle est pâle, que ses mains tremblent et que ses yeux sont entourés de cernes profonds.

– Écoute-moi, Vladimir. C'est un peu compliqué à expliquer, mais j'ai été kidnappé par un réseau de proxénètes qui a essayé de me transformer en zombie. Ils m'ont drogué, il faut procéder à une exsanguino-transfusion. Je sais que tu la pratiques ici. Je t'expliquerai tout une fois que mon sang aura été purifié.

Vladimir semble surpris d'être tutoyé, mais déjà Gabriel-femme montre l'hématome au creux de son coude. L'autre réagit aussitôt en appelant des infirmiers qui rappliquent sur-le-champ pour s'occuper de la jeune femme.

315

On lui fait une analyse de sang, puis on l'installe dans une pièce où une pompe lui enlève lentement le sang contaminé pour le remplacer par du sang propre.

– Je pense qu'il y en a pour plusieurs heures, explique Gabriel-femme. Vous pouvez me laisser maintenant, Lucy, j'ai cru comprendre que vous aviez vos propres affaires à régler.

– *Merci de prendre soin de mon enveloppe charnelle.*

– Je suis comme un garagiste auquel une conductrice confie sa voiture pour une révision : je commence par la vidange, puis je ferai vérifier la pression des pneus avant de laver la carrosserie.

– *Ah… hum… il y a des petites choses que je fais à mon corps qu'il faudra que je vous précise.*

– Par exemple ?

– *Ne vous endormez pas sans vous être démaquillé, et mettez bien une crème de nuit, sinon j'ai la peau qui tire le matin.*

– Très bien, quoi d'autre ?

– *Il y a des vitamines et des médicaments qu'il vous faudra prendre le matin. Ils sont tous dans le placard de droite de ma cuisine. Et puis si mes poils de jambes repoussent, il faudra les épiler à la cire chaude, je me fais aussi régulièrement un masque avec du miel et…*

– Je ne compte pas m'éterniser dans votre peau, je vais donc me contenter de satisfaire vos besoins prioritaires : laver le sang et la peau, manger, dormir, faire un peu d'exercice.

– *Et puis vous coiffer. Vous êtes tout décoiffé.*

– J'y penserai.

– *Et je suis vegan. Ne mettez pas de viande dans ma bouche. Pour reprendre votre métaphore de la voiture, ce serait comme mettre du gasoil dans un réservoir fait pour le sans-plomb.*

– Ne vous inquiétez pas, Lucy. En tout cas, sachez que, passé

316

l'émoi dû à la drogue, être dans votre corps est pour moi une expérience… comment dire ?… vraiment « exotique ».

Elle a encore envie de lui donner des conseils sur la gestion de son enveloppe charnelle, mais se retient de peur de l'importuner.

— Et vous, vous ressentez quoi en tant que pur esprit ?

— *Je dois avouer que je supporte cette situation uniquement parce que je sais que je vais pouvoir ensuite réintégrer mon corps. Sinon, j'aurais le sentiment d'être morte.*

— Donc en fait, vous êtes suspendue à ma promesse de vous restituer votre corps quand vous me le demanderez.

— *Je n'ai même pas imaginé que vous pourriez hésiter à me le rendre.*

Gabriel-femme sourit.

— Arrêtez de me donner des idées.

— *Vous ne comptez quand même pas profiter de la situation pour me voler mon corps !*

Gabriel sourit un peu plus.

— On verra.

— *Je vous préviens que si vous ne me restituez pas mon corps quand je vous le demanderai et dans l'état où… enfin, dans un meilleur état que celui dans lequel je vous l'ai transmis, je viendrai hanter vos rêves pour les transformer en cauchemars et vous…*

— Allez ! Profitez de ces instants de pur esprit pour faire ce que vous aviez tant de difficultés à effectuer dans la matière : découvrir la vérité. Pendant ce temps, je vais explorer les possibilités de votre corps pour retrouver des sensations anciennes, comme manger et dormir. Après tout, je réalise un de mes fantasmes : être dans la peau d'une femme.

Cette dernière phrase ne rassure pas Lucy. Elle hésite à insister pour avoir la garantie qu'elle récupérera son corps, mais Dolorès lui fait signe qu'elle est prête à l'accompagner pour aller voir ce qu'il se passe chez Samy.

– *Allez, on y va ! À tout à l'heure, Gabriel.*

Une fois qu'elle est partie, l'écrivain appelle l'infirmière.

– Hum… mademoiselle, je sais que l'exsanguino-transfusion risque de prendre du temps, mais j'ai très faim. Est-ce que je pourrais avoir quelque chose à manger ?

Cette dernière lui trouve un plateau-repas malgré l'heure décalée : salade de lentilles, morceau de saumon bouilli, purée et compote. Le tout est servi avec une bouteille de jus de pomme. Gabriel-femme contemple cet assortiment comme un tableau de maître et commence par la boisson, qu'il garde longtemps en bouche, lui trouvant mille saveurs. Il détecte, en même temps qu'il boit, une petite carie dans une molaire.

Il faudra qu'il la signale à Lucy, se dit-il – pour sa part, il déteste aller chez le dentiste et n'a pas l'intention de le faire pour un corps qu'il devra bientôt restituer.

Après s'être délecté pendant quelques minutes de chaque gorgée du jus de pomme, il goûte la salade de lentilles, découvre avec ravissement des carottes, repère des lardons, hésite à les manger, puis, se souvenant de sa promesse, les repousse sur le bord de son assiette.

Il sent le goût de l'huile qui accompagne les lentilles, quelques infimes grains de sel et même de poivre. Tout lui semble délicieux, il a l'impression de sentir les molécules d'énergie que transporte toute cette précieuse nourriture.

Il goûte ensuite la purée, mais il ne se rappelle plus si les vegans mangent ou non du poisson. Dans le doute, et par respect pour Lucy, il ne consomme qu'une bouchée du saumon, qu'il trouve délicieux. La compote achève de le ravir.

Vladimir Krausz toque alors à la porte et entre.

– On a poussé plus loin les analyses : vous avez dans votre sang, en plus de l'héroïne, de la cocaïne et même des méthamphétamines ! On dirait qu'ils ont voulu vous rendre accro à toutes les drogues en même temps.

– Tu peux me guérir, Vladimir ?

– Oui, le lavage du sang devrait vous sauver, mais il va vous falloir du repos.

– Peux-tu, enfin, pouvez-vous (il s'aperçoit que le tutoiement perturbe son interlocuteur) aussi, pour me rendre service, m'acheter des vêtements plus… confortables ? Il me faudrait un survêtement, des baskets, et puis un soutien-gorge en coton pour le sport. Ils m'ont volé mon téléphone portable. Vous croyez que vous pourriez m'en fournir un ? Je vous rembourserai plus tard. Ils m'ont aussi subtilisé mon portefeuille.

– Autre chose ?

– Un flingue.

Il ne peut cacher sa surprise.

– Non, je plaisante, le rassure Gabriel-femme. Un taser devrait suffire, ou même un couteau ou une bombe lacrymogène. N'importe quoi pour me défendre au cas où mes poursuivants arriveraient à me retrouver.

Vladimir se demande si elle se moque de lui.

– C'était bon, le plateau-repas ? Si cela ne vous plaît pas, je peux demander au traiteur de vous livrer quelque chose.

– C'est le meilleur repas que j'aie fait de toute mon existence ! Vraiment. Et tu, enfin… vous ne pouvez pas savoir comme je me sens bien dans ma peau à cet instant.

Vladimir Krausz a l'impression de ne comprendre qu'à moitié les allusions de cette si jolie patiente dont il n'arrive pas à soutenir l'intense regard.

66.

— Comment ça, tu l'as perdue ?! Tu veux me faire croire qu'après avoir reçu son « cocktail de bienvenue », elle est arrivée à ouvrir sa cellule, voler la voiture d'un de tes gars, et en plus les semer dans le trafic parisien ? Tu te rends compte de ce que tu me racontes, Christophe ? Tu m'avais promis que je n'entendrais plus parler d'elle ! Tu réalises le risque que tu me fais courir ? Alors, si cela ne te dérange pas, tu vas me la retrouver, et vite !

Dolorès et Lucy volent au-dessus de Samy qui peste dans son smartphone.

— *Eh bien voilà, maintenant tu es fixée sur la vraie personnalité de ton amoureux…*

— *Je n'arrive pas à y croire. Tu penses que c'est lui qui est derrière tout ça ?*

— *Si tu doutes encore, permets-moi de te dire que tu n'es pas naïve mais carrément conne. Tu l'as entendu ! Il a dû faire appel à des amis à lui qui sont impliqués dans une sorte de réseau de traite des Blanches pour se débarrasser de toi !*

Samy, pendant ce temps-là, continue de hurler dans son smartphone :

— Pas question de renoncer ! Je t'ai demandé ça comme un service personnel et toi tu as complètement foiré. Il faut la retrouver car elle connaît mon adresse, et elle a beau être un peu gourde, elle va finir par piger ce qui lui est arrivé.

— *Là, tu vois, à cet instant précis, si j'étais incarnée, je saisirais le premier objet contondant venu pour le lui écraser sur la figure. Et après je l'achèverais à coups de talon…*

— *Vouloir tuer est une réaction primitive. Crois-moi, ce n'est pas la solution, il nous rejoindrait dans l'invisible. Écoute, Lucy, c'est à nous deux d'inventer une vengeance plus adaptée grâce à notre connaissance des deux côtés du monde.*

La sœur de Samy, Sonia, surgit.

— Qu'est-ce qui se passe ? Pourquoi tu cries, Sam ?

— J'ai demandé à Christophe de récupérer Lucy dans son réseau et cet imbécile l'a laissée filer. Maintenant elle est dans la nature.

— Je te l'ai dit, tu n'aurais pas dû prendre de risques, tu aurais mieux fait de t'en débarrasser vraiment au lieu de vouloir simplement l'éloigner.

— Ce n'est pas si simple, elle était vraiment amoureuse de moi.

— Et alors ? Ne me dis pas que tu l'étais toi aussi ?

— Ce n'est pas ça, tu ne peux pas comprendre ! Elle semblait si heureuse de me revoir que c'en était émouvant.

— Ton côté sentimental te perdra… Tu vois ce qui se passe : elle est dans la nature en possession d'une montagne d'informations sur nous. Tu imagines, si elle nous balance aux flics ?

Le smartphone bipe, signalant l'arrivée d'un message.

— C'est Christophe, dit Samy. Il me dit qu'il avait par précaution cousu sur ses vêtements une balise électronique. Ils ont donc pu retrouver sa trace, elle est dans une clinique. Ses hommes de main devraient rapidement lui mettre la main dessus.

Lucy et Dolorès réagissent immédiatement.

— *Il faut avertir Gabriel qu'il est en danger*, dit Dolorès.

Elles volent à toute vitesse pour rejoindre le laboratoire de Krausz, traversent le toit, les plafonds, et arrivent dans la chambre de Gabriel.

— *Vite, Gabriel, vous devez partir !*

— Il reste encore quelques minutes avant que tout « notre » sang soit nettoyé.

— *On n'a pas le temps. Vos poursuivants arrivent.*

Il éteint la pompe et enlève l'aiguille de la perfusion.

— Comment ont-ils pu me retrouver ici ?

— *Ils avaient installé une puce,* lui explique Dolorès, *dans les vêtements laissés à votre disposition.*

— *Je vois que la clinique vous a apporté de nouveaux vêtements. Mettez-les vite et déguerpissez.*

Gabriel-femme enfile le survêtement et les chaussures de sport, et quitte sa chambre ainsi vêtu.

— Vous allez où, mademoiselle Filipini ? demande Ghislaine, surprise de la voir déjà repartir.

— J'ai une urgence, je dois filer. Ah, encore une chose, des hommes risquent de venir et de demander à me voir, c'est un ex que j'ai éconduit, avec peut-être quelques amis à lui. Ne tentez même pas de discuter et chassez-les. S'ils insistent, appelez la police, je ne veux vraiment plus le voir.

Comme Ghislaine ne semble pas convaincue, Gabriel-femme cherche un argument, puis, se souvenant d'une formule à la mode, il poursuit :

— Cet homme est un pervers narcissique.

L'expression semble résonner très clairement dans l'esprit de Ghislaine, qui lui fait un signe de connivence.

— *Bravo Gabriel, vous semblez avoir acquis un peu de psychologie féminine en entrant dans mon corps.*

— Je prends ça pour un compliment. Et maintenant, où vais-je pouvoir trouver refuge ?

— *Chez moi. Maintenant que vous vous êtes débarrassé de la puce, il ne pourra pas vous retrouver. Il n'a aucun moyen de savoir où j'habite.*

Gabriel-femme est déjà dans la Porsche et fonce dans les rues parisiennes, craignant de croiser Samy ou ses hommes de main.

Arrivé chez Lucy, Gabriel-femme s'effondre dans le divan.

Les chats viennent vers lui en miaulant, mais certains, après un premier élan spontané, marquent un temps, comme méfiants.

– *Ils ne sont pas dupes. Ils reconnaissent mon apparence et mon odeur, mais perçoivent que l'esprit qui se trouve dans mon corps n'est pas le mien*, explique Lucy.

Les chats se frottent contre sa jambe et poussent de petits miaulements.

– *Ils ont faim, il faut les nourrir.*

Gabriel se lève et, sur les indications de Lucy, sort des croquettes, ouvre les boîtes de pâtée et allume la fontaine à eau pour les treize félins. Il repère une chaîne hi-fi, l'allume et sélectionne l'*Adagio pour cordes* de Samuel Barber.

Enfin, il s'accorde ce dont il rêvait : un bain.

Il redécouvre le bonheur de s'immerger dans de l'eau tiède, qui doit lui rappeler inconsciemment sa phase de gestation dans le ventre de sa mère.

Ah, si seulement je pouvais revivre une deuxième fois la même vie, songe-t-il. *Rien que pour bien la comprendre à l'aune des connaissances que j'ai acquises récemment… Et aussi pour la savourer vraiment, au lieu de la traverser comme un passager de train qui circule à travers de splendides décors en oubliant de les observer…*

Il inspire et sent diverses fragrances. Il se réjouit d'avoir retrouvé son odorat, ferme les yeux et laisse venir à lui en un diaporama rapide des images de son passé qu'il associe à des parfums : sa prime enfance (l'odeur du lait de sa mère quand il la tétait), ses jeux avec son frère (l'odeur ignoble quand il pétait pour rigoler), son père qui l'invite dans son laboratoire (l'odeur du soufre et du potassium chauffés sous le bec Bunsen), sa mère qui lui tire les cartes (son parfum à la rose et l'odeur de ses vieilles cartes de tarot usées), l'école où il racontait ses histoires de monstres aux filles à la fois horrifiées et attentives (elles sentaient le parfum bon marché avec un arrière-fond de patchouli et de bubble-gum), la fac de criminologie où il a vu son premier cadavre (l'odeur épouvantable qui en émanait, mélangée à l'odeur de formol censée la camoufler, qui lui avait fait se dire à l'époque que le pire dans la mort était la puanteur qu'elle dégageait). Il se souvient d'autres moments précis : la première fois qu'il a fait l'amour (il avait passé beaucoup de temps à renifler la peau de sa compagne et avait jugé que c'était ce qu'il y avait de meilleur). L'un de ses premiers reportages (il se déroulait dans un sous-marin et Gabriel avait respiré l'odeur des embruns iodés, puis l'air vicié dans le volume de l'habitacle). Il se souvient de son premier saut en parachute (l'odeur de sa propre sueur avant de se jeter dans le vide). La première fois qu'il a fait de la plongée sous-marine, découvrant ainsi la sensation fantastique, déjà, de voler (l'odeur de l'embout de plastique de la bouteille). Sa rencontre avec son éditeur (l'odeur de son après-rasage à la bergamote). Sa première visite à l'imprimerie pour assister à la fabrication de son livre (les odeurs caractéristiques de l'encre industrielle, celles de l'huile chaude des rouages des grandes presses rotatives Cameron et des feuilles de papier fraîchement imprimées). Il se rappelle que, lorsqu'il a tenu pour la première fois entre ses mains son roman publié, il l'a longtemps reniflé et a ressenti l'envie de se suicider pour que sa vie s'arrête à cet instant tant attendu.

D'autres effluves surgissent dans sa mémoire : des odeurs de chocolat chaud, de nuques de femmes, de fougères, de beignets sur la plage, d'oignons frits dans sa cuisine… Puis son dernier anniversaire, l'odeur des bougies mélangées à la crème du gâteau, le parfum de Sabrina, celui d'autres de ses ex-fiancées présentes ce jour-là, l'odeur du champagne puis du vin rouge, l'odeur du café, l'odeur des draps propres (avec un relent de lessive à la lavande) dans lesquels il s'était couché pour la dernière fois, et enfin le matin où, devant chez le fleuriste, il n'avait pas senti la moindre odeur. Il songe que l'odorat est le premier sens et aussi le plus puissant, car c'est lui qui permet au nouveau-né de reconnaître l'odeur de sa mère, et la perte de ce sens signifie la fin.

Alors, il jouit de l'avoir temporairement retrouvé. Il saisit un à un les flacons colorés à sa portée et les renifle : shampooing, baume démêlant, masque hydratant, gel douche, savon liquide moussant. Il verse cette dernière substance et, au contact de l'eau qui coule du robinet, des nuages de mousse blanche savonneuse se forment.

Gabriel-femme inspire profondément.

Depuis le salon, l'adagio de Samuel Barber monte, apportant encore plus de solennité au moment.

Il enfonce sa tête sous l'eau.

Il se souvient de la seconde où il a vu Lucy entrer dans la salle d'attente de Frédéric Langman, son saut par la fenêtre, son premier vol, l'instant où il a compris qu'il était mort. Il a un frisson. Il se remémore le moment où il a vu son corps depuis le plafond de sa chambre. La seconde où l'un des réanimateurs a annoncé que c'était fichu. Il se rappelle son enterrement, la découverte du nécrophone et son entrée dans le corps de Lucy.

Et si… toutes ces étranges secondes n'étaient que des hallucinations ? S'il était dans un rêve un peu plus élaboré que ceux qu'il fait habituellement ? Il a soudain un énorme doute sur sa propre existence, son passé, son présent.

Non ! Cela ne peut pas être un songe.

Il s'était lui-même fixé pour règle de ne jamais recourir dans ses romans à « Ce n'était qu'un rêve » ou « Il y avait un frère jumeau caché ». Cela aurait été tricher. Trop facile, donc indigne d'un auteur exigeant. Il reprend sa réflexion.

Donc ce n'est pas un rêve.

Donc c'est sa vraie vie passée.

Donc c'est sa vraie mort récente.

Donc il est vraiment, temporairement, réincarné dans un corps de femme. Aussi bizarre que cela puisse paraître.

Il sort la tête de l'eau, telle une île affleurant à la surface mousseuse de la baignoire.

Et me voilà devenu celle que je voulais approcher.

Il se savonne et, tout en se passant le gant sur le corps, prend un plaisir étrange à caresser chaque centimètre carré de cette peau lisse beaucoup plus sensible que son ancien épiderme d'homme.

Volupté. Extase. Joie d'être à nouveau vivant. Une voix résonne dans sa tête :

– *Quand vous aurez terminé, avant de sortir, vous passerez un jet d'eau froide sur mes jambes et sur ma poitrine. C'est bon pour la circulation et ça raffermit. Si vous apercevez un bouton, surtout ne le percez pas avec les ongles. Et puis, vous ne le savez peut-être pas, mais cette longue chevelure met du temps à sécher : il faudra utiliser le sèche-cheveux. Mais à bonne distance, pour ne pas risquer de brûler mes cheveux.*

Il ne l'écoute déjà plus, augmente la température du bain et joue avec ses orteils dans l'eau moussante. Un immense sourire s'affiche sur son visage.

– *Vous ne ressentez plus l'effet de la drogue ?* poursuit Lucy.

C'est à ce moment-là qu'une douleur irradie au niveau de son ventre. Il pense d'abord que ce sont des effets secondaires de la drogue, mais il se rend compte que c'est une douleur différente, loin de sa tête et très localisée. Il envisage alors une gastro-entérite ou une indigestion – il a déjà connu cette sensation après avoir mangé des aliments périmés. Il sort du bain, se sèche et voit une marque de sang sur la serviette. Il pense aussitôt à une blessure, mais Lucy lui apporte l'information qui lui manquait :

– *Bienvenue dans le monde des femmes.*

Il n'ose comprendre.

– *J'aurais dû vous avertir que mon cycle démarrait aujourd'hui.*

– Vous voulez dire que j'ai mes… règles ?

– *Les tampons sont dans le placard au-dessus du lavabo. Je vais vous guider pour que vous le placiez comme il faut. Mais pour ça détendez-vous, car il ne faut surtout pas forcer.*

Elle lui explique en détail la manœuvre, mais il doit s'y reprendre à trois ou quatre fois avant de réussir à introduire convenablement cet objet étranger dans son corps.

Quand il a enfin réussi, la sonnette de l'entrée retentit.

– *Qui ça peut être ?* s'inquiète Dolorès.

– *Allez voir, Gabriel !*

Gabriel-femme en profite pour s'habiller prestement.

– *Ce sont d'autres sbires de Samy ?* s'interroge Dolorès. *Comment ont-ils pu le retrouver si vite s'il n'a plus la puce ?*

– *Non, ce ne sont pas des gangsters, ce sont des clients.*

– *En groupe ?*

– *Le dimanche soir, je fais des séances de spiritisme collectives.*

Dolorès rejoint Gabriel devant la porte et reconnaît des membres du gouvernement.

– *Mais c'est le ministre de l'Intérieur ! Comment il s'appelle déjà ?*

– *Valladier. C'est un ami.*

– *Et les autres ?*

– *Tu ne les reconnais pas ?*

— *Attends, j'hallucine, il est accompagné par le Premier ministre Brocard !*

— *Il m'avait dit qu'un jour il me l'amènerait, mais je n'y croyais pas vraiment.*

— *Manquerait plus qu'il ramène le président de la République !*

— *Bon, il va falloir que je réintègre mon corps pour gérer la situation.*

— *Non, c'est impossible pour l'instant.*

— *Et pourquoi donc ?*

Dolorès affiche une mine navrée.

— *Si ce n'est pas fait lentement et avec le consentement clair des deux parties, deux esprits peuvent se retrouver à cohabiter dans un même corps. Il y a alors un risque de schizophrénie chronique. De manière générale, mieux vaut attendre au moins 24 heures avant de procéder deux fois de suite à ce genre de manipulation un peu traumatisante.*

Lucy a encore le souvenir de son passage dans l'aile psychiatrique de l'hôpital où tous voulaient la brûler pour sorcellerie.

Dolorès remarque que les deux politiciens sont accompagnés de silhouettes féminines.

— *Le mieux serait que tu réintègres ton corps tranquillement demain*, insiste Dolorès.

— *Mais le ministre de l'Intérieur et le Premier ministre sont là et Gabriel ne sait pas comment faire !*

— *Dans ce cas, il faut que l'on aide Gabriel à sauver les apparences.*

La sonnette d'entrée retentit une nouvelle fois. Gabriel-femme se tient devant la penderie, entouré de chats, et il fait défiler toutes les robes en se demandant laquelle il pourrait mettre.

– *Quand même, c'est le Premier ministre ! J'ignorais que tu avais autant d'influence…*, s'émerveille Dolorès.

– *Tu sais, la plupart des gouvernants ont leur astrologue ou leur médium attitré, parce qu'ils ont compris qu'ils n'arriveraient jamais à diriger efficacement un pays s'ils ne comptaient que sur leur seule intelligence. Et puis une fois arrivés au sommet, ils finissent tous par intégrer l'idée qu'il existe nécessairement des forces invisibles qui influent sur le monde visible.*

67. ENCYCLOPÉDIE : RASPOUTINE

Parmi les grandes figures de médiums ayant influé sur des politiciens se trouve en bonne place Grigori Raspoutine.

Né aux alentours de 1869 dans une famille de moujiks (paysans russes) à Pokrovskoïe, en Sibérie orientale, il développa très jeune un fort charisme et impressionnait par sa stature, sa force, son regard bleu intense, mais aussi son penchant pour l'alcoolisme et ses nombreuses conquêtes féminines ; ses maîtresses disaient de lui qu'il avait un sexe de plus de 30 centimètres de long avec un grain de beauté à sa base. Lorsqu'il était saoul, il n'hésitait pas à l'exhiber pour impressionner son entourage.

Alors qu'il était poursuivi par une foule qui voulait le lyncher pour sorcellerie, Raspoutine fut sauvé *in extremis* par la police et amené dans un monastère spécialisé dans la réinsertion des pervers et des criminels. Il devint mystique, à la grande surprise des moines, et apprit par cœur des chapitres entiers des Saintes Écritures. Il pouvait se priver de nourriture et de sommeil durant des semaines, rester à genoux à réciter des prières pendant des nuits entières.

Raspoutine était doué de facultés de guérison : on racontait qu'il avait rendu la vue à un aveugle et permis à une femme stérile d'enfanter des jumeaux. Il prétendait aussi pouvoir parler aux animaux et savait, de fait, dompter les chevaux les plus rétifs.

Après son séjour chez les moines, il voyagea dans toute la Russie et fut invité dans les salons huppés de Saint-Pétersbourg. La bourgeoisie locale s'ennuyait, et ce spécialiste des sciences occultes les émerveilla en leur parlant de la communication avec les morts, en organisant des cérémonies de tables tournantes à la manière des sœurs Fox.

Or Alexis, le fils du tsar Nicolas II, souffrait d'hémophilie, aussi appelée « maladie des rois ». La tsarine Alexandra Féodorovna, à court de solutions, invita Raspoutine à son chevet dans l'espoir qu'il accomplisse un miracle. Et, de fait, l'enfant soigné par le moine aux longs cheveux et aux grands yeux bleus sembla rapidement aller mieux après sa visite. Raspoutine fut donc invité à s'installer au palais pour soigner toute la famille grâce à ses mystérieux pouvoirs.

Il avait la confiance du couple impérial – dont il profitait pour coucher avec les domestiques. Mais cette confiance ne s'arrêtait pas à la médecine : le tsar et la tsarine lui posaient des questions sur l'avenir du pays, lui demandaient conseil sur la politique militaire à suivre, la valeur ou la loyauté de leurs ministres. Si bien que son influence sur toute la politique du pays ne cessait de croître.

En 1911, il déclara : « Dieu a placé la famille impériale et la Russie sous ma seule sauvegarde. Si je venais à disparaître prématurément, le tsar, la tsarine et leurs cinq enfants périraient à leur tour dans la douleur. »

330

Quand la Première Guerre mondiale éclata, la France et l'Angleterre demandèrent à leur allié russe d'ouvrir un front à l'est pour soulager le front ouest. Raspoutine conseilla au tsar de refuser. Dès lors, un complot contre lui fut monté par les services secrets occidentaux avec le soutien des aristocrates qui tous détestaient ce sorcier beaucoup trop influent.

Le 29 juin 1916, alors que Raspoutine quittait une église, il fut poignardé par une espionne déguisée en mendiante, mais il se remit facilement de ses blessures.

Le 29 décembre 1916, profitant d'une fête au palais de la Moïka, le prince Felix Youssoupov introduisit une grande quantité de cyanure de potassium dans un gâteau. Raspoutine consomma l'aliment, mais le poison censé agir de manière fulgurante ne lui procura aucune gêne et il passa le reste de la soirée à chanter et à jouer de la guitare. À bout de patience, Youssoupov alla chercher un revolver, revint dans la salle à manger et tira une balle dans le cœur du médium. Alors que Youssoupov examinait le corps qui ne respirait plus, brusquement l'œil gauche de Raspoutine s'ouvrit, il se releva d'un bond et se précipita sur Youssoupov pour l'étrangler. Ce dernier parvint difficilement à se dégager et courut chercher quatre de ses complices en criant : « Il est encore en vie ! » Tous descendirent armés de revolvers, mais s'aperçurent que leur victime était parvenue à quitter le palais. Les conjurés suivirent les traces qui prouvaient que leur proie rampait dans la neige. Ils le retrouvèrent et lui tirèrent trois balles supplémentaires pour l'achever. Puis ils l'enveloppèrent dans son manteau, le ligotèrent, l'emmenèrent et le jetèrent du haut d'un pont dans le fleuve Neva gelé. Le cadavre fut retrouvé le lendemain avec de l'eau dans les poumons, preuve que Raspoutine s'était libéré de ses liens, avait nagé, mais, épuisé, s'était finalement noyé.

Ses admirateurs vinrent par la suite recueillir un peu de l'eau entourant son cadavre pour acquérir ses pouvoirs. Quant à son pénis, il fut récupéré pour être exhibé au musée de Saint-Pétersbourg dont il est encore de nos jours une des attractions principales.

La Russie s'engagea dans la Première Guerre mondiale aux côtés des Français et des Anglais, jusqu'à la révolution de 1917 où la prédiction de Raspoutine s'accomplit : le tsar Nicolas II, la tsarine, leurs cinq enfants et quelques proches furent assassinés par des révolutionnaires.

Edmond Wells,
Encyclopédie du Savoir Relatif et Absolu, tome XII.

68.

Leurs auriculaires sont en contact avec les pouces de leurs voisins. Les deux politiciens, leurs épouses respectives et la médium sont fébriles.

Gabriel-femme, vêtu d'une belle robe lamée noire et arborant des bijoux clinquants, ferme les yeux et se concentre.

— *Dites-leur qu'ils vont former un cercle d'énergie qui permettra aux âmes invoquées de venir leur rendre visite,* lui intime Lucy.

— Nous allons former un cercle de magie qui…

— *Non, concentrez-vous, vous ne m'écoutez pas bien, je n'ai pas dit « de magie » mais « d'énergie ». Le mot « magie » peut les mettre mal à l'aise.*

– Donc un cercle d'énergie qui…

– *Il faut prononcer exactement ce que je vous indique, soyez attentif, Gabriel.* « *Qui permettra aux âmes invoquées de venir nous rendre visite.* »

– Qui permettra aux âmes invoquées de venir nous rendre visite.

– *Parfait. Demandez-leur qui ils veulent invoquer et pourquoi. Je vous transmettrai en direct toutes les réponses.*

– Qui voulez-vous invoquer ? Et pourquoi ?

Le ministre de l'Intérieur Valladier dit à son collègue Brocard :

– Vas-y, Gérard, commence !

– Bien ! La situation est grave. Des journalistes un peu trop fouineurs ont découvert une affaire de détournements de fonds normalement destinés à l'office des HLM. Nous voudrions… enfin, je voudrais savoir comment celui qui a mis au point cette petite magouille que nous avons tous reprise a prévu d'agir dans cette situation gênante. Je voudrais appeler l'ancien président François Mitterrand.

– Très bien, concentrons-nous. J'appelle… François Mitterrand.

Les cinq personnes ferment les yeux et attendent.

Lucy fait appel à Dracon. Ce dernier apparaît, et pour la première fois, grâce à sa présence dans le monde invisible et à ses nouveaux sens, elle peut enfin voir ses traits. C'est un petit homme bedonnant au visage joufflu, qui porte une toge et des sandales.

– *Bonjour, Lucy !*

– Bonjour, Dracon ! Contente de vous voir.

– *Que puis-je faire pour vous aider ?*

– J'aimerais que vous alliez chercher François Mitterrand.

– *Vous avez de la chance, il n'est pas encore réincarné, s'il est dispo je vous l'amène.*

333

Il revient avec l'ancien président français moins d'une minute plus tard, qui déclare :

— *Dracon m'a expliqué la situation. Je trouve normal d'aider mes successeurs. C'est, comment dire, le « service après-vente ». En plus, cela m'amuse de continuer d'exercer une action politique, fût-ce depuis l'au-delà.*

Se met alors en place un étrange dialogue où François Mitterrand parle à Lucy qui elle-même communique avec Gabriel pour retransmettre chacune de ses paroles.

Ainsi Mitterrand informe-t-il Brocard sur les montages complexes qu'il utilisait à son époque pour financer les caisses secrètes du parti, puis de son gouvernement, et qui lui permettaient de payer les campagnes d'affichage, les meetings en province, puis les « coups ». Pour ce qui est des journalistes, il explique qu'il n'hésitait pas à les mettre sur écoute et ensuite à les faire chanter ou, si cela ne suffisait pas, à les soumettre à des contrôles fiscaux, voire à des menaces physiques. Enfin, il reconnaît qu'il a quand même dû parfois « éliminer » des gêneurs qui auraient pu ébranler le socle de son gouvernement.

L'ectoplasme a l'air ravi de pouvoir enfin confier ses petits secrets.

— *Bon, voilà, je t'ai tout dit, Gérard. Si j'étais toi, en remerciement de ces bons conseils, je m'invoquerais comme référence dans mon prochain discours. Cela va te rendre automatiquement crédible et sympathique, voire te permettre de devenir président. Ciao.*

Gabriel-femme a terminé de répéter ce que lui dictait l'ancien président par la bouche de Lucy.

Dans l'invisible, Mitterrand dialogue avec ceux qui l'ont invité :

— *Vous savez, les filles, ici je m'ennuie un peu. Quand j'étais sur terre, je consultais des médiums et des marabouts. C'était amusant. J'imaginais comment pouvait être l'au-delà ; mais depuis que je sais ce que c'est et que j'y vis, je m'ennuie. Ça vous dirait qu'on se fréquente un peu plus régulièrement ? On n'aurait qu'à se retrouver chez moi. Je vis encore à l'Élysée. Vous verrez, c'est très chic.*

Après l'intervention de François Mitterrand, l'ambiance se détend autour de la table ronde. Les extrémités des doigts restent connectées. Gabriel-femme permet ensuite au ministre de l'Intérieur de parler à Edgar Hoover, l'ancien chef du FBI lié à la mafia. Ce dernier tient des propos très racistes mais qui semblent ravir le Français. Puis chacune des compagnes des ministres émet le désir de discuter avec sa mère. Elles s'abreuvent de leurs conseils de vie et même de recettes de cuisine. À force, les douleurs au ventre finissent par fatiguer l'écrivain, qui écourte la séance et raccompagne ses invités ravis, bien décidés à revenir rapidement.

Une fois qu'ils sont partis, Gabriel s'affale dans un fauteuil en lâchant un soupir de soulagement. Les chats viennent spontanément se frotter contre ses mollets comme s'ils voulaient nettoyer les mauvaises ondes générées par cette séance.

— Bon, tenir une séance de tables tournantes avec deux ministres où l'on invoque des politiciens défunts : c'est fait !

— *Vous vous en êtes très bien tiré, Gabriel.*

— Heureusement que vous étiez là, Lucy. Entre nous, vous qui l'avez vu dans l'invisible, vous pouvez me confirmer que c'était le vrai Mitterrand ?

— *Qui d'autre aurait pu donner de telles informations ?*

— Certes... Bon, tout ça m'a épuisé, je ferais mieux d'aller dormir. C'est peut-être cela qui m'a le plus manqué en tant qu'âme errante, ces moments où on lâche complètement prise pour s'arrêter de penser.

Déjà Gabriel-femme enlève ses vêtements de médium, enfile une nuisette et se couche.

– Et ne me reluquez pas pendant que je dors ! lance-t-il en direction du plafond. Vos chats me protègent et m'avertiront.

– *Ne vous inquiétez pas, nous avons d'autres choses à faire que vous lorgner*, lui répond Lucy.

69.

Il ronfle. Lucy et Dolorès planent au-dessus du lit où s'est assoupi Samy Daoudi.

– *Il a une aura complètement étanche,* déplore l'ancienne détenue de la prison de Rennes devenue spécialiste en examen d'énergies.

Elles continuent de tourner autour de lui alors que celui-ci commence à ronfler plus fort.

– *Regarde, il entre dans un sommeil profond. On a peut-être une chance que cela change. Tiens-toi prête, Lucy.*

La médium observe l'enveloppe vaporeuse autour de son ancien amant. Des zones s'assombrissent et, enfin, un petit orifice apparaît au niveau du sommet du crâne.

– *Il est en phase de sommeil paradoxal. Il n'a plus aucune protection. Vas-y, Lucy.*

Alors, lentement, la jeune médium en lévitation au-dessus du dormeur approche de lui son index. Elle le plonge dans le trou, l'enfonce dans le crâne. Il a un infime tressaillement et émet un petit claquement de bouche. Elle poursuit cependant sa trépanation et arrive à atteindre son cerveau. Elle place l'extrémité de son index au niveau du corps calleux, ce pont de chair qui relie les deux hémisphères cérébraux, et ressent en direct l'énergie de ses pensées. Mais elle sait qu'elle n'a pas de temps à perdre, le sommeil paradoxal ne durant tout au plus qu'une dizaine de minutes. Il lui faut rapidement trouver un moyen d'agir sur son esprit.

— *C'est moi, ta maman. Écoute-moi.*

— Maman ? demande Samy à haute voix dans son sommeil.

— *Écoute-moi, Samy : ce que tu as fait n'est pas bien. Je souffre de voir comment tu as sali le nom de notre famille. Il faut que tu répares ta faute !*

— Maman !

— *Tais-toi et écoute-moi. Tu vas te débrouiller pour que Christophe libère les autres filles. Et tu dois faire en sorte qu'il ne puisse plus recommencer. Dénonce-le à la police s'il le faut, tu m'entends ? Tu dois cesser de le fréquenter.*

— Maman…

— *Je suis dans le ciel et je te surveille. Il faut que tu répares le tort que tu as causé à des innocentes. Et il faut que tu dises à ton ami de ne plus chercher à retrouver Lucy. Tu m'entends ? Il faut laisser cette fille tranquille désormais.*

— Mais maman…

— *Tais-toi et obéis, Samy ! Sinon je serai très malheureuse. Ce n'est pas ce que tu veux, si ?*

— Non…

— *Je te vois et te surveille, Samy. Il faut t'amender. Réparer le mal que tu as fait. Et ce, dès demain ; c'est bien compris ? Dis-moi que tu le feras.*

— Je le ferai.

— *Et plus jamais tu ne feras de mal volontairement à quelqu'un, promets-le.*

— Mais maman…

— *Promets-le, sinon je viendrai toutes les nuits hanter tes rêves pour en faire des cauchemars !*

— Très bien, maman. Je te le promets.

— Parfait. Donc dès demain tu…

Dolorès fait signe à Lucy que cela ne sert à rien de continuer : Samy est sorti de sa phase de sommeil paradoxal et son aura s'est reconstituée. Il ne l'entend donc plus.

— Si ça ne tenait qu'à moi, je l'aurais puni ton salopard d'ex-amant ! rugit Dolorès.

— Mais on ne peut pas agir dans l'invisible…

— Si, on peut agir un peu. Quand je suis morte, je me suis mise à explorer les possibilités d'action depuis les limbes, et j'en ai trouvé quelques-unes. Il suffit de pousser les gens vers leurs mauvais penchants naturels… De la même manière que tu viens de retrouver ton ex-fiancé, moi j'ai retrouvé l'enflure qui nous a trahies, ma sœur et moi. Et je suis passée aux représailles…

— Comment ça ?

— Il avait une petite tendance à boire, et je l'ai aidé, disons, à y aller plus franchement dans son vice. Ensuite, une fois que son aura a été bien trouée, je suis allée chercher un égrégore d'ivrognes dans l'invisible. Les égrégores sont, comme tu le sais, un troupeau d'esprits qui pensent pareil et agissent de concert, une sorte de club d'âmes errantes. Étant eux-mêmes morts d'éthylisme, ils ont tendance à faire du prosélytisme pour qu'un maximum de gens souffrent comme eux. Donc, si quelqu'un nous énerve vraiment, on peut l'inciter à boire et le laisser ensuite en pâture à un de ces groupes qui va le pousser en permanence vers son mauvais penchant.

— Et ça a marché ?

— Il a eu des crises de delirium tremens, *c'est devenu une loque, un clochard, il ne peut plus rien faire, même pas se tenir debout. Crois-moi, c'est encore mieux que de le tuer, car cela peut durer très longtemps, cela revient à pourrir son esprit. Et cette pathologie est entretenue et encouragée par cet inépuisable égrégore d'ivrognes dans l'invisible.*

— *C'est quand même un peu dur !*

— *Tu es trop gentille, Lucy. Dois-je te rappeler que ton Samy t'a fait perdre huit ans de ta vie en t'envoyant en prison ?*

— *Mais c'est grâce à cela que j'ai découvert mon talent, que j'ai trouvé mon métier et que je t'ai rencontrée !*

— *Tu pardonnes trop vite. Moi je suis favorable à ce que les salopards payent pour leurs méfaits et qu'on arrête de leur trouver des excuses. Ton Samy t'a menti, il t'a dénoncée à la police, il t'a fait kidnapper par ses copains proxénètes, je ne sais pas ce qu'il te faut ! À mon avis, il mérite une vraie leçon. Mais bon, si tu préfères te contenter de lui faire la morale en te faisant passer pour sa mère et en le menaçant de cauchemars, c'est ton choix. Je le respecte. Viens, suis-moi, j'ai quelque chose à te montrer.*

Les deux femmes s'envolent vers le centre de Paris.

Dolorès emmène Lucy devant le mémorial de la Shoah dans le quartier du Marais. Une nuée de fantômes, anciens martyrs de la déportation, sont réunis autour du musée.

— *Regarde-les. Qu'est-ce qu'ils font ? Rien. Ils se retrouvent entre eux pour se rappeler leur malheur. Le vrai problème, c'est que la plupart des gens sont comme toi. Même les victimes ne sont pas rancunières, ce qui fait qu'il n'y a de justice des hommes ni sur terre ni dans l'au-delà,* regrette Dolorès. *L'officier allemand qui avait organisé, durant la débâcle de la Seconde Guerre mondiale, le massacre d'Oradour-sur-Glane, qui avait enfermé tous les habitants dans une église avant de les brûler vifs, eh bien figure-toi qu'il est mort de vieillesse entouré des siens. Tout comme l'ignoble docteur Mengele qui conduisait des expériences atroces dans les camps de concentration sur les enfants, et notamment les jumeaux.*

— *Ou la plupart des nazis qui ont été aidés dans leur fuite vers le Brésil ou l'Argentine…*

— *Et il n'y a pas que les nazis. Mao, Staline, Kim Il-sung,*

Pinochet, qui ont massacré une foule d'innocents, ils sont eux aussi morts confortablement dans leur lit ou à l'hôpital. En fait, la plupart des salauds, qu'ils soient dictateurs sanguinaires, criminels ou tortionnaires, sont morts tranquillement de vieillesse dans l'opulence, en capacité d'indiquer à leurs héritiers comment poursuivre leur œuvre. Et, même après leur décès, il y a encore des gens informés de leurs méfaits pour continuer de les vénérer.

— On ne peut rien y faire. Les salauds non seulement ont de la chance, mais voient surgir de partout des volontaires pour les aider.

Les deux femmes se recueillent un instant en silence devant la liste des 76 000 déportés, dont 11 400 enfants.

— La justice des hommes est bel et bien une utopie, soupire Lucy.

— Je ne suis pas de ton avis. J'estime que là où la justice des hommes se révèle impuissante, il faudrait inventer une sorte de « Tribunal de l'invisible » avec des juges âmes errantes qui pourraient prendre des sanctions en agissant depuis les limbes.

— Comme toi avec ce type qui est devenu alcoolique ?

— Parfaitement. Je pense que nous pourrions, nous les âmes errantes motivées par un sentiment de justice, agir quand les juges du monde matériel ont baissé les bras.

— Il risque d'y avoir du travail…

— Ça tombe bien, j'ai tout mon temps. Je crois que je viens de trouver un sens au restant de mon existence dans les limbes !

Les deux femmes regardent maintenant la liste des Justes, ceux qui ont risqué leur vie pour sauver 3 853 personnes, préférant essayer d'enrayer la barbarie plutôt que de se soumettre. Ce mur, plus que celui des victimes, provoque chez Lucy une prise de conscience : ne rien faire revient à condamner d'autres filles à subir le sort qu'elle a subi.

— J'ai changé d'avis, Dolorès. Je ne crois pas que Samy s'amendera en souvenir de sa mère. Il fera peut-être des efforts un temps,

mais il ne changera jamais en profondeur. Il a fait du mal, il doit payer.

Elle se précipite dans la maison de Samy et se replace au-dessus de son lit.

— *Tu comptes faire quoi ? Le rendre alcoolique comme mon bon-homme ?* demande Dolorès. *Commençons par lui donner envie de prendre une petite bière fraîche à 10 heures. Lorsqu'il en aura bu une dizaine, on lui suggérera de dénoncer son pote proxénète à la police. Puis on le rendra dépendant à l'alcool au point de lui faire perdre tout libre arbitre, et pour finir, on le confiera à mes copains âmes errantes morts de cirrhose.*

— *Non. J'ai une meilleure idée. Il voulait me droguer pour me transformer en prostituée ? On va jouer à l'arroseur arrosé. Ça peut être un bon point de départ pour ton Tribunal de l'invisible : faire subir aux nuisibles ce qu'ils ont fait subir aux autres.*

70. ENCYCLOPÉDIE : ÂMES SOMBRES

Certains humains détestent vraiment leur prochain. En voici quelques-uns qui ont mis toute leur énergie à causer le plus de souffrances possible à leurs congénères :

— L'empereur chinois Qin Shi Huangdi (259-210 avant J.-C.) promulgua un jour l'interdiction de penser. Il voulait faire advenir une loi non plus écrite mais organique, qui stipulait qu'un individu souhaitant voler ne le pourrait même pas car sa main refuserait de lui obéir. Pour ce faire, une seule arme : la terreur. Il inventa des supplices de plus en plus spectaculaires pour parvenir à cette fin. Pour perfectionner l'art de faire souffrir son prochain, il créa des universités de torture et instaura un système

policier où les enfants étaient obligés de surveiller leurs parents et de les dénoncer s'ils concevaient une pensée hostile à l'empereur. Il fit nommer son cheval ministre, ordonna la destruction de tous les livres de son pays, organisa la décapitation de 500 à 600 de ses savants, sous le prétexte qu'ils avaient été incapables de lui procurer l'immortalité. Son bilan final dépassa les 3 millions de victimes.

– Le roi hébreu Hérode (73-4 avant J.-C.), placé sur le trône par les Romains, enleva aux tribus d'Israël leur pouvoir politique, destitua les rabbins, fit assassiner son épouse ainsi que plusieurs de ses propres enfants. Contemporain de Jésus-Christ (qui mourut quatre ans après Hérode), il fit assassiner des dizaines de milliers de jeunes garçons juifs rien que pour terroriser la population et la rendre plus docile. Il fit éliminer systématiquement tous les individus qui menaçaient de près ou de loin son pouvoir. À force de spoliations, d'intrigues, de vols, il laissa le pays péricliter pour satisfaire les Romains qui craignaient les insurrections à répétition dans la région. Il demanda qu'à sa mort, tous les hommes les plus importants du pays soient systématiquement tués, afin que le deuil soit le plus marquant possible.

– L'empereur romain Caligula (12-41 après J.-C.), après un début de règne où il se montra particulièrement bienveillant et devint très populaire, ne prenant que des décisions raisonnables et sages, fut atteint d'une fièvre qui le plongea dans le coma. Une fois guéri, il changea complètement d'état d'esprit. Son visage jadis gracieux devint ténébreux et tourmenté. Il promulgua des lois irrationnelles et punit tous ceux qui refusaient de s'y soumettre.

Il aimait torturer et supplicier ses opposants ou même des individus pris au hasard pour son simple plaisir, prolongeant parfois leur agonie pendant plusieurs jours. L'une de ses tortures favorites consistait à découper la chair de ses victimes le long de la colonne vertébrale, depuis l'entrejambe jusqu'au haut de la poitrine. Il avait des relations incestueuses avec ses sœurs. Il participait aux mariages des aristocrates et exigeait de passer la première nuit avec leurs épouses. Si le mari rechignait, il lui faisait couper les testicules et les mangeait en présence de sa femme qu'il forçait elle aussi à consommer. On lui prête un certain nombre de citations, dont : « Il n'y a qu'une manière d'égaler les dieux, c'est d'être aussi cruel qu'eux », « Il n'y a que la haine pour rendre les gens intelligents » et « Quand je passe une journée sans assassiner quelqu'un, je suis envahi d'un énorme sentiment de solitude ». Il finit poignardé par ses soldats, qui le mangèrent pour être sûr qu'il était bien mort.

– L'empereur romain Néron (37-68 après J.-C.), despote cruel et fou, persécuta les chrétiens dans des spectacles mettant en scène leur exécution. Il fit incendier Rome et déclama de la poésie en regardant les maisons brûler. Il fit assassiner des milliers de personnes, dont sa propre mère, sa tante, sa belle-sœur, son ex-femme, son épouse et son beau-frère. Puis il fit tuer systématiquement tous les membres de sa famille. Au-delà du viol, qu'il pratiquait fréquemment, ses supplices préférés allaient de l'empoisonnement à la décapitation, en passant par la crucifixion et l'empalement.

– Le roi des Huns, Attila (395-453 après J.-C.), fut surnommé le « Fléau de Dieu ». Il décida de réduire à néant l'Empire romain et pratiqua des tortures raffinées, comme déchirer membre par membre les corps de ses prisonniers. Adepte du cannibalisme, il dévora deux de ses propres fils, et il n'hésita pas à boire le sang de ses victimes. Quand une jeune Française refusa de l'épouser, il la fit supplicier puis mit à mort de manière spectaculaire 11 000 de ses concitoyens. Brûlant et rasant systématiquement les villes qu'il envahit, il fut responsable de la mort de plusieurs centaines de milliers de personnes.

– L'impératrice Wu Zetian (625-705 après J.-C.), d'humble extraction, entra au harem de l'empereur Taizong le Grand à l'âge de 12 ans. Considérée comme l'une des plus belles femmes de son époque, elle devint rapidement la favorite de l'empereur, puis séduit aussi son fils, Gaozong, dont elle eut un enfant qu'elle étrangla, avant de faire accuser de ce crime sa femme officielle. Cette dernière fut répudiée, et Wu Zetian prit sa place. Dès lors, elle se mêla de politique, poussa à la guerre, et força son mari à envoyer ses troupes mater les trois royaumes qui occupaient la péninsule coréenne. Elle dirigea la guerre contre les Tibétains à l'ouest et contre les Turcs au sud-ouest. Elle fit décapiter la majorité des Mandarins et réduisit leurs enfants en esclavage. Puis elle empoisonna l'empereur Gaozong et devint la première femme impératrice. Dès lors, elle fit éliminer toute la famille de la dynastie Tang et créa sa propre dynastie des Zhou. Pendant cinquante ans, elle régna d'une main de fer, organisa quotidiennement des orgies et des exécutions publiques, pratiqua la torture – avec une prédilection pour les mutilations (nez, oreilles, pieds, jambes) – et entretint la terreur dans sa cour comme dans les États limitrophes qu'elle conquit à l'est et à l'ouest.

– L'empereur mongol Gengis Khan (1155-1227 après J.-C.) bâtit le plus grand empire de l'époque en détruisant l'Empire chinois et en envahissant les royaumes d'Europe de l'Est et du Moyen-Orient. Il déploya tout un arsenal de tortures plus abominables les unes que les autres : faire bouillir dans une marmite les généraux ennemis vaincus ou verser du métal en fusion dans les oreilles et les yeux de ceux qui lui manquaient de respect. Il asservit des centaines de milliers de prisonniers qu'on utilisa comme boucliers humains lors des affrontements guerriers afin d'épuiser le stock des flèches ennemies. Il conseilla à ses guerriers de couper les veines de leurs chevaux et d'en boire le sang pour se donner de l'énergie. Au total, Gengis Khan aurait tué entre 20 et 30 millions de personnes, réduisant de trois quarts la population du plateau iranien et des plaines d'Europe centrale.

– L'émir turco-mongol Tamerlan (1336-1405 après J.-C.) fonda un empire basé sur la destruction des villes et les massacres de masse. On estime qu'il aurait tué entre 15 à 20 millions de personnes. Lui aussi pratiquait diverses formes de torture, comme laisser des milliers de victimes suffoquer lentement jusqu'à mourir étouffées, ou obliger des milliers d'hommes à sauter du haut d'une falaise sur des piques. À Bagdad, il fit décapiter pour l'exemple 90 000 civils ; il fit de même avec 70 000 personnes à Tikrit, 70 000 à Ispahan, et 20 000 à Alep. Afin d'inspirer la terreur, il érigea des tours dont les briques étaient constituées des crânes de ses victimes.

– Le prince Jean sans Terre (1167-1216 après J.-C.), qui a inspiré la légende de Robin des Bois, était un homme violent, lubrique et cruel. Il courtisait les femmes de ses

345

vassaux avec qui il eut 12 enfants illégitimes avant d'exiler ou de faire assassiner leurs mères. Il trahit tour à tour son père, ses frères, sa femme, les barons qui s'étaient ralliés à sa cause et finalement son pays tout entier. Ceux qui lui désobéissaient étaient jetés en prison jusqu'à ce qu'ils y meurent de faim. Il augmenta les impôts pour satisfaire ses délires orgiaques et conduisit son pays à la misère. Il mourut finalement de dysenterie.

– Pol Pot (1925-1998), dictateur communiste cambodgien, chef des Khmers rouges, fit tuer 1,7 million de personnes (20 % de la population cambodgienne). Il encouragea les paysans à tuer les citadins et, de manière générale, les analphabètes à tuer les intellectuels. Il considérait que la torture n'avait pas pour seul but de faire avouer la personne, mais aussi de la pousser à réclamer son exécution. Après avoir éliminé ceux qu'il considérait comme anticommunistes, Pol Pot ordonna qu'on disperse à sa mort les morceaux de son cadavre, qu'on détruise tous les documents administratifs le mentionnant et qu'on tue tous les gens qui l'avaient connu, afin d'être sûr qu'il soit oublié, comme s'il n'avait jamais existé.

Edmond Wells,
Encyclopédie du Savoir Relatif et Absolu, tome XII.

71.

Une langue râpeuse lui lèche le visage.
Gabriel-femme soulève une paupière et distingue un chat à

quelques centimètres de sa pupille, qui pourrait la crever d'un seul coup de griffe bien ajusté.

Il ouvre l'autre œil et découvre la chambre de Lucy éclairée par les premiers rayons de soleil. Déjà d'autres chats accourent vers lui, visiblement affamés.

Ses jambes fines se déploient, quittent le lit et l'amènent vers la cuisine. Ses mains aux doigts graciles versent les croquettes dans les différentes écuelles. Il déclenche la fontaine. Une pensée lui vient avec un léger retard :

« Merci d'être vivante.

Merci d'avoir un corps.

J'espère me montrer digne aujourd'hui de la chance que j'ai d'exister. »

Il se dirige vers le miroir et se reconnaît.

Je suis l'esprit de l'écrivain Gabriel Wells dans le corps de la médium Lucy Filipini. Non, je ne suis pas fou. Non, je ne rêve pas. Non, tout ce qui se passe n'est pas uniquement issu de mon imagination. Oui, cela pourrait être pire.

Debout dans la cuisine, il sent ses poumons qui se gonflent et se dégonflent, il sent son cœur qui bat.

Il ferme les yeux, il perçoit le sang propulsé dans ses veines qui arrive jusqu'à l'extrémité de ses doigts et de ses orteils.

Il ouvre la fenêtre et respire amplement, avant de mettre de nouveau en fond musical l'*Adagio* de Samuel Barber qu'il apprécie de plus en plus.

On se rend compte de la chance qu'on a d'être vivant quand… on a connu l'expérience de la mort, se dit-il.

Il note cette phrase, réalisant qu'il n'a rien perdu de ses habitudes d'écrivain, consignant les pensées qui pourraient être reprises dans son prochain roman.

Finalement, être auteur est une forme de névrose. Ou tout du moins de pathologie assumée.

Il se souvient qu'il va devoir rendre ce corps fabuleux à sa propriétaire, mais cette pensée, loin de le décevoir, lui donne envie de profiter de chaque seconde, qui recèle tant de possibilités.

C'est pourtant bien l'esprit de l'écrivain qui a pris le dessus. Il cherche l'ordinateur de Lucy. Par chance, elle possède un appareil nouvelle génération qui fonctionne avec l'empreinte du doigt, ce qui lui évite d'avoir à trouver le mot de passe.

Une fois l'ordinateur allumé, il commence à écrire.

« Qui… m'a… tué… ? »

Plus que jamais, il est conscient que le réel est inimitable et souvent « invraisemblable », et qu'il n'est, en tant qu'auteur, que l'humble imitateur du Créateur qui invente en permanence des situations insolites. Il imagine alors pour son texte la dédicace suivante :

« Au grand scénariste qui a inventé le monde complexe dans lequel nous vivons. De la part d'un admirateur inconditionnel. »

Il essaie de bien se remémorer en détail tout ce qui lui est arrivé, note chaque péripétie et entame son récit, alternant scènes de dialogue et scènes d'action.

De nouveau, il se demande quelle pourra être sa dernière phrase, se disant qu'il faudrait une chute inattendue.

Il se souvient alors de l'Esclapion, un établissement de soins imaginé par le médecin grec Esculape, qui soignait les fous en les mettant dans un labyrinthe souterrain. Lorsque enfin les malades, après avoir erré dans l'obscurité, repéraient une lueur, couraient vers le puits de lumière, levaient leur visage en direction de la lumière qui indiquait la sortie, ils recevaient sur la tête le contenu d'un grand seau rempli de serpents. L'effet était radical. L'ancêtre de l'électrochoc, en quelque sorte – les bienfaits de la surprise finale.

De la même manière, les bonnes intrigues sont des dédales dans lesquels le lecteur cherche la lumière indiquant la sortie et, au moment où il croit la trouver, il faut qu'il reçoive un seau de serpents.

Gabriel se rappelle aussi que le médecin Esculape a péri frappé par la foudre (de Zeus ?) pour avoir tenté de ressusciter les morts.

Il s'aperçoit que son esprit dérive. C'est son grand défaut : sa mémoire lui offre de multiples axes de réflexion, mais le détourne aussi parfois de sa ligne narrative.

Il faut tenir le cap.

Il tape à grande vitesse une sorte de plan global.

Mais le problème, réalise-t-il bien vite, est que ce qui lui est réellement arrivé n'est pas crédible. Personne ne croira une seconde à l'histoire de sa mort et de sa réincarnation temporaire en femme.

Il tape de plus en plus vite. Rien que le fait de sentir pianoter ses doigts aux ongles trop longs et d'entendre claquer les touches lui apporte un sentiment de plénitude.

L'idéal serait que sa vie se prolonge de la sorte, avec son corps de jeune femme et son esprit de vieil écrivain. Et qu'est-ce qui l'en empêche, après tout ? La parole qu'il a donnée à Lucy de lui restituer son corps quand elle le réclamerait ?

Il écrit et sent son esprit qui court de ligne en ligne comme un cheval galopant dans la forêt.

Il a l'impression d'avoir retrouvé son unité en un esprit cohérent. Finalement, c'est peut-être cela qui lui manquait le plus quand il était un pur esprit : taper sur le clavier d'un ordinateur pour créer le sillon de l'intrigue.

L'écriture me sauve. C'est le seul moment où je me retrouve vraiment. C'est le seul espace où je ne me contente pas de suivre les événements, puisque c'est moi qui les crée.

Il continue à rédiger des chapitres de son histoire jusqu'à ce que ses yeux commencent à le brûler.

Il regarde la pendule ; elle indique 12 h 30. Il a écrit pratiquement quatre heures sans même s'en apercevoir.

Il enfile une veste, sort dans la rue et hèle un taxi, résigné à devoir s'accommoder du mode de locomotion poussif des vivants.

S'il était une âme errante, il serait déjà arrivé.

Le chauffeur diffuse une musique saccadée et a poussé le volume à fond. Lorsque Gabriel-femme lui demande de baisser le son, il lui répond qu'il est dans son véhicule et qu'il fait ce qu'il veut.

Gabriel redécouvre ainsi les inconvénients d'être dans la matière, *a fortiori* lorsqu'on est une femme…

Avec la stature réduite et les muscles moins puissants de Lucy, il ne peut pas se permettre, en cas de conflit, d'en arriver à la menace physique. Dans le rétroviseur, le regard du chauffeur est plein de concupiscence.

Gabriel-femme a un frisson désagréable. Son ventre se fait de nouveau douloureux.

– Détendez-vous ma petite dame, nous sommes bientôt arrivés.

Gabriel-femme a le sentiment d'être une proie potentielle face à un prédateur. Comme pour confirmer cette impression, le chauffeur sourit de toutes ses dents et passe sa langue sur les lèvres dans un geste sans équivoque. Enfin, ils arrivent à destination.

– Et voilà, ma jolie petite dame. Vous voyez, avec moi tout se passe toujours bien. Cela fera 35 euros.

Gabriel-femme lui donne la somme réclamée.

– Et mon pourboire !? réclame le chauffeur d'un air effaré.

Gabriel ne répondant pas, l'autre lui lâche une insulte sexiste.

L'écrivain prend conscience que toutes les fois où il a tenté de se mettre dans la peau d'une femme pour un personnage, il était loin du compte. Il commence désormais à comprendre.

Il arrive devant l'immeuble où vit son frère. Il sonne à l'interphone.

– C'est pour quoi ?

– C'est Lucy Filipini.

– 5e droite.

L'ascenseur étant en panne, Gabriel-femme emprunte les escaliers et découvre son frère qui l'attend sur le seuil.

– Quel plaisir de vous retrouver, mademoiselle Filipini. Je ne m'attendais pas à ce que vous… veniez chez moi. Je ne sais même pas comment vous avez eu mon adresse personnelle et…

– Vous avez un peu de temps ? Vous voulez toujours que nous déjeunions ensemble au restaurant ? Allons-y, j'ai faim.

Thomas enfile un manteau puis l'emmène dans un bistrot chic à proximité. Une fois sur place, il laisse la jeune femme passer devant et lui propose la banquette. Au moins, Gabriel-femme profite de la galanterie masculine… Il s'assoit et retire discrètement ses chaussures à talons dans lesquelles il n'est décidément pas à l'aise.

– Votre visite est si… inattendue.

– On mange quoi de bon ici ?

– C'est marrant, c'est typiquement une expression de mon frère.

Un moment il a peur que sa manière de parler ne trahisse son identité, mais cette voix qui résonne dans son crâne le rassure. Sa voix est aiguë, finalement très différente de l'intérieur à celle qu'il entendait chez Lucy quand il n'était pas dans son corps.

– Pourquoi souhaitiez-vous me voir si vite ? Vous enquêtez toujours sur la mort de mon frère ?

– Vous avez fabriqué un nécrophone, n'est-ce pas ?

– Comment pouvez-vous savoir ça !?

Gabriel-femme cherche une explication et finit par lâcher :

– C'est Gabriel qui me l'a dit lors de nos séances. Il m'a dit qu'il avait dialogué avec vous par le truchement de cette machine.

– Alors c'était vraiment lui, j'ai vraiment parlé à mon frère mort…

– Ce qui est sûr, c'est que j'ai eu une communication médiumnique avec lui et il m'a parlé de votre machine. Il m'a dit qu'elle était tombée en panne. Vous l'avez réparée ?

– Non… Malheureusement, la pièce qui a grillé n'est pas facile à se procurer. Je l'ai commandée. Je pense la recevoir la semaine prochaine.

Un serveur leur tend deux menus.

– Le plat du jour est de la dinde aux marrons.

– Et le poisson ? demande Thomas.

– De la raie aux câpres.

– Je vais prendre ça.

– Hum… Je suis vegan, annonce Gabriel-femme qui se souvient de la promesse faite à Lucy de ne pas faire entrer de « cadavres d'animaux » dans son corps.

– Nous n'avons pas à proprement parler de menu végétarien, mais on peut vous servir la salade César sans lardons ni aiguillettes de poulet.

Gabriel indique d'un signe que ça ira très bien et reprend :

– Comment avez-vous réussi à fabriquer cette extraordinaire machine ?

352

Thomas apprécie cet intérêt pour son travail. Il boit son verre d'eau d'un trait, puis se penche vers Gabriel-femme :

– Vous savez, mademoiselle Filipini, jusqu'à présent on considérait qu'il n'y avait que deux manières d'analyser ce qui nous entoure : la chimie et la physique. Je pense pour ma part qu'il existe une troisième forme d'expression de la matière. Si vous prenez le disque d'une symphonie de Mahler, vous pouvez couper en morceaux l'objet disque, mais vous ne trouverez nulle part dans les molécules les notes de la symphonie. Alors, je vous pose la question : où se situe la musique dans un disque ?

– Je ne sais pas.

– C'est une onde immatérielle. Si vous prenez un oiseau, vous ne trouverez pas non plus dans les cellules de son cerveau ou dans son ADN la mélodie de son chant. Et vous pourrez avoir deux oiseaux exactement jumeaux, avec le même ADN…

– … qui chanteront différemment ?

– Je vois que vous commencez à comprendre où je veux en venir. C'est pareil dans le corps humain. Vous pouvez analyser tous les neurones du cerveau d'Einstein, vous ne trouverez nulle part la formule $E=mc^2$. Et l'on pourrait chercher dans votre cerveau ou dans votre ADN autant qu'on veut, on n'y trouverait pas vos rêves. C'est cela ma découverte : il y a autre chose *ailleurs* qui ne peut être détecté par aucun outil physique ou chimique. Une troisième forme, qui n'est pas matérielle.

– Une onde, vous dites ?

– Exactement. Une onde, qui n'a aucune consistance mais qui peut agir sur la matière. L'écoute de la symphonie de Mahler provoque chez moi des giclées d'endorphines. Le chant de l'oiseau va donner envie à son partenaire sexuel de s'accoupler et un œuf va naître. La formule $E=mc^2$ permet la construction de centrales nucléaires qui nous procurent soit de l'électricité pour éclairer

353

nos maisons, soit des bombes atomiques pour les détruire. Et pourtant, si on y réfléchit bien, la source de tout cela n'est qu'une pensée.

– Rien d'autre qu'une onde…

Gabriel se surprend un instant à admirer son frère. Il ne l'avait jamais entendu parler de manière aussi claire et convaincue.

– C'est ce que m'a permis de comprendre votre exemple du sucre dans le thé. J'étais aveugle. Borné. L'université m'a éduqué en me mettant des œillères qui m'empêchaient de percevoir le monde dans sa merveilleuse complexité. C'est aussi pourquoi je pense qu'aucun ordinateur ne pourra copier la pensée de mon frère. Tout au plus imitera-t-il certains de ses tics d'écriture.

– Revenons-en à votre nécrophone.

– Je me suis dit que si quelqu'un parlait aux morts, c'était forcément qu'il y avait une onde émise et une onde perçue. J'ai retrouvé les plans du nécrophone d'Edison, il y mentionne un champ magnétique. Alors j'ai cherché dans les ondes magnétiques, et par déduction j'ai déterminé l'étroite zone du spectre où ces ondes pourraient se trouver. Ce sont des ondes à large amplitude avec des crêtes proches des infrasons.

– C'est pour ça que les chats les perçoivent ?

– En effet, plusieurs animaux communiquent aussi sur cette longueur d'onde, comme les chauves-souris ou les dauphins.

Thomas se rapproche du corps de la médium et pose la main sur sa cuisse. L'esprit de Gabriel reçoit une décharge électrique ambivalente : si sa peau de femme lui envoie un signal plutôt agréable, l'idée que son propre frère jumeau est en train de le draguer lui est insupportable. Il réagit en reculant brusquement ; dans son mouvement, il heurte la table du genou et renverse un verre qui se brise au sol en plusieurs morceaux.

– J'ai changé, Lucy. Avant, j'étais rationnel et cartésien et je ne voyais en vous qu'une arnaqueuse qui profitait de la naïveté des gens. Maintenant, je sais que vous avez raison : on peut parler aux morts, j'ai réussi à communiquer avec mon frère défunt.

Gabriel a alors une idée pour faciliter dans l'au-delà le dialogue avec Thomas :

— Lors du dernier contact médiumnique que j'ai eu avec votre frère, il m'a demandé de convenir avec vous d'un code qui vous permette de l'identifier à coup sûr. Vous voulez savoir quel est ce code ?

— Laissez-moi deviner : « Rosabelle Believe » ? Le code de Houdini pour parler depuis l'au-delà à sa femme ?

— En effet. Ce sera le mot de passe qui signifie que vous parlez bien au vrai Gabriel et non à un esprit qui prétend être lui.

— Et vous, mademoiselle Filipini, vous en êtes où de votre enquête ? Je ne sais pas si vous avez lu les journaux, mais le projet Gabriel Wells Virtuel d'Alexandre de Villambreuse avance à grands pas. Il a annoncé que la version de *L'Homme de 1000 ans* écrite par son programme d'intelligence artificielle sortirait d'ici un mois.

— Mais il ne pourra jamais égaler la qualité d'un véritable esprit d'auteur…

— Est-ce que le public saura faire la différence ? Imaginez que, regrettant de ne pas l'avoir découvert de son vivant, quelques critiques se réveillent soudain et fassent la promotion de cette abomination. Ce serait terrible si Villambreuse parvenait à poursuivre indéfiniment l'œuvre de mon frère avec son robot !

Les plats arrivent. Gabriel saisit sa fourchette et commence à manger avec ses gestes habituels ; voyant l'air surpris de Thomas, il se reprend et s'applique à effectuer des mouvements plus féminins, presque maniérés.

– Vous croyez encore que c'est moi qui ai tué mon frère jumeau ?

– Pour l'instant, je n'exclus aucune piste.

– Mademoiselle Filipini, vous êtes tenace et intelligente, mais je ne comprends pas pourquoi vous continuez à me soupçonner.

Il saisit sa main et l'appuie sur sa poitrine avant que Gabriel-femme n'ait le temps de la retirer.

– Sentez mon énergie. Percevez ma sincérité. Écoutez-moi bien. Je n'ai pas tué mon frère et je veux savoir tout comme vous qui a commis cet acte odieux.

72.

Alors que Lucy et Dolorès profitent d'une nouvelle plongée de Samy en sommeil profond pour influer sur ses rêves et lui donner envie de se droguer, Dracon surgit.

– *Pourquoi faites-vous ça ?*

– *Nous agissons pour empêcher ce salaud de réduire des filles en esclavage*, répond Lucy, tout en expliquant à Dolorès qu'il s'agit de son interface avec la Hiérarchie.

– *Normalement, nous, les entités du Moyen Astral, laissons le…* (il prononce le mot avec dédain) *peuple du Bas Astral grouiller au milieu des vivants sans nous en mêler. Mais j'ai été alerté par votre comportement consistant à impliquer des égrégores d'alcooliques pour vous acharner sur un vivant.*

– *Lucy et moi voulons mettre hors d'état de nuire un vivant toxique afin qu'il ne fasse plus de victimes*, réagit Dolorès. *Notre action vise à compenser dans l'invisible ce que la justice des hommes n'arrive pas à accomplir sur Terre.*

– *Justice, justice, comme ce mot est facile à prononcer et difficile à mettre en pratique ! Qu'est-ce que vous y connaissez en justice ?*

– *Nous voudrions créer un Tribunal des morts, pour pallier les erreurs des tribunaux de vivants,* explique l'ex-détenue, de plus en plus déterminée à défendre sa position.

Enhardie, elle poursuit :

– *Nous sommes au XXIe siècle, cela ne peut plus durer, il faut éliminer tous ces êtres pervers et néfastes qui répandent le malheur en toute impunité, parfois au plus haut sommet des nations ou infiltrés dans des réseaux parallèles au pouvoir en place.*

L'homme en toge blanche affiche un air désabusé.

– *Je ne suis pas n'importe qui… En fait, je suis pratiquement l'inventeur de la justice. C'est moi Dracon qui, en l'an 621 avant Jésus-Christ, ai rédigé les premières lois écrites s'appliquant sans distinction à chaque individu, quelle que soit sa classe sociale. Jusque-là, une justice différente régissait les riches et les pauvres, avec des lois distinctes selon que vous étiez homme, femme, étranger ou citoyen.*

– *Il n'y avait vraiment rien dans ce sens avant ?* demande Lucy, dubitative.

– *Il y avait les dix commandements dictés à Moïse. Cela date de 1300 avant Jésus-Christ, mais cela ne concernait que les Hébreux, qui n'étaient pas très nombreux. Dans mon pays, la Grèce, alors principale puissance du bassin méditerranéen, les lois n'étaient qu'orales et laissées à la libre interprétation du législateur. Ce dernier punissait selon son intuition sans avoir aucun compte à rendre à personne. Cela donnait lieu à beaucoup d'excès. C'est moi qui ai mis fin au droit à la vengeance privée. C'est moi qui ai eu l'idée de graver les lois sur des panneaux de bois à l'entrée des villes, puis sur des stèles de pierre, afin que nul ne puisse prétendre ignorer la loi. C'est moi qui ai inventé la distinction entre le meurtre, volontaire,* et l'homicide, involontaire. Tout cela pour vous dire que la justice, c'est mon domaine.

– C'est à cause de vous qu'on parle de « justice draconienne » ?

– Oui, mais je n'avais pas le choix. Pour remplacer l'envie de se venger, il fallait que la justice garantisse une punition exemplaire. En tant qu'utopiste, tout comme vous, j'ai cru qu'il fallait ne rien laisser passer. Donc les vols étaient punis de la peine de mort. C'est pour cela qu'on associe mon nom à l'idée d'un jugement extrêmement sévère.

– Si vous avez vraiment œuvré sur Terre pour plus de justice, vous devriez comprendre aisément notre action. Aidez-nous, au lieu de chercher à nous arrêter, lui oppose Lucy.

– De quoi vous mêlez-vous ? répond-il froidement.

Elles sont aussi surprises l'une que l'autre du changement de ton.

– Nous sommes ici pour défendre la morale.

– Il ne vous a jamais traversé l'esprit que ce monde est parfait tel qu'il est et qu'il ne faut rien changer ?

Dolorès est outrée :

– Même les réseaux de traite des femmes ?

– L'humanité doit aller au bout de ses erreurs, y compris les plus choquantes, pour apprendre.

– Vous voulez dire que ces ignobles crapules font partie du Plan cosmique ?

– Tout comme les fanatiques religieux, les sectes, la drogue, l'alcool, la guerre, les massacres, les épidémies, la bêtise humaine…

– Mais on ne peut pas imaginer une planète sans guerre, sans pauvreté, sans meurtres, sans pervers, sans dictateurs, sans famine ?

– Elle existe déjà cette planète, croyez-moi.

– Ah oui ? Et où ça ?

– *Toutes les planètes du Système solaire sont ainsi. Le problème c'est qu'elles sont aussi sans oxygène… donc sans vie.*

Dracon a l'air très satisfait de sa boutade. Il précise :

– *C'est beaucoup de prétention que de croire que l'on peut sauver les gens et changer le monde. Je vais donc vous demander d'arrêter de « bricoler » votre petite justice personnelle sans tenir compte d'enjeux qui vous dépassent. L'homme ne méritera de s'en sortir que s'il lutte lui-même contre sa part d'ombre. Il doit avoir la possibilité de se tromper pour avoir le mérite de réussir. Considérez les améliorations, au lieu de toujours vouloir tout changer le plus vite possible. L'évolution se fait lentement, par à-coups. Faites confiance à la Hiérarchie au-dessus de vous.*

– *Alors il faudrait être résigné et ne rien faire ?!* s'insurge Dolorès.

– *Il faut faire un peu, à son niveau, et ne pas trop présumer de ses forces. N'oubliez jamais que si les choses sont ainsi, c'est qu'il y a des raisons cachées. Il peut être nécessaire de se tromper pour comprendre. Les expériences se forgent en plusieurs temps : les gens expérimentent d'abord, puis voient les résultats de leur expérimentation et finissent par prendre conscience qu'ils devraient changer de comportement, avant que cela devienne naturel pour eux de se comporter différemment.*

Dracon a parlé d'un ton sec. Dolorès ne se laisse pourtant pas impressionner.

– *Quel camp choisis-tu, Lucy ?* demande-t-elle à son amie.

– *C'est mon interface privilégiée avec le Moyen Astral : je ne me vois pas le contredire.*

– *Alors tu baisses les bras ? Tu renonces à ta vengeance ?*

Lucy se sent tiraillée entre les deux positions et ses propres sentiments.

– *J'accepte le monde tel qu'il est.*

— Eh bien pas moi, Lucy. Si tu ne te sens pas la force de combattre le mal, je le combattrai toute seule. Et je vais tout faire pour qu'un jour ce tribunal céleste existe et qu'il comble les lacunes des tribunaux des vivants. Adieu Lucy, je te souhaite le meilleur, mais je ne me vois pas me défiler devant les nouvelles responsabilités nées de cette prise de conscience.

À peine a-t-elle dit cela qu'elle traverse le plafond, laissant Lucy seule avec Dracon au-dessus du lit de Samy.

— Vous m'aviez caché ça ; vous êtes vraiment l'inventeur de la justice ?

— C'était une autre époque.

— Et vous êtes d'accord avec la justice telle qu'elle est rendue aujourd'hui sur Terre ?

— Je n'approuve pas tout ce qu'il s'y passe, mais je comprends.

— Alors je peux peut-être vous poser une question un peu personnelle ?

— Allez-y.

— Maintenant que j'ai renoncé à faire du mal à mon ennemi, j'aimerais faire du bien à un ami.

— Gabriel Wells ?

Elle hoche la tête.

— Il est dans mon corps. Cela finit par créer des liens… Vous savez qui l'a assassiné ?

Sa bouche s'étire dans un sourire, il prend un air rusé.

— Oui.

Elle lève un sourcil.

— Et vous pourriez me le dire ?

— Évidemment. Mais, chère Lucy, cela ne vous servira à rien de le savoir.

— Alors disons que je vous le demande simplement pour satisfaire ma curiosité.

– *Vous allez être déçue. C'est comme découvrir le truc d'un tour de magie.*

– *J'aime bien être surprise. Connaître les trucs des tours de magie ne m'a jamais déçue.*

– *Comme vous voulez.*

Alors, Dracon s'approche de l'oreille de Lucy pour lui chuchoter le nom de l'assassin. Et Lucy n'en revient pas.

73. ENCYCLOPÉDIE : THÉORIE DU CENTIÈME SINGE

La « théorie du centième singe » vient d'une observation effectuée sur des macaques du Japon, les *Macaca fuscata*, ces singes aux longs poils argentés et au visage rose qui figurent sur de nombreuses photos, prises entre 1952 et 1965, où ils apparaissent immergés dans l'eau d'un lac au milieu de vapeurs rasantes, sur l'îlot de Koshima ou sur l'île de Kyūshū.

Un groupe de scientifiques japonais nourrissaient autrefois les singes avec des patates douces qu'ils lançaient dans le sable. Les singes adoraient cette denrée, mais ils trouvaient désagréable de manger le sable qui en recouvrait la peau.

Une femelle, qu'ils avaient baptisée Imo, trouva la solution à ce problème : elle trempa sa patate douce dans l'eau pour la débarrasser du sable et, satisfaite du résultat, se mit à laver systématiquement toutes ses patates avant de les consommer.

Au début, elle était la seule à pratiquer ce rituel, mais les scientifiques notèrent que les premiers à suivre son exemple furent les jeunes. Ensuite, ce fut le tour des autres femelles.

Les plus réticents furent les vieux mâles, qui observaient ce nouveau comportement en faisant des grimaces réprobatrices.

Les années passant, on compta ainsi dans la communauté de plus en plus de singes qui nettoyaient les patates douces avant de les consommer.

Or les scientifiques japonais remarquèrent que le jour où le centième singe se mit à laver sa patate, un seuil critique fut atteint, et tous les singes de l'île se mirent à considérer que le comportement normal était de laver sa patate avant de la déguster.

Encore plus étonnant, une fois dépassé ce nombre précis de 100, par une sorte de contagion, les colonies de macaques des îles avoisinantes adoptèrent le même comportement. Il était pourtant rigoureusement impossible que des singes aient pu traverser à la nage la distance qui séparait ces îles.

Un chercheur américain, Lyall Watson, émit alors l'hypothèse que lorsqu'un nombre suffisant d'individus changent de façon de considérer une idée nouvelle, cette dernière se répand très vite, comme une onde dans l'air, au point de toucher tous les individus sans la moindre transmission tangible.

En 1984, Ken Keyes publia un livre intitulé *Le Centième Singe*, dans lequel il rapprochait le comportement des macaques japonais et les sociétés humaines. Il fit l'hypothèse que, lorsque l'addition de l'énergie mentale des individus atteint un certain seuil, une sorte d'explosion se produit qui provoque un changement de conscience généralisé. Au début, cela ne touche qu'un nombre restreint d'initiés et de curieux – les jeunes par exemple, souvent

362

plus souples et plus intéressés par les comportements nouveaux –, puis, par un effet de bascule, cette originalité devient la norme. Et les générations suivantes finissent par oublier les comportements maladroits de leurs ancêtres.

Edmond Wells,
Encyclopédie du Savoir Relatif et Absolu, tome XII.

74.

Gabriel-femme se tient dans le majestueux bureau du patron des éditions Villambreuse. Celui-ci trône entre deux piles de manuscrits. Il est au téléphone et parle fort.

– ... Parfaitement... Mais oui... La pensée de Wells va être diffusée grâce à nous dans le monde entier... Bien sûr... Elle va revivre de plusieurs manières, mais sachez que les éditions Villambreuse vont être particulièrement actives... Non... Non... Je ne vous parle pas de ça. Je vous parle de tout autre chose, une nouvelle de Gabriel Wells, une nouvelle inédite, qu'on a eue en exclusivité. Pourquoi elle n'est pas connue ? Il me l'avait confiée personnellement il y a deux ans pour savoir ce que j'en pensais. Je l'ai gardée précieusement jusque-là et maintenant nous allons pouvoir la faire paraître.

Gabriel-femme ne se souvient plus de cet envoi, il se demande de quelle nouvelle Alexandre peut bien parler. Face à lui, son éditeur poursuit sa conversation :

– ... Puisque je vous le dis... Son titre ? « À ta place ».

Gabriel-femme se souvient de ce texte et comprend le choix de l'éditeur.

– L'intrigue ? Un écrivain de l'Académie française et un

écrivain de science-fiction décident d'échanger leurs textes. Résultat, les critiques couvrent de compliments l'œuvre censée avoir été écrite par l'académicien, tandis que celle prétendument écrite par l'auteur de science-fiction est ignorée et dénigrée. Seulement, l'académicien n'en reste pas là : il décide de démissionner de l'Institut et d'écrire des romans d'anticipation. Quant à l'auteur de science-fiction, il prend conscience que, dans le fond, il a toujours eu envie d'écrire de la poésie. Ça vous plaît ?… Non ?… Pourquoi ? Bien sûr que je sais que cela ne va pas nous réconcilier avec nos concurrents, mais justement, je crois que cela aurait plu à Gabriel Wells qu'on la publie maintenant. Disons que ce serait une sorte d'hommage posthume, ou de clin d'œil.

L'éditeur s'aperçoit que la jolie femme en face de lui semble très intéressée par la conversation, il ne cherche donc pas à l'écourter.

— De toute façon, je n'ai plus rien à perdre, alors autant essayer de faire bouger les lignes.

En entendant cette phrase, Gabriel-femme se souvient pourquoi cet éditeur lui a toujours semblé sympathique. Sans broncher, il attend patiemment qu'Alexandre de Villambreuse raccroche, une vingtaine de minutes plus tard.

— Heureux de vous revoir, mademoiselle Filipini, je suis désolé de vous avoir fait attendre. Vous êtes toujours à la recherche du meurtrier de Wells ?

— Oui, mais j'avance.

— Moisi ?

— Il est innocent.

Il croise et décroise ses longs doigts aux ongles parfaitement manucurés.

— Alors vous soupçonnez qui ? Son frère ?

— Thomas aussi est innocent.

– Moi ?

– J'ai encore des doutes vous concernant, monsieur de Villambreuse. Aidez-moi à les dissiper.

Alexandre sourit, réfléchit, puis se lève.

– Je vais vous les ôter pour de bon. Suivez-moi, mademoiselle.

L'espace d'un instant, Gabriel-femme, connaissant la réputation de séducteur de l'éditeur, a peur qu'il l'entraîne dans un vestibule pour le coincer mais il le guide en fait vers un somptueux bureau tapissé de portraits de Gabriel Wells. Un homme est avachi dans un fauteuil, en train de travailler face à un large écran.

– Salut, Sylvain !

– Bonjour, patron.

– Sylvain Dureau, d'Immortal Spirit, est l'accoucheur de la pensée virtuelle de Gabriel Wells. Voilà comment je vais manifester mon amour pour mon auteur préféré : je vais le rendre éternel. Croyez-vous qu'on puisse tuer un auteur qu'on apprécie à ce point ? Sylvain, s'il te plaît, fais une démonstration à mademoiselle.

Alors, face à l'esprit de Gabriel Wells incarné dans le corps de Lucy Filipini, apparaît le visage entièrement reconstitué de l'écrivain. Il a l'impression de se voir dans un miroir.

– Bonjour, mademoiselle, prononce le Gabriel Wells Virtuel.

– Allez-y, parlez-lui ! propose, insistant, Alexandre de Villambreuse. Même si c'est très déconcertant, dialoguez comme si c'était le vrai Gabriel ! Vous n'avez qu'à l'appeler Gabriel-virtuel.

– Bonjour Gabriel-virtuel.

– Vous êtes ravissante, mademoiselle.

Gabriel ne s'attendait pas à être complimenté par sa propre représentation virtuelle.

– Comme le vrai Wells était assez taquin et séducteur, on a reproduit ces traits de caractère dans l'intelligence artificielle qui sert à l'animer, commente Alexandre de Villambreuse.

Gabriel-femme décide de tenter le tout pour le tout :

– J'ai une question à vous poser, Gabriel : selon vous, qui aurait pu tuer votre modèle ?

Le visage virtuel qui flotte face à lui se crispe de façon infime, puis bouge la lèvre inférieure, ce qui pourrait être interprété comme un instant de réflexion intense.

– Beaucoup de gens souhaitaient que le Gabriel-organique cesse d'écrire, dit-il finalement.

– Gabriel Wells était un peu paranoïaque, chuchote Alexandre de Villambreuse à l'oreille de la jeune fille, nous avons donc aussi programmé ce trait de caractère, par souci de fidélité à sa pensée.

– Mais qui, à votre avis, avait le plus intérêt à mettre fin à ses jours ?

– Qui ? répète le visage sur l'écran pour gagner du temps.

De nouveau il adopte une mimique d'intense réflexion.

– Voyons les choses autrement… Qui, cher Gabriel-virtuel, choisiriez-vous comme assassin si vous écriviez un roman sur sa mort ?

Alexandre de Villambreuse lève le pouce en signe d'encouragement.

– C'est exactement comme ça qu'il faut poser la question.

Une nouvelle fois, le visage à l'écran manifeste une intense concentration, avant de se détendre.

– « Pour comprendre un système, il faut s'en extraire », disait Gabriel.

– Et quand on s'en extrait, on trouve quoi ?

– J'ai trouvé ! L'assassin c'est… L'assassin c'est… L'assassin c'est…

Gabriel-virtuel bégaie, se bloque, puis l'écran s'éteint d'un coup.

– Oh non ! Vous l'avez fait bugger ! s'exclame Sylvain Dureau.

– Les pannes sont des choses qui arrivent, surtout avec un programme neuf.

Il démonte le capot de l'ordinateur et cherche l'origine du bug.

– Je vous l'avais dit, il ne faut pas encore lui en demander trop, c'est une version bêta !

– Je ne savais pas que lui poser des questions sur l'assassin de son modèle le mettrait dans cet état, remarque Gabriel-femme. Je suis déçu.

Alexandre de Villambreuse ne veut pas renoncer à impressionner la jeune femme, alors il ouvre une armoire et sort une ramette de feuilles imprimées.

– Voici les trois premiers chapitres de *L'Homme de 1000 ans*.

– Vous m'autorisez à les lire ?

– Je peux vous laisser voir les vingt premières pages, mais pas plus. Le reste est top secret et doit évidemment être relu et remanié par un humain, pour lui donner du « liant ».

Gabriel-femme, curieux, lit l'incipit.

« Qui n'a rêvé un jour de voir sa vie se prolonger sans fin ? »

Alexandre a bien repéré que ses romans commencent toujours par une question et s'y est montré fidèle. La suite du récit obéit à une structure de polar classique dont la seule originalité est son thème : la prolongation de la vie.

Le héros lui semble un peu banal, mais il se doute qu'un simple programme d'intelligence artificielle ne peut pas comprendre la folie des hommes.

Alexandre allume un cigare et relâche quelques bouffées opaques.

– Vous êtes consciente, mademoiselle Filipini, du privilège que vous avez de lire ça avant tout le monde ?

Gabriel n'ose lui dire ce qu'il pense vraiment de ce premier chapitre confondant de banalité et se contente de le remercier.

– Évidemment, si vous voulez lire la suite, c'est possible. Mais il faudrait alors que nous nous revoyions de manière moins formelle…

Il lui tend sa carte de visite ; Gabriel-femme le remercie et prend congé. En chemin, il repense à toute l'alchimie qui lui a permis de transformer son cerveau en machine à fabriquer des histoires. Il est de plus en plus persuadé que la faiblesse du programme Gabriel Wells Virtuel tient au fait qu'il ne sera jamais aussi curieux qu'un esprit humain vivant.

L'écrivain, qui se sent alerte dans le corps de la médium, a envie de profiter du répit que lui offre cette nouvelle enveloppe féminine, mais, au fond de son esprit, il sent que son assassinat l'a profondément touché. Quelque chose en lui est brisé. Tant qu'il ne saura pas pourquoi et par qui il a été tué, il ne pourra pas trouver la paix.

75. ENCYCLOPÉDIE : KINTSUGI, OU L'ART DE RÉPARER AVEC DE L'OR

Dans la culture japonaise, un objet brisé peut avoir plus de valeur qu'un objet neuf intact, sa réparation étant considérée comme une source supplémentaire d'intérêt.

L'art de réparer pour bonifier porte même un nom : le kintsugi (littéralement « jointure en or »). Les premières

références au kintsugi datent du XVe siècle, lorsque le shogun Ashikaga Yoshimasa a envoyé un bol de thé cassé en Chine pour le faire réparer. Selon la tradition, le bol lui est revenu orné d'attaches de fer inesthétiques. Le shogun a alors protesté et des artisans japonais ont proposé de réparer le bol en fixant des jointures en laque recouvertes d'or et bien visibles. Celles-ci étaient donc une nouvelle décoration ajoutée à l'œuvre d'art d'origine. Dès lors, l'habitude a été prise chez les shoguns de ne plus jeter les objets de céramique cassés, mais de leur offrir une deuxième vie en mettant en valeur leurs accidents plutôt que de les dissimuler.

Le succès du kintsugi fut tel que certains collectionneurs, notamment parmi les chajin, qui pratiquaient la cérémonie du thé brisaient délibérément les poteries uniquement pour les décorer avec des jointures en or. Et, en proposant une deuxième vie aux objets, le kintsugi véhicule aussi l'idée qu'un homme qui a vécu des drames, qui a été brisé et réparé, a plus d'intérêt qu'un homme intact protégé des vicissitudes de l'existence.

Edmond Wells,
Encyclopédie du Savoir Relatif et Absolu, tome XII.

76.

Elle se débat. Elle est prisonnière des Indiens qui l'ont attachée à un poteau. Leur chef arrive avec un grand couteau et approche la pointe de son arme du chemisier de sa jolie prisonnière ; cette dernière respire plus amplement en gonflant sa poitrine, jusqu'à ce qu'un bouton du corsage soit arraché.

– Coupez ! On la garde, lance la voix du réalisateur. Détachez Sabrina, s'il vous plaît.

Ses assistants libèrent l'actrice qui exige aussitôt une coupe de champagne pour se remettre de ses émotions, alors que l'acteur qui joue le chef indien profite de ce répit pour lui demander un autographe.

Parmi les gens présents, Sabrina reconnaît la silhouette de Lucy.

– Vous me trouvez chaque fois dans une situation délicate, fait remarquer l'actrice avec ironie. La dernière fois, j'étais sur le point de me faire torturer par les méchants juges de Louis XIV et, cette fois-ci, je suis capturée par des Indiens non moins lubriques.

– La vie n'est-elle pas un scénario qui se répète à l'infini ?

– Tiens, c'est marrant, vous parlez comme Gabriel Wells. C'est tout à fait le genre de phrase qu'il aurait pu dire. Vous en êtes où, d'ailleurs, dans l'enquête sur sa mort ?

– J'avance.

Autour d'eux, les équipes de techniciens – accessoiristes, ingénieurs du son, maquilleuses – s'activent et s'énervent.

– Sabrina, dix minutes de pause, ça te va ? propose le réalisateur.

L'actrice referme son chemisier.

– Non, vingt. Et vous, mademoiselle Filipini, suivez-moi dans ma loge, nous serons plus tranquilles pour discuter.

Elle l'invite dans un spacieux mobile home de luxe décoré de fausses boiseries.

– Merci de m'accorder à nouveau un peu de temps, dit Gabriel-femme.

– Je ne sais pas pourquoi, mademoiselle Filipini, mais j'aime bien votre façon d'être.

Et, avant qu'elle ait eu le temps de réagir, Sabrina s'approche à quelques centimètres de son visage.

– Allez, ne faites pas l'étonnée, vous savez bien que vous me plaisez…, dit-elle.

Gabriel-femme ne s'attendait pas à être désiré par une femme. *A fortiori* par son ex-fiancée.

– Ça me touche, mais…

Il recule, tandis que Sabrina avance inexorablement.

Dragué par son propre frère, puis par son éditeur, puis par son ex, Gabriel-femme n'avait décidément pas prévu que son enquête prendrait une telle tournure. Il comprend pourquoi Lucy a eu tant de difficultés à interroger les suspects…

– Dès que je vous ai vue, j'ai eu l'impression que nous étions connectées de manière invisible, vous et moi.

L'actrice approche ses lèvres.

– Nous avons peu de temps, dit-elle, embrassez-moi.

– C'est-à-dire… Je viens pour l'enquête…

– Je ne vous plais pas ? Tous les hommes rêvent de moi, et on trouve des posters de moi en petite tenue dans la chambre de tous les…

– … adolescents et camionneurs, je sais, mais je ne suis ni l'un ni l'autre, précise Gabriel-femme.

– Ne jouez pas les saintes-nitouches. Allez, embrassez-moi !

Et avant que Gabriel ait compris ce qu'il se passait, il sent les lèvres pulpeuses de l'actrice sur les siennes. Il reconnaît cette bouche, mais la sensation est différente maintenant qu'il est une femme.

Une idée lui traverse l'esprit.

Finalement, j'ai refait la même enquête que Lucy, interrogé les

371

mêmes suspects, et je n'ai rien trouvé de probant, aucune autre information qu'elle. Je ne suis pas meilleur qu'elle dans son corps. La seule différence est qu'elle sait visiblement mieux tenir les gens à distance.

De guerre lasse, il consent à entrouvrir la bouche et reçoit un baiser qui lui chauffe les pommettes.

– Vous êtes timide, mademoiselle ?

– Je mène… une enquête pour savoir qui a tué Gabriel Wells.

– Je vous ai déjà répondu que c'était Moisi, pourquoi venez-vous me reposer la même question ? Allez, laissez-vous faire, je vous promets que ça va vous plaire.

Alors que Sabrina resserre son étreinte, Gabriel-femme s'aperçoit que les muscles du corps qu'il habite ne lui permettent pas de se dégager. Il serait dans un corps d'homme, assurément, il aurait pu s'échapper, mais l'aurait-il souhaité ? Là, Sabrina a facilement le dessus. Elle le renverse sur le dos, lui bloque les bras avec ses genoux.

– Nous avons tous envie de la même chose. C'est ce qui motive chacun de nos actes. Nous voulons des baisers, nous voulons faire l'amour.

Gabriel-femme se débat maladroitement, alors que l'autre lui caresse la poitrine à travers ses vêtements et commence à le déshabiller.

Je ne vais quand même pas me faire violer par mon ex !

Il tente de se dérober, tourne la tête, se protège avec son avant-bras, mais, soudain, il ressent une douleur terrible. Cette fois-ci ce n'est plus son ventre mais sa tête. Une migraine fulgurante lui vrille le cerveau. Il ouvre la bouche dans un cri de douleur contenu. Tout son corps est comme électrifié.

– Qu'est-ce qui vous arrive ? Ça ne va pas ?

– Migraine ! balbutie-t-il.

L'actrice interrompt aussitôt son assaut pour aller chercher un comprimé.

– Cela m'arrive aussi ! C'est un cauchemar, je compatis.

Gabriel-femme a l'impression qu'un marteau-piqueur s'agite à l'intérieur de son crâne. Il happe plusieurs médicaments et les fait passer avec un verre d'eau.

– Je dois rentrer. Excusez-moi pour le dérangement.

– Vous êtes sûre que vous pouvez vous déplacer ?

– Ça ira, merci.

Il se relève avec difficulté et, porté par le bras solide de Sabrina, quitte le mobile home en titubant. Il rejoint la Smart de Lucy. Le médicament a peu d'effet, et Gabriel a le sentiment que de la lave en fusion coule dans ses tempes. Il roule en fermant parfois les yeux sous l'effet de la douleur. Avoir un corps, c'est aussi ça. Il arrive finalement chez la médium et s'effondre, alors que les chats viennent ronronner près de sa tête.

Une onde apaisante lui est envoyée par les félins, mais cela ne suffit pas à réduire sa souffrance. Il se relève donc pour tirer les rideaux et éteindre les lumières, puis il se couche sur le lit, toujours suivi par les chats. Il se dit que c'est peut-être ce qu'on appelle une migraine ophtalmique : le moindre bruit, la moindre lueur lui font mal. Autant il savait interpréter les signaux d'alerte de son corps précédent, autant il ne comprend rien à celui de Lucy.

– *J'espère que vous n'avez pas abîmé mon enveloppe charnelle !* intervient la médium qui lévite sous le plafond, au plus grand ravissement des chats qui viennent de la repérer.

– Je suis prêt à vous le rendre. Dites-moi comment faire, je l'évacue quand vous voulez ! articule Gabriel en grimaçant de douleur.

– *Je n'ai pas envie d'entrer dans un corps en état de crise migraineuse, vous vous en doutez.*

– Ce n'est pas mon corps !

– *Je crois que, pour l'instant, l'idéal serait que nous soyons tous les deux de purs esprits.*

– Mais vous ne pouvez pas laisser votre corps sans esprit ! Une âme errante pourrait vous le voler.

Autour d'eux, les chats sont de plus en plus nerveux.

– *Ne vous inquiétez pas, je sais ce que je fais. Quoi qu'il en soit, j'ai une bonne et une mauvaise nouvelle,* dit Lucy. *Laquelle voulez-vous en premier ?*

– La bonne ! Je n'ai vraiment pas l'esprit aux mauvaises nouvelles.

– *Je sais qui vous a assassiné.*

– C'est vrai ?? J'aurais aimé l'apprendre dans de meilleures conditions… Et la mauvaise ?

– *Je ne peux pas vous le dire pour l'instant parce qu'à ce stade vous ne pourriez même pas comprendre.*

– Vous vous fichez de moi ?

De nouveau la douleur vrille son cerveau et le fait gémir.

– *Non, croyez-moi, je fais tout pour vous aider. Mais je crois quand même que si vous voulez poursuivre votre enquête, il vaudrait mieux que vous soyez un pur esprit.*

– Alors on fait quoi, là tout de suite ?

– *Mes migraines sont très douloureuses, je ne veux pas réintégrer mon corps maintenant. Alors je vous propose de le quitter vous aussi et de me rejoindre dans les limbes.*

Il ressent une nouvelle fois une décharge électrique fulgurante à l'intérieur de son crâne.

– Dites-moi comment faire ! Mais dépêchez-vous, je n'en peux plus.

– *Écoutez-moi et faites exactement ce que je dis. Vous allez tout d'abord vous installer en position du lotus sur mon coussin de méditation.*

Il se traîne jusqu'au coussin rouge.

– *Votre colonne vertébrale doit être la plus droite possible et votre crâne tendu vers le haut.*

Il essaie d'appliquer les conseils tout en surmontant la douleur.

– *Laissez une sorte de torpeur gagner vos extrémités, vos pieds, vos doigts et remonter lentement dans votre corps, transformant votre chair en mousse molle, puis en bois.*

Il se concentre et hoche la tête.

– *Tout votre corps se transforme en une sorte d'arbre insensible. La sève remonte le long de vos jambes et de vos bras, puis atteint votre bassin, votre thorax, et anesthésie tout. Votre rythme cardiaque ralentit. Le sang bat moins fort dans vos veines. Votre respiration devient légère. Vous ne ressentez plus rien.*

Il détend son visage.

– *Maintenant, visualisez un hublot lumineux au sommet de votre crâne. Ouvrez-le et laissez sortir votre esprit.*

Les chats approchent.

– Vous êtes sûre qu'il n'y a pas la moindre âme errante aux alentours ?

– *Je suis au contraire sûre qu'il y en a.*

– Mais alors elles vont profiter de l'occasion…

– *N'ayez pas peur. Mes chats protégeront mon enveloppe et tant qu'il sera migraineux, personne ne voudra entrer dans ce corps douloureux.*

Rassuré, Gabriel visualise le hublot lumineux au sommet de son crâne et son âme s'échappe par cette issue. Il voit avec son esprit et, simultanément, ne ressent plus la migraine. Un immense sentiment de douceur et de fluidité l'envahit.

Il voit Lucy.

Lucy le voit.

Il aperçoit aussi quelques âmes errantes parasites qui s'installent en cercle au-dessus d'eux et qui s'approchent.

– *J'ai changé d'avis, j'ai trop peur de me faire voler mon corps, je vais le réintégrer. Après tout, la migraine va finir par passer,* déclare-t-elle.

Profitant de ce que le sommet de son crâne est accessible, elle s'y enfonce comme si elle entrait dans un sous-marin.

Mais à peine la jeune femme a-t-elle pénétré dans sa chair qu'elle ressent une décharge électrique dans sa tête. Alors elle se lève, s'étend de tout son long sur le lit, tire le drap jusqu'à son menton, pour finalement faire ressortir son esprit de son corps.

– *En fait vous ne savez pas ce que vous voulez, Lucy,* lui dit Gabriel, narquois.

– *Je suis une femme, j'ai le droit de changer d'avis,* répond-elle, mutine. *Et puis j'avais oublié que c'était aussi douloureux… J'espérais pouvoir tenir, mais le fait d'avoir goûté au statut de pur esprit me rend plus douillette.*

– *Donc on va vraiment laisser votre enveloppe charnelle vide d'esprit ?*

– *Je pense qu'on peut la laisser dans cet état comateux, à condition qu'elle soit surveillée par mes treize chats. En tout cas je suis prête à prendre le risque.*

N'y tenant plus, Gabriel pose la question qui lui brûle les lèvres :

– *Maintenant que nous sommes dans le même « état d'esprit »,* *pouvez-vous me révéler qui est mon assassin ?*

77.

Sous eux, les vagues de la Manche forment des crêtes d'écume argentées. Les deux âmes errantes franchissent la mer sombre par-delà les côtes normandes. Bientôt apparaissent les falaises de

Douvres, puis l'Angleterre. Ils rejoignent la capitale puis cherchent Undershaw, la maison que Conan Doyle a construite dans le sud de Londres et où il a eu le plus de plaisir à vivre. C'est une grande bâtisse gris et blanc transformée en un musée qui lui est dédié. À l'entrée trône la statue de l'écrivain.

Le père de Sherlock Holmes est, par chance, présent dans le salon. Il est occupé à lire un roman en utilisant le dernier propriétaire de ce musée comme « tourneur de pages », indiquant à cet homme, forcément doué de médiumnité, quand il peut passer à la page suivante.

Gabriel trouve astucieuse l'idée d'utiliser ainsi un vivant.

— *Excusez-nous de vous déranger, maître, mais au stade où nous en sommes de notre enquête, nous pensons que vous êtes le seul à pouvoir nous aider*, lui dit Gabriel.

— *Mais je vous reconnais, vous êtes le petit écrivain de polars français !*

— *Et cette jeune femme qui m'accompagne est Lucy Filipini, une grande médium de Paris.*

— *Une médium ici ? Mais où est son corps ?*

— *Il est intact, dans le coma, et l'attend vide de tout esprit à Paris.*

Conan Doyle prend la main de la jeune femme pour lui faire un baisemain.

— *Enchanté. Ma première femme, Louise, est restée longtemps dans le coma et j'ai tenté à l'époque de lui parler grâce à une femme médium.*

— *C'est un concours de circonstances. Mon corps n'est juste pas très « habitable » pour l'instant.*

— *Et vous n'avez pas peur de vous le faire voler ?*

— *Il a la migraine. Si quelqu'un tente de me le voler, il va comprendre « ma » douleur.*

— *Acceptez-vous de nous aider, maître ?* reprend Gabriel.

— *Une enquête criminelle, dites-vous… Sur la mort de qui ?*

— *La mienne.*

Sir Arthur Conan Doyle éclate de rire.

— *J'aurais adoré placer ce dialogue dans un de mes romans.*

Doyle guide les deux Français dans une pièce du musée remplie de ses livres et de toiles d'araignées. Sur la droite, une armure brandit une hallebarde rouillée. Sur la gauche, des tableaux le représentent à différentes périodes de sa vie avec sa première femme, sa seconde femme et plusieurs de ses enfants.

— *C'est une salle fermée du musée. Pas de lumière, pas de chauffage, de la poussière, de l'humidité ; je ne sais pas pourquoi, mais j'ai l'impression que nous, les purs esprits, sommes mieux dans cette ambiance.*

Gabriel s'aperçoit en effet que ce désordre, qu'il aurait autrefois jugé lugubre, le rassure.

— *Il faut que vous m'en disiez plus sur votre meurtre, monsieur Wells.*

— *En fait, l'enquête a pris depuis peu une tournure inattendue.*

— *Je vous écoute.*

— *Lucy Filipini, ici présente, a découvert qui m'a tué.*

— *En effet, cela modifie sacrément l'esprit de l'enquête ! Alors, en quoi puis-je vous être utile, désormais ?*

— *Il faut tout d'abord que vous sachiez qui est mon assassin, maître.*

Lucy se penche à l'oreille du père de Sherlock Holmes et le lui révèle. Conan Doyle semble d'abord surpris, avant d'éclater à nouveau de rire.

— *Et de qui tenez-vous cette information ?*

— *De Dracon.*

— *L'inventeur de la justice ?*

– En personne. Il est dans le Moyen Astral, mais nous avons un rapport privilégié après nous être rendu divers services.

L'écrivain anglais fronce les sourcils, intrigué, puis aspire plusieurs fois la fumée de la pipe qu'il vient virtuellement d'allumer, avant de la souffler en un seul long jet translucide.

– Comme c'est étrange, comme c'est étrange, répète-t-il. En même temps, quel challenge ! En fait, c'est vraiment passionnant.

Doyle se lisse les moustaches. Il se place face à un tableau le représentant au milieu d'une lande, puis mime le geste de rallumer sa pipe.

– J'adore les défis. Et je trouve votre histoire… vraiment singulière.

– Croyez bien que si nous savions comment agir nous-mêmes, nous aurions essayé de nous débrouiller seuls. C'est quand vous avez évoqué votre cercle d'amis écrivains adeptes des séances de tables tournantes que je me suis dit que vous seriez le mieux placé pour nous aider.

– Je n'oserai jamais déranger tous ces grands noms pour résoudre le problème d'un petit auteur français. De toute façon, nous n'avons pas besoin d'eux ; il nous faut d'autres personnes beaucoup plus spécialisées et qualifiées. Vous avez de la chance, je sais où les trouver.

Il circule dans la pièce.

– C'est un endroit spécial, très spécial. Si vous ne connaissez pas, je pense que cela devrait vous intéresser.

À cet instant, l'armure de chevalier qui tenait la hallebarde rouillée a un infime mouvement, et la lame à double tranchant s'écrase dans un grand fracas métallique, faisant sursauter les deux âmes errantes.

– C'est vous qui avez fait ça ? demande Gabriel, impressionné. *Vous êtes capable, bien qu'âme errante, d'agir sur la matière ?*

Comme pour répondre à sa question, un rat sort de l'armure

et court escalader la bibliothèque. Il ronge de ses longues incisives une page d'un roman de Doyle.

– *Ainsi finissent nos œuvres,* ironise Doyle. *Grignotées par des rats.*

– *En tout cas il a l'air d'aimer vos livres,* dit Gabriel Wells en voyant le rongeur engloutir un chapitre.

– *Allons, ne perdons pas de temps! Si vous voulez faire avancer votre enquête, il faut agir tant que c'est encore possible.*

78.

Sous eux défilent les forêts et les prairies anglaises parsemées de moutons blancs et de petites maisons. Les trois âmes errantes arrivent dans le village anglais de Larkhill, au sein du comté du Wiltshire, non loin de la ville d'Amesbury.

Conan Doyle indique une maison de deux étages, elle-même prolongée par une longue bande étroite de jardin. Ils s'enfoncent dans le toit pour rejoindre la cuisine, où ils découvrent un homme ventripotent à la barbe et aux longs cheveux blancs. Celui-ci est debout devant le plan de travail, où trône un téléviseur qui diffuse une émission de cuisine. Il tente tant bien que mal de reproduire les gestes de l'animateur.

– *Je vous présente Michael Plumer. Officiellement, c'est le guide de Stonehenge.*

– *Et officieusement ?*

– *Il est le druide Gutuater, le meilleur de la région.*

Les deux Français observent l'homme qui semble passionné par la mise en pratique de son cours de cuisine télévisé.

– *Et c'est lui qui va nous aider ?*

– *Vu la situation, la nature particulière et l'identité de votre assassin, franchement, en dehors de lui, je ne vois pas qui le pourrait.*

– *Gutuater, tu m'entends ?*

Il ne répond pas.

– *Vous êtes sûr qu'il a des dispositions médiumniques ?*

– *Bien sûr. Mais c'est aussi une tête de mule.*

– *Gutuater, tu m'entends ? GUTUATER !*

– *Je crois que c'est juste un type normal, il ne nous entend pas.*

– *Allez, Gutuater, arrête de faire ton teigneux. Réponds, c'est moi !*

Après avoir grommelé plusieurs mots en gaélique, le druide prononce enfin des mots compréhensibles :

– Qui ose me déranger ?

– *C'est Conan Doyle. Je suis avec deux amis, des Français qui ont besoin de toi.*

– Je n'aime pas les Français.

– *Ce sont des esprits lumineux.*

Agacé, Gutuater éteint la télévision et jette tout le plat qu'il a préparé à la poubelle.

– JE N'AIME PAS LES FRANÇAIS ! C'EST À CAUSE D'EUX ET DE LEUR MAUDIT MARQUIS DE LA FAYETTE QU'ON A PERDU L'AMÉRIQUE !

– *Gutuater, il ne faut pas vivre dans les souvenirs…*

– C'est à moi que tu demandes de ne pas vivre dans le passé ? Tu veux que je te rappelle qui est le mort et qui est le vivant entre nous deux ?

– *Disons, pas « seulement » dans le passé.*

Le druide regarde sa montre.

– De toute façon, c'est l'heure, je dois aller au travail.

Il enfile un uniforme bleu marine, met une casquette et quitte sa maisonnette.

381

– *Gutuater, s'il te plaît, écoute-moi.*

– N'insiste pas, Doyle, je n'aiderai pas tes mangeurs de grenouilles.

Arrivé devant le monument de Stonehenge, l'homme découvre le groupe de touristes chinois qui l'attend.

– Bonjour, dit-il. Je suis votre guide, Michael Plumer, et je vais vous faire découvrir cet endroit magique.

Un traducteur chinois s'active pour transmettre ses propos.

– Je vous demanderai de ne pas jeter d'ordures, de ne pas cracher, de ne pas voler de pierres, de ne pas graver vos initiales dans des cœurs et de ne pas jeter vos mégots par terre.

Les touristes avancent et, sur un ton monocorde mais dans un anglais très bien articulé, Michael Plumer, alias Gutuater, explique :

– Stonehenge signifie « pierre suspendue » en vieil anglais. L'ensemble de cet alignement a été construit entre l'an 3000 et l'an 1000 avant Jésus-Christ. Il a été découvert par le professeur Gowland en 1901 et, depuis, tout le monde essaie d'expliquer ce temple de pierres. C'est l'un des plus grands mystères de la création.

Ils arrivent devant une pierre plate.

– On a baptisé ce rocher Heel Stone, la « pierre-talon ».

Les Chinois prennent des photos. Le guide attend, puis fait avancer son troupeau de touristes comme un berger son troupeau de moutons.

– Il y a deux cercles de trente trous. À l'intérieur se situe le cercle des mégalithes de grès, qu'on appelle « pierres de sarsen ». Et le cercle extérieur, dit « des pierres bleues ».

Les Asiatiques sont ravis et poussent des « oh ! » émerveillés à chaque terme technique, puis ils se photographient devant les monolithes.

– Au centre, la pierre d'autel. C'est un roc de grès vert de six tonnes auquel on n'a pas prêté attention au début des fouilles.

Actuellement, il est considéré comme le centre de gravité du système.

De nouveau les « oh ! » émerveillés résonnent à l'unisson.

– Suivez-moi. C'est là qu'on a retrouvé le squelette d'un homme, l'« Archer de Stonehenge ». On a déduit qu'il était archer de son bracelet de silex et des flèches typiques des tireurs à l'arc qu'il avait avec lui. L'homme devait avoir 30 ans ; il est mort en 2300 avant Jésus-Christ, selon la datation au carbone 14.

– Qu'y avait-il ici aux autres époques ? demande un touriste chinois directement en anglais.

– Il semble qu'à partir de l'an 100 après Jésus-Christ, les Romains se soient donné du mal pour essayer de détruire ce lieu de rassemblement des insurgés contre l'Empire. Par la suite, les prêtres et les différents rois ont tout fait pour ensevelir ou briser ce lieu considéré comme « diabolique ».

– Et avant ? insiste le même touriste chinois.

– Ah tiens, c'est rare qu'on me pose cette question ! Les plus anciennes traces humaines qu'on ait retrouvées ici remontent à 8000 ans avant Jésus-Christ. Il semble qu'existait alors un temple similaire, en bois toutefois, et, à la place des menhirs, on trouvait des arbres.

– Nous avons aussi des temples comme cela chez nous, dit un Chinois.

– Mais en plus petit, évidemment, croit bon d'ajouter un de ses comparses qui a peur que le guide perde la face.

Celui-ci hausse les épaules et explique d'une traite :

– Récemment, une mesure au magnétomètre a révélé que les cercles de ces pierres concentrent un champ de force géomagnétique évoluant en spirale vers le ciel. Cela influe sur le fer du sang, et notamment la magnétite flottant dans nos oreilles.

Il désigne un dessin de serpent gravé dans la roche.

– Ce signe, qu'on a retrouvé dans la plupart des temples égyptiens, représente cette énergie tellurique maîtrisée par les hommes qui pratiquent le chamanisme.

Le traducteur chinois, complètement dépassé, n'ose pas essayer de transmettre des informations aussi ésotériques.

– Heureux de vous avoir instruits et merci pour vos pourboires, conclut le guide d'un ton désabusé.

Les Chinois s'empressent de poser pour leurs dernières photos, puis ils laissent de généreux pourboires au guide qui les remercie en baissant furtivement la tête.

Après ça, Michael va directement à la buvette transformer une partie de cet argent en pintes de Guinness. Conan Doyle et les deux Français le rejoignent.

– *Gutuater, s'il te plaît, aide-nous.*

– Qu'êtes-vous prêts à me donner en échange ?

Gabriel Wells répond :

– *Vous comprenez qu'étant une âme errante, je ne peux rien vous donner de matériel, cher monsieur Gutuater.*

– Cherchez et trouvez une monnaie d'échange.

– *Moi, j'agis pour rendre service à des êtres qui ne m'offrent rien en retour*, rappelle Conan Doyle.

– C'est quand même sidérant de constater que dès que les gens sont morts, ils acquièrent automatiquement toutes les qualités qu'ils n'avaient pas de leur vivant ! ironise le guide.

– *Attendez*, dit Gabriel, *j'ai peut-être une proposition à vous faire : si vous nous aidez, si vous me permettez de retrouver mon assassin, je vous tiendrai informé de tout ce que je serai amené à découvrir.*

L'homme recrache sa bière.

– Et vous pensez découvrir quoi ?

– *Nous sommes des âmes errantes, nous pouvons aller là où vous ne pouvez aller en tant que vivant.*

– Ça ne m'intéresse pas.

C'est Lucy qui prend le relais.

– *Monsieur Gutuater, Conan Doyle nous a affirmé qu'il n'y a que vous qui puissiez nous aider, ici avec vos amis.*

L'homme se renfrogne.

– C'est au tour de la flatterie ? Vous ne m'aurez pas avec des compliments. Personne n'est indispensable, personne n'est irremplaçable.

Les trois âmes errantes ne trouvent plus aucun argument à avancer. C'est Gutuater qui reprend :

– Vous seriez vraiment capable de m'informer de ce que vous allez découvrir… grâce à moi !?

– *Je vous ferai le compte rendu le plus détaillé possible, je suis écrivain,* répond Gabriel, reprenant espoir.

– Ah ? Comme M. Doyle. Écrivain… cela m'a toujours semblé un métier de fainéant. Dire qu'on paye certaines personnes à rester assises devant une machine à écrire et inventer des histoires, ça me sidère.

– *J'ai écrit un livre sur le sujet qui vous intéresserait. Cela s'appelle* Nous les morts.

– Ah, c'est de vous ? Figurez-vous que j'en ai lu une version en anglais. J'ignorais même que vous étiez français.

– *Il n'a pas eu beaucoup de succès chez vous.*

– Ce qui m'a déplu, c'est l'histoire d'amour entre le héros et le personnage féminin. Pas assez de sexe. On a l'impression que vous n'osez pas écrire de scènes érotiques. Pourtant, il y avait des critiques dithyrambiques de votre livre dans les journaux anglais.

Lucy perd patience.

– *Vous croyez vraiment que c'est le moment de parler littérature ? Si nous sommes là, c'est parce qu'on a un problème urgent à régler. Et je vous rappelle que moi j'ai un corps « vide » qui m'attend, surveillé uniquement par mes chats. Lorsqu'ils auront faim et qu'ils verront qu'il n'y a pas d'âme dans ce corps pour aller leur chercher des croquettes, ils risquent de m'abandonner à la première âme parasite venue. Ou même de me manger!*

— Elle est en colère la petite dame…

— *Alors, pouvons-nous compter sur vous, monsieur Gutuater?* insiste Conan Doyle.

Le guide de Stonehenge demande une autre bière avec très peu de mousse.

— Vous savez, mon nom vient d'un druide gaulois qui vivait à l'époque de César. « Gutu » en celte signifie « parole » et a donné « guth » en irlandais, « gott » en allemand et « god » en anglais : Dieu. Gutuater, l'homme le plus proche de Dieu, le druide le plus respecté des Carnutes ; c'est lui qui a initié la révolte contre les Romains. César l'a fait condamner au supplice des verges ; il a été battu à mort puis achevé à la hache. Avec son nom, j'ai hérité de son énergie, de ses talents de meneur et aussi de sa colère. Je peux vous aider. Mais il faudrait pour cela que je réunisse les autres druides du coin.

— *C'est compliqué?*

— Quand on s'en donne les moyens, rien n'est compliqué. Je vais célébrer pour vous une Samonios ; c'est une cérémonie qui favorise les contacts avec l'autre monde. Normalement, elle se déroule le 1er novembre, mais je vais faire une exception.

— *Cela consiste en quoi exactement, votre Samonios?* demande Lucy, soudain curieuse de ce rituel.

— À manger des sangliers, boire de la cervoise et de l'hydromel. Le problème, c'est que tout cela coûte cher. Vous avez de quoi payer?

— *Nous sommes dans l'immatériel, nous ne pouvons pas vous donner la moindre pièce.*

Le druide Gutuater fait la moue.

– Pas d'argent, pas de Samonios. Les autres druides n'accepteront jamais que le rituel ne soit pas respecté.

– *Vous saouler à la cervoise et vous régaler de sangliers ? Mais je croyais que l'alcool était préjudiciable à l'étanchéité et à la maîtrise de l'esprit !* se révolte Lucy.

– Pas chez nous. Nous utilisons ces deux substances pour ouvrir les portes de notre esprit.

Il boit sa bière et ferme les yeux comme pour prouver qu'il maîtrise les effets de cette substance sur son esprit.

Conan Doyle sort sa pipe virtuelle et la tète plusieurs fois pour réfléchir.

– *Lucy, votre crise de migraine doit être terminée, non ?*

– *Je l'espère. Ce n'est jamais agréable d'entrer dans une maison en feu.*

– *Dans ce cas, vous allez réintégrer votre corps et vous ferez un virement à ce monsieur dont je dois avouer que la vénalité me déçoit,* propose Conan Doyle.

– Pour être druide, je n'en suis pas moins homme. Dès que j'aurai reçu l'argent, croyez bien que le Samonios démarrera. Et alors vous pourrez trouver votre assassin, monsieur Wells.

Lucy s'envole sans plus tarder vers la France pour débloquer la situation. Gutuater, satisfait, essuie la mousse sur sa barbe et se retrousse les manches.

79. ENCYCLOPÉDIE : DRUIDISME

Le druidisme trouve son origine chez les Partholoniens, peuple qui doit son nom à leur chef, Partholon.
Les Partholoniens vivaient en Irlande il y a 5 000 ans, mais

un cataclysme les fit disparaître en une semaine. Il n'y eut qu'un seul survivant, le neveu de Partholon, nommé Tuan, dont le nom signifie en irlandais « Le Silencieux ». Alors âgé de 100 ans, il échappa à la mort en se transformant en cerf. Il vécut incarné dans cet animal pendant 300 ans, puis devint un sanglier pendant 200 ans, un aigle pendant 300 ans, et enfin un saumon pendant 100 ans. C'est sous cette dernière forme qu'il fut pêché par un homme et offert à la reine Cairill, femme du roi celte Muinderg.

La reine dévora le saumon et donna naissance à un humain imprégné de son esprit, qu'elle nomma Tuan Mac Cairill. Celui-ci possédait en mémoire toute la sagesse et le savoir du peuple partholonien, qu'il transmit sous forme d'enseignement druidique, le mot « druide » signifiant « initié ». Il fut donc le premier druide de l'Histoire. Les autres druides eurent pour seule fonction de transmettre son savoir. Ils avaient pour particularité de ne pas se fier au savoir écrit mais de lui préférer le savoir oral. La connaissance se transmettait donc de bouche à oreille, de maître à disciple, et n'était consignée nulle part.

Les fonctions des druides étaient très variées, à en juger par ce qu'on a retrouvé dans les habitations censées leur avoir appartenu : scalpels, scies, pinces, os ressoudés et crânes trépanés qui laissent à penser qu'ils avaient des connaissances en médecine et même en chirurgie du cerveau.

Jules César accentua par la suite le rôle juridique des druides, qui devinrent les gardiens de la signature des contrats et infligeaient des punitions à ceux qui manquaient à leurs devoirs. Aucune décision des rois celtes n'était prise sans l'avis de leur druide attitré.

Les druides connaissaient avec précision l'histoire de leur

communauté et pouvaient narrer la généalogie de chaque individu de la tribu. Ils voyageaient beaucoup et parlaient plusieurs langues. Ils fabriquaient aussi des prothèses pour les soldats blessés – notamment pour le roi Nuada qui avait eu le bras arraché lors d'une bataille –, connaissaient l'astronomie et avaient leur propre calendrier, comme l'atteste le calendrier de Coligny, qui date de l'époque gauloise, une des rares traces écrites que l'on ait retrouvées du druidisme gaulois.

Parmi les nombreux pouvoirs magiques qu'on leur attribuait, on peut citer la Fontaine de Santé, un bain qui guérit les blessés et sauve les mourants, l'Élixir d'Oubli, qui a le pouvoir, versé dans une boisson, de faire tout oublier à celui qui la consomme, la Pomme de Savoir, qui accroît l'intelligence, le Glam Dicinn, une malédiction qu'il suffit de prononcer pour entraîner la mort à distance d'un individu, ou encore l'Imbas Forosnai, une incantation qui permet d'atteindre l'illumination.

Leur principale fête, le Samonios, a perduré dans le monde anglo-saxon sous le nom d'Halloween. À l'époque, on se déguisait en morts pour tromper les démons et éviter qu'ils soient tentés d'emporter des vivants.

Pour autant, selon les druides, la mort n'était pas la pire chose qui puisse arriver, puisque les âmes étaient immortelles. Lorsqu'un individu mourait, il allait au Sidh, terme gaélique qui signifie « autre monde ». Ils visualisaient le Sidh comme un somptueux palais en cristal situé au-dessus des nuages.

Edmond Wells,
Encyclopédie du Savoir Relatif et Absolu, tome XII.

80.

C'est la pleine lune, une légère brume rasante dessine une dentelle argentée au-dessus de la lande.

Ils sont tous réunis autour de la pierre d'autel : soixante-quatre hommes en longue tunique blanche, portant une cape, un bandeau orné de trois traits jaunes sur leurs longs cheveux gris ou blancs, une serpe accrochée à leur ceinture et, sur leur poitrine, une croix druidique.

Gutuater est le plus grand et le plus corpulent. Sa silhouette imposante intime à tous le respect.

La cervoise couleur ambre coule à flots dans les chopes de bois. Un druide installe un foyer et tous embrochent des sangliers entiers avec des branches qu'ils font tourner au-dessus des braises. De jeunes femmes rousses aux yeux verts jouent de la harpe et du tambourin. Certaines chantent en chœur des airs anciens.

— *C'est beau*, reconnaît Gabriel Wells.

— *C'est le monde d'avant l'arrivée des Romains. Le monde magique où l'on vénérait les grands arbres et les mégalithes. Le monde des fées, des lutins, des hobbits et des démons qui a nourri toute la littérature fantastique*, commente Conan Doyle.

À cet instant arrivent autour du feu des groupes d'âmes errantes vêtues de costumes renvoyant à des époques très différentes.

— *Dire que Houdini ne voulait pas croire que cela existait*, continue Conan Doyle. *Comme notre monde serait terne et insipide s'il n'y avait pas de magie !*

— *C'est peut-être pour cela qu'il était magicien, pour essayer de mettre un peu de fantastique dans son quotidien.*

– *J'adorais Houdini*, se souvient Doyle. *Vous ne pouvez pas savoir à quel point notre dispute m'a déchiré le cœur.*

– *Mon frère jumeau était un cartésien invétéré, mais il a fini par changer*, lui répond Gabriel.

Après avoir dégusté les sangliers rôtis et bu l'alcool au miel, les druides enfilent des couronnes de gui et se mettent en cercle pour entonner des chants sur une tonalité grave, dans une langue que Gabriel ne connaît pas. Puis ils se placent au centre du cercle le plus étroit de l'enceinte de Stonehenge, tous assis en tailleur en se tenant par la main.

– *On appelle ça un « cercle des vivants »*, explique Doyle qui semble connaître les rituels druidiques. *Cela va permettre, je l'espère, de faire monter les énergies et de dégager les portes du ciel.*

Le chant monte haut et soudain, Gutuater s'arrête net.

– *Qu'est-ce qu'il se passe ? Ça ne marche pas ?*

Les druides discutent dans leur langue incompréhensible et semblent inquiets. Ils lèvent la tête et comprennent alors le problème : un groupe d'âmes errantes étrangères vient d'apparaître.

– *Qu'est-ce qu'ils font là, eux ?*

Doyle fait une grimace.

– *Tu ne les reconnais pas ? C'est Rotte-Vrillet et ses sbires. Je crois qu'ils veulent nous empêcher d'agir.*

Gabriel reconnaît les écrivains du Nouveau Roman français, mais aussi d'autres auteurs ennuyeux et égocentriques venus de tous les pays – Angleterre, États-Unis, Italie, Espagne, Russie –, affublés de leurs costumes d'académiciens, d'aristocrates des lettres, de chefs de file de la mode, d'arbitres de l'élégance. Ils arborent leurs habits officiels les plus clinquants, leurs décorations et leurs prix comme autant de médailles de batailles gagnées contre le mauvais goût littéraire.

Conan Doyle, pourtant, ne semble pas impressionné et lâche :

— *Je crois que nous allons avoir besoin de la cavalerie.*

Il esquisse un sourire et lève la main. Surgissent alors quelques-uns de ses amis qui se tenaient cachés derrière les pierres : Edgar Allan Poe, H. P. Lovecraft, J. R. R. Tolkien, Jules Verne, H. G. Wells, Isaac Asimov, René Barjavel, Pierre Boulle.

— *De toute façon*, dit Doyle, *cette bataille devait être livrée un jour ou l'autre. Je suis heureux que cela arrive ici et maintenant, sur mes terres.*

Les forces de la littérature de l'imaginaire sont évidemment moins nombreuses que celles de la littérature « officielle », mais tous semblent animés d'une égale détermination.

Gutuater se lève et se dirige vers un mégalithe qu'il frappe de ses mains comme s'il s'agissait d'un tambour. Les autres druides font de même. Après les chants de femmes à la harpe, le son mat des mégalithes frappés du plat de la main par les druides provoque un changement d'ambiance radical.

— *Comment fait-on pour se battre dans une dimension immatérielle ?* demande Gabriel.

— *Avec nos personnages, bien sûr*, répond simplement Conan Doyle, qui a fait surgir le chien des Baskerville ainsi que son Sherlock Holmes armé d'un revolver.

Face à eux, les auteurs institutionnels font à leur tour apparaître leurs personnages : jeunes hommes romantiques, philosophes ténébreux, écrivains moralisateurs, femmes hystériques, poètes mélancoliques, soldats en uniforme, amants cachés dans le placard, maîtresses en porte-jarretelles, vagabonds dépressifs.

La réaction ne tarde pas à arriver : Jules Verne fait surgir son calamar géant, Lovecraft son Cthulhu, Asimov un robot, Frank Herbert un ver géant, Mary Shelley sa créature de

Frankenstein, Bram Stoker son Dracula, Tolkien une dizaine de hobbits, Pierre Boulle des singes à cheval armés de fusils.

— *J'espère que vous ne comptez pas nous effrayer avec vos petits monstres pour enfants dépourvus de toute profondeur psychologique*, ironise Rotte-Vrillet, qui a invoqué son croque-mitaine.

La foule qui forme l'armée des personnages de romans académiques s'avance.

— *J'aime la violence*, reconnaît Rotte-Vrillet, *cela va enfin permettre de mettre hors d'état de nuire ces quelques misérables écrivaillons sans envergure. La seule chose qui manquera à cette bataille sera l'odeur du sang de nos ennemis défaits.*

— *Au moins, la plupart des personnages qui forment votre armée vont connaître pour la première fois un peu d'action*, ironise Doyle.

Les druides perçoivent confusément ce qui se déroule au-dessus d'eux et accélèrent le rythme de leurs percussions sur les monolithes, tout en chantant sur un ton encore plus grave et guttural.

Le ciel se couvre de nuages noirs zébrés par la foudre. La lune a disparu, la pluie éteint le foyer ainsi que les bûchers secondaires.

— *À l'attaque!* crie Rotte-Vrillet. *Vive le style!*

— *À l'attaque!* répond Conan Doyle. *Vive l'imaginaire!*

Un éclair déchire le ciel.

Et soudain, les deux armées de personnages littéraires se percutent avec fracas.

81.

« Merci d'être vivante une journée de plus. »

Lucy, après avoir réintégré son corps, constate que sa migraine est terminée. Elle a encore quelques douleurs au ventre, mais elle se connaît et sait que le plus difficile est passé. Sans perdre une seconde, elle allume son ordinateur et effectue le virement sur le compte de Michael Plumer.

Elle regarde par la fenêtre ; le ciel s'est couvert et la pluie commence à tomber. La foudre illumine la pièce et les chats se crispent.

Elle consulte les horaires des prochains trains pour Londres, envisageant de rejoindre Stonehenge en taxi à partir de là pour assister à la suite des événements. Mais elle en aura au moins pour trois bonnes heures et d'ici là, la partie sera sans doute terminée.

Elle se souvient qu'elle a promis à Gabriel de contacter la mère de l'accidenté suisse qui lui a indiqué le nouveau nom de Samy et l'appelle aussitôt. Quand la femme décroche, elle lui explique rapidement les circonstances exceptionnelles de cet appel et lui donne les trois clefs qui prouvent que le message vient bien de son fils. Elle lui dit ensuite ce que souhaite celui-ci : qu'elle pardonne à son assassin, dissolve le comité de soutien et ne se préoccupe désormais que de son propre bonheur. À l'autre bout du fil, la femme est débordée par ses émotions et Lucy est soulagée de ne pas avoir à lui parler en face. La conversation dure quelques minutes et, au moment de raccrocher, elle considère que le message est passé.

Quelqu'un sonne alors à sa porte. La médium sursaute, craignant que ce soient les hommes de Samy, ou même Samy en personne qui l'aurait retrouvée grâce à une puce qu'elle n'aurait pas détectée, mais, en regardant par la fenêtre, elle reconnaît Thomas Wells. Rassurée, elle lui ouvre.

– Je suis venu vous faire profiter d'une version portative du nécrophone.

Il attend sur le seuil avec une grosse valise tandis que la pluie tombe dru. Lucy l'invite à entrer.

– Vous êtes toujours en contact avec mon frère là-haut ? demande-t-il.

– En quelque sorte... Pourquoi me demandez-vous ça ?

– J'aurais besoin de vous pour un suivi parallèle. Vous dans la métaphysique et moi dans le physique. C'est un peu ce dont nous étions convenus lors de notre dernière conversation, non ? Je peux ?

Sans attendre sa réponse, il déploie sur la table basse une parabole noire dont la tige centrale jaune est branchée sur son ordinateur portable. Les chats approchent, curieux. Comme Lucy ne connaît pas la teneur des propos que lui a tenus Gabriel quand il était dans sa peau, elle préfère ne pas s'avancer et lui indique où il peut s'installer. Il lance plusieurs programmes et fait quelques réglages qui réclament toute sa concentration. Elle l'observe sans rien dire. Il poursuit ses manipulations.

– Allô ? Il y a quelqu'un ?

La machine grésille et il continue ses réglages. Elle n'ose l'interrompre.

– Allô ? Y a-t-il une âme errante qui m'entende ? Allô ? Allô ?

Comme il ne se passe rien, les chats repartent dormir.

– *Je suis là*, dit une voix dans le haut-parleur de l'appareil.

– Gabriel ? Si c'est toi, dis-moi le code.

– *Non, c'est Edison. Je vous suis partout depuis la panne pour poursuivre notre conversation*, dit la voix dans le haut-parleur. *Je ne comprends même pas pourquoi vous êtes venu ici, nous aurions pu poursuivre ce dialogue dans votre laboratoire. Quant à votre frère, je crois qu'il a d'autres préoccupations actuellement. Mademoiselle Filipini est au courant.*

Thomas est surexcité.

– Bonsoir, monsieur Edison.

Il se tourne vers Lucy :

– Et mon frère, où est-il ?

– À cet instant ? Du peu que j'en sais, il est dans le sud de l'Angleterre, dit-elle.

– Et il fait quoi ?

– Il participe à une petite « fête locale ».

Edison manifeste son impatience.

– *On s'en fiche de votre frère. Moi je suis là. C'est tout ce qui importe. Notez bien que je suis le premier mort à communiquer avec un vivant, scientifiquement parlant. C'est important pour moi qui n'ai pas pu être le premier vivant à communiquer avec un mort. Et grâce à mademoiselle Filipini, on a un témoin. Vous pouvez filmer ce qu'il se passe avec votre smartphone, mademoiselle ?*

Lucy ne partage pas leur enthousiasme, elle s'est reculée, s'est avachie dans son fauteuil et a fermé les yeux.

– Mademoiselle Filipini ? Vous dormez ?

Elle reste longtemps immobile ; seules ses cornées s'agitent sous la fine peau des paupières.

– Mademoiselle Filipini !?

Elle semble rêver, alors il retourne à sa machine et reprend ses réglages.

– Edison ?

– *Je suis toujours là ! Reprenons notre conversation, je vous en prie.*

– Non, dit Lucy d'un ton détaché.

– *Comment ça, « non » ?* s'insurge l'âme errante du scientifique.

– Je viens de recevoir un message de ma Hiérarchie, ils vous interdisent de révéler votre découverte au public.

– *Quoi ? Mais il est indispensable que tout le monde sache !* proteste Edison.

– C'est prohibé, rétorque Lucy.

– Et si nous refusons de nous soumettre à ce diktat ? demande Thomas.

– Ceux de la Hiérarchie se chargeront de vous faire changer d'avis. Mais cela risque d'être pénible pour vous. Vous ne pourrez pas dire que je ne vous ai pas averti !

– Ceux de votre soi-disant Hiérarchie ne me font pas peur. Ils ne peuvent agir sur la matière.

Elle se lève, s'approche à quelques centimètres du visage du scientifique et prend un air espiègle.

– Eux non, mais moi si.

– Je ne vais pas renoncer à une découverte aussi fondamentale simplement parce qu'une médium m'a conseillé de le faire.

– Vous n'avez pas le choix.

– Vous ne croyez quand même pas que vous allez réussir à m'intimider ? Et d'ailleurs, que devrais-je redouter de votre part ? Que vous me frappiez ?

Lucy prend alors un air menaçant, et Thomas croit pendant quelques secondes qu'elle s'apprête à le gifler.

– Pour empêcher quelqu'un de faire une bêtise, il y a le bâton mais il y a aussi la carotte…

Elle se rapproche alors davantage de lui jusqu'à ce que leurs lèvres se touchent.

82.

La pluie se déchaîne sur les pierres de Stonehenge. Les druides, en transe, continuent de frapper les mégalithes et de chanter.

Le ciel en furie est toujours rempli de nuages anthracite, opaques, parcourus d'éclairs mauves et blancs. C'est au milieu de ce tumulte que les âmes errantes s'affrontent.

Les auteurs institutionnels ont envoyé une grande vague d'ennui, sorte de glu insidieuse qui a piégé Frankenstein, le robot d'Asimov et le Chtulhu de Lovecraft. Même le calamar géant de Jules Verne a l'air d'un monstre marin échoué. Le Dracula de Bram Stoker recule devant le crucifix brandi par saint Augustin, et le camp de la littérature de l'imaginaire dans son ensemble semble en déroute. La Vénus à la fourrure de Sacher-Masoch fait cingler son fouet pour frapper Edgar Poe, dont le corbeau tente de la piquer du bec pour la forcer à épargner son maître, mais celle-ci l'éloigne facilement d'un revers de son arme. L'Alice de Lewis Carroll, quant à elle, est assaillie par le croque-mitaine de Rotte-Vrillet qui lui répète : « Prends un bonbon, ma petite. » Gabriel Wells décide alors de faire appel au lieutenant Le Cygne pour éloigner ce pervers, ce qu'il réussit sans difficulté.

Autour d'eux, la bataille devient de plus en plus spectaculaire, les personnages de roman se mêlant à leurs créateurs pour prendre part à cet Armageddon céleste.

Les trois mousquetaires d'Alexandre Dumas sont poursuivis par les frères Karamazov, dont les revolvers sont plus faciles à recharger que les mousquets. L'Emma Bovary de Flaubert séduit le Robinson Crusoé de Daniel Defoe. Le Julien Sorel de Stendhal écrase le cafard géant de Kafka. Le croque-mitaine s'acharne maintenant sur les hobbits, qu'il attrape avec un filet en criant : « Petits, petits, venez là mes petits ! »

Des alliés surgissent des deux côtés, et le pirate Long John Silver de *L'Île au trésor* de Stevenson combat au sabre quelques philosophes-poètes soutenus par un groupe de précieuses ridicules armées de larges éventails.

Les druides continuent à frapper les arches de pierre de Stonehenge à un rythme effréné, alors que les éclairs aveuglants donnent à la scène un effet stroboscopique.

– *Avouez que vous êtes vaincus, écrivains de pacotille !* lance Rotte-Vrillet en levant haut son sabre d'académicien. Reconnaissez votre médiocrité et disparaissez !

– *Non, nous nous battrons jusqu'au bout !* répond Conan Doyle.

C'est à cet instant que surgit du centre de Stonehenge un ectoplasme de serpent géant. L'apparition provoque la surprise chez tous les belligérants. La bête monte en spirale jusqu'à dominer et encercler la zone de la bataille. Sa gueule s'ouvre et il se met à parler :

– *Vous êtes donc devenus fous ?* demande-t-il en agitant sa langue comme une lanière.

– *Qui es-tu ?* demande Rotte-Vrillet, agacé par ce trublion.

– *Je suis Tuan, le premier druide. Et vous êtes ici chez moi, car je suis le créateur de ce lieu sacré.*

Les druides cessent de frapper les pierres, la foudre s'arrête, la pluie aussi, et les nuages se dispersent.

– *Pourquoi vous chamaillez-vous, âmes puériles ?*

– *Ne vous mêlez pas de nos histoires !* répond Rotte-Vrillet.

– *Nous sommes tous les mêmes. Nous sommes tous des raconteurs d'histoires. Il n'y a pas de bonne ou de mauvaise littérature. La littérature de l'imaginaire a besoin de style et de psychologie. La littérature qui privilégie le style a besoin d'imaginaire et de fantastique. Le fond et la forme ne sont pas antinomiques, ils sont complémentaires. Rappelez-vous que vos racines se trouvent chez les bardes, les griots, les conteurs préhistoriques au coin du feu. Vous faites fausse route quand vous considérez la littérature comme un outil de pouvoir, alors que c'est un outil d'instruction, de réflexion et de divertissement. Votre fonction est d'élever. Grâce à Homère, la culture grecque s'est répandue dans le bassin méditerranéen. Grâce à Voltaire, Hugo, Flaubert et Verne, la France a rayonné dans le monde. Grâce à Dostoïevski et Tolstoï, la culture russe a resplendi. Grâce à*

Shakespeare et Oscar Wilde, la culture anglaise a attiré les regards du monde entier. Et il y aurait autant à dire de la littérature chinoise, indienne, coréenne, japonaise… Chacun, dans votre domaine, vous avez participé à cette chose extraordinaire : vous avez offert des histoires qui permettent aux enfants de dormir, de rêver, d'entrevoir de nouveaux horizons. Les romans permettent aux esprits de voyager sans bouger. Et je vous le dis, moi, Tuan, qui ai défendu en mon temps la littérature orale contre la littérature écrite, je suis désormais persuadé que toutes les littératures sans exception méritent d'être défendues. Notre force vient de notre diversité. Il est stupide d'établir qu'une littérature est supérieure à une autre, car il n'existe pas de mauvais genres de livres – il n'y a que des mauvais auteurs, qui ne savent pas donner aux lecteurs l'envie de tourner les pages. Et il faut arrêter de vouloir imposer un point de vue visant à rendre la littérature uniforme. Proust, je sais que tu aimes la science-fiction.

– *Oui, je dois l'avouer*, reconnaît l'intéressé en baissant les yeux.

– *Gabriel, je sais que tu as lu Proust et que tu as aimé.*

– *En effet*, concède Gabriel Wells.

– *Pourtant, il écrit des phrases longues et difficiles, n'est-ce pas ?*

– *Serrez-vous la main !* intime le serpent géant.

Les deux ectoplasmes, mi-effrayés, mi-convaincus, miment le geste.

– *Doyle, tu as aimé lire* Ulysse *de James Joyce ?*

– *Certes.*

– *Pourtant, ce n'est pas ce qu'on peut appeler un livre facile…*

– *J'ai un peu peiné, mais ensuite j'ai adoré.*

– *Alors vous tous, réconciliez-vous.*

Les deux groupes hostiles consentent à se rapprocher sans tenter de se détruire.

– Et réconciliez aussi vos personnages, qui ne sont pour rien dans vos querelles d'ego.

Ces derniers obtempèrent.

– Et maintenant, n'oubliez pas que l'enjeu est d'amener les futures générations à la lecture. Ne vous trompez pas d'ennemis.

Au-dessus d'eux, le ciel est dégagé, les étoiles se mettent à palpiter. Les personnages se dissolvent dans les nuages et bientôt il ne reste que les auteurs, tous un peu gênés.

Sur Terre, les druides, épuisés, s'effondrent.

– C'est pour cela qu'ils avaient besoin de nourriture et d'alcool, pour avoir la force de me faire apparaître, explique Tuan. *Maintenant que je suis sorti de ma tombe, je vous ordonne de vous disperser et de ne combattre que pour la seule cause qui vaille : la lecture!*

Les âmes errantes des auteurs se dispersent et le serpent géant se tourne vers Gabriel :

– Toi, reste là.

Conan Doyle, Jules Verne et H. G. Wells lui adressent un signe de soutien.

– Sois fort, Gabriel!

Tuan fixe l'écrivain français.

– C'est toi qui as déclenché ce tohu-bohu, hein?

– Je cherche celui qui m'a tué.

– Et tu trouves que cela mérite de venir troubler le ciel et de déranger tout ce monde, en haut comme en bas? Mais pour qui te prends-tu, petite âme de rien du tout?

– Je veux savoir la vérité sur ma mort. Je ne renoncerai pas.

– Eh bien, si tu le prends comme ça, je te préviens que je vais…

– … le laisser me suivre, tonne une voix de femme en provenance des hauteurs.

Surgit Hedy Lamarr, vêtue du costume qu'elle portait dans le film *Samson et Dalila*. Gabriel Wells est subjugué par cette apparition en robe bleue et sandalettes dorées, diadème de perles dans les cheveux.

— *Laisse, Tuan. Cela ne relève plus des compétences du Bas Astral. Cela concerne le Moyen Astral. Je m'en occupe, on l'attend là-haut.*

Face à cette vision de pure beauté, Gabriel est bouche bée.

— *Vous allez le faire monter ? Une simple âme errante ? Dans le Moyen Astral ?* s'étonne Tuan.

— *Il existe un enjeu autour de cet esprit,* élude l'actrice hollywoodienne.

— *Lui ? Il va rencontrer quelqu'un de la Hiérarchie ?*

— *Je ne peux rien te dire, Tuan, mais je te remercie d'avoir mis un terme à ce conflit aussi inutile que stupide. Et toi, Gabriel, tu veux connaître les raisons de ta mort ? Eh bien, tu vas très vite les apprendre. Parce que l'une des lois de l'univers est que toute âme finit toujours par obtenir ce qu'elle désire. Mais je ne suis pas sûre que cela soit ce que je peux te souhaiter de mieux. Par moments, on gagne à ne pas savoir.*

Alors que le serpent Tuan s'enfonce dans le sol de Stonehenge, Hedy Lamarr guide Gabriel au-dessus de l'atmosphère terrestre.

— *Hum…,* dit Conan Doyle, sur le point de perdre un peu de son flegme. *C'est une illusion ou c'est bien Hedy Lamarr, l'actrice américaine ?*

Lewis Carroll lui répond :

— *Ce devait être son fantasme. Ils ont utilisé celle qui pouvait le plus l'influencer.*

— *Je ne connais pas sa filmographie.*

— *Elle était actrice dans les années 1930. Je n'ai vu aucun de ses films non plus.*

— *C'est la plus belle femme qu'il m'ait été donné de contempler.*

— *Elle est issue du lointain espace.*

– Cela donne envie d'y aller.

– Ceux de la Hiérarchie ne te laisseront pas monter aussi facilement. Il faut avoir une raison précise.

– Finalement, soupire Conan Doyle, *on n'a jamais clairement élucidé ma propre mort. Cela ne m'étonnerait pas que je me sois fait empoisonner moi aussi… Mais qui a bien pu me tuer ?*

Lewis Carroll observe le dernier endroit où il a vu disparaître Gabriel Wells et pense tout haut :

– Je me demande où il se trouve à cette seconde.

– Il doit être très loin.

– J'espère qu'il pensera au moins à nous envoyer un signe…

83. ENCYCLOPÉDIE : VICTOR HUGO ET LE SPIRITISME

En août 1852, après le coup d'État de Napoléon III, Victor Hugo se réfugia à Jersey, l'une des îles anglo-normandes, où il loua une maison isolée (qu'on prétendait hantée) dans une vallée sombre et froide. Son arrivée fut perçue comme un événement dans cette petite île où il ne se passait pas grand-chose. Victor Hugo invitait régulièrement les habitants à dîner chez lui et connut une période de production décuplée.

Un an après son arrivée débarqua une de ses amies, Delphine de Girardin, elle-même poétesse. Celle-ci évoqua la mode du spiritisme venue d'Amérique grâce aux sœurs Fox et lui parla d'Allan Kardec, nouveau pape de la religion spirite en France. Elle ne séjourna à Jersey qu'une semaine, mais elle suscita un grand engouement en organisant des soirées où l'on faisait tourner les tables.

Au début, Victor Hugo était très sceptique et refusa d'y participer. La première séance, le 7 septembre 1853, fut décevante. Aucun mort ne se manifesta et les gens présents autour de la table préférèrent discuter des complots anti-bonapartistes que des défunts.

Le 11 septembre 1853, la table tressaillit enfin, et celle qui prétendait parler n'était autre que Léopoldine, la fille de Victor Hugo, morte noyée dans la Seine. Dès lors, le célèbre écrivain consentit à venir aux séances et passa rapidement du scepticisme à la ferveur. Il nota avec précision dans des procès-verbaux les dialogues qu'il eut avec sa fille défunte, puis avec d'autres morts, et rédigea même un poème sur ce thème : « Ce que dit la bouche sombre ».

Une fois Delphine de Girardin repartie, Victor Hugo conti-nua les séances de spiritisme en invitant pratiquement tous les soirs ses amis de l'île, et il consigna toutes ses conversa-tions avec les morts. L'écrivain prétendit ainsi avoir dia-logué avec des personnages aussi illustres que Moïse, Platon, Aristote, Eschyle, Hannibal le Carthaginois, Jésus-Christ, Luther, Dante, Galilée, Shakespeare, Racine, Molière, Louis XVI, Marat, Robespierre, Napoléon Ier, Lord Byron, Chateaubriand, et trois personnages qu'il nomma la Dame Blanche, la Dame Noire et la Dame Grise. L'écrivain convoqua aussi à son guéridon quelques ani-maux de la mythologie comme le lion d'Androclès, l'ânesse de Balaam ou la fameuse colombe de l'arche de Noé.

Tous ces esprits parlaient en français, et dans ses notes, Hugo expliqua qu'à côté de ces morts célèbres, il y avait des esprits vivants mais endormis, comme celui de son pire ennemi : Napoléon III (ce qui permit à Victor Hugo de lui signifier en face ce qu'il pensait de lui). Les séances commençaient en général vers 21 h 30 et s'achevaient après 1 heure du matin (les horaires de début et de fin furent consignés avec précision dans les procès-verbaux).

Les séances s'arrêtèrent brutalement en 1855, lorsque l'un des participants, Jules Allix, le frère du docteur Allix, fut pris d'une crise de démence spectaculaire au cours d'une séance de spiritisme (il finira à l'asile de Charenton).

À la même période, Hugo fut expulsé de Jersey pour avoir pris parti dans une affaire politique et s'installa dans une autre île anglo-normande, Guernesey, où il restera 14 ans. Là-bas il fit graver sur les meubles la liste de tous les hommes célèbres avec lesquels il avait parlé grâce aux séances de tables tournantes.

Edmond Wells,
Encyclopédie du Savoir Relatif et Absolu, tome XII.

84.

Leurs deux corps nus se séparent pour rouler chacun de leur côté. Le parfum de leurs ébats imprègne encore les oreillers. Au milieu des draps froissés, Lucy reprend son souffle, alors que Thomas est radieux.

– Si c'est le prix à payer pour que je renonce à mes projets…

Mais la jeune femme semble préoccupée.

– Qu'est-ce qui ne va pas ?

– Quelque chose ne tourne pas rond. Jusque-là, j'étais connectée à Gabriel et je sentais toujours son esprit, même lorsqu'il était loin. Or là, je ne le perçois plus du tout.

– Tu m'as pourtant expliqué qu'un mort ne peut pas complètement disparaître…

– Exact. Soit c'est une âme errante, soit il se réincarne. Là, cela ne semble être aucune de ces deux possibilités. C'est comme s'il avait quitté notre espace-temps. Serait-il possible qu'il lui soit arrivé quelque chose de grave dans l'invisible ? Je veux en avoir le cœur net. Je vais demander à ma Hiérarchie ce qu'il se passe.

Elle se met en position du lotus sur un coussin du lit, ferme les yeux, se concentre. Ses cornées s'agitent sous ses paupières. Après plusieurs minutes, elle rouvre les yeux.

– Je n'arrive même pas à contacter Dracon.

– Si tu m'interdis de contacter les morts avec mon nécrophone et que toi tu n'y arrives plus non plus, cela signifie que nous sommes…

– … déconnectés du monde invisible.

– … comme les gens normaux.

Cette idée lui est d'autant plus désagréable qu'elle vivait en permanence connectée aux âmes errantes et aux informations de sa Hiérarchie. Elle a le sentiment d'être abandonnée. Thomas la prend dans ses bras.

– On peut vivre sans communiquer avec les morts, tu sais. Tu me demandes de renoncer à leur parler et tu n'en es pas capable ?

– Je sais, ce n'est pas logique, mais c'est plus fort que moi.

– La plupart des personnes non connectées à l'au-delà se portent très bien.

– Ce silence m'inquiète. Je me fais du souci pour ton frère.

Elle se blottit contre lui.

– Il doit y avoir une raison pour que la Hiérarchie m'ait déconnectée. Qu'allons-nous faire maintenant ?

– Vivre dans la matière avec les vivants, propose-t-il en déposant un doux baiser sur son épaule.

– Cela me semble soudain tellement « limité »…

Thomas essaie de la rassurer.

– Ce n'est peut-être qu'une coupure temporaire ?

Lucy n'est pas convaincue et semble de plus en plus préoccupée. Thomas comprend que si la situation perdure, elle va perdre son emploi.

– Demain, nous irons sur la tombe de mon frère ; s'il y a bien un endroit où l'on peut le trouver, cela doit être là.

– Pourquoi demain ? Viens, on y va tout de suite.

Thomas n'ose pas la contredire. Ils s'habillent prestement et se mettent en route.

Arrivée devant l'inscription « Je suis vivant et vous êtes morts », Lucy s'assoit, ferme les yeux et se concentre. Des chats sauvages l'observent de loin.

L'attente s'éternise.

Le vent se lève et disperse les feuilles des arbres. Thomas reste assis à côté d'elle et attend. Enfin, au bout d'un quart d'heure, Lucy rouvre les yeux.

– Alors, tu les as joints ?

– Oui. J'ai parlé à Dracon, mon intercesseur.

– Et qu'est-ce qu'il t'a dit ?

– De ne plus me mêler de cette affaire et de ficher la paix aux morts.

85.

Gabriel vole dans l'espace aux côtés de Hedy Lamarr.

– Si vous saviez ce que cela me fait d'être là avec vous ! Je suis votre plus grand fan. Pour moi, vous êtes la femme la plus formidable de tous les temps, l'incarnation du génie féminin.

– *Merci*, dit l'actrice, *mais puis-je savoir d'où vous vient cette passion pour les actrices hollywoodiennes des années 1930 ?*

– *C'étaient les plus belles ! Je les ai toutes aimées… Greta Garbo, Lauren Bacall, Ingrid Bergman, Ava Gardner, Rita Hayworth, Audrey Hepburn, Liz Taylor, Gene Tierney… Mais j'ai toujours considéré que vous étiez la plus extraordinaire de toutes. Quand j'ai appris que vous étiez à l'origine de l'invention du GPS, j'ai été encore plus subjugué.*

Ils font le tour du Soleil et Hedy Lamarr désigne une petite planète pas plus grande que la Lune.

– *Comme vous le savez peut-être, il existe deux administrations pour les Terriens*, explique Hedy Lamarr. *D'une part il y a ce qu'on pourrait nommer le « Paradis », ce vortex au centre de la galaxie qui aspire les âmes qui vont se réincarner. Vous en avez parlé dans* Nous les morts, *donc je pense que vous l'avez intuitivement perçu.*

– *Je l'ai déduit de la lecture du* Livre des morts tibétain *et du* Livre des morts égyptien.

– *Alors vous le savez bien : le Paradis, ou « Continent des morts », est constitué de sept niveaux dans lesquels l'âme traverse différentes épreuves qui lui permettent de comprendre le sens de sa vie. Au terme de cette initiation, l'âme est jugée, et on lui propose ensuite de choisir ses futurs parents et son lieu de renaissance. Mais pour les autres, ceux qui veulent rester, les âmes errantes, il faut bien une structure parallèle.*

Ils étendent les bras pour planer à grande vitesse.

– *Actuellement, il y a sur terre 8 milliards de vivants et 4 milliards d'âmes errantes, et leur nombre ne fait que croître. Cette administration devait bien être installée quelque part. Pour être sûrs de ne jamais être vus, les dirigeants ont décidé d'installer leurs « bureaux » sur une petite planète placée à l'opposé exact de la Terre,* dans l'axe du Soleil. On l'a appelée, en référence à la Bible, le « Purgatoire ».

– Cela vient du mot « purge » ?

– Je dirais plutôt de « purification ». C'est de là que nous recevons les directives pour purifier le troupeau des âmes errantes afin de leur donner envie de se réincarner et d'assumer leur évolution plutôt que de stagner éternellement au milieu des vivants.

À cet instant apparaît devant eux une petite planète de couleur ocre.

– Voici le « Purgatoire », annonce l'actrice.

– C'est là que vit la Hiérarchie ?

– Le Haut Astral. Comprenez bien qu'entre le Paradis et le Purgatoire, la différence n'est pas seulement géographique ; les deux systèmes sont parallèles et étanches. Chacun a sa propre organisation. Ce que vous allez découvrir est normalement inaccessible aux âmes du Bas Astral.

– Et vous ?

– Je suis dans le Moyen Astral. Tout comme Dracon, que vous connaissez, je crois. Je transmets les directives de la Hiérarchie aux Terriens, qu'ils soient médiums ou âmes errantes. Nous sommes des relais, en somme.

– Et vous êtes nombreux ?

– Une dizaine de milliers, tout au plus.

Les esprits de Gabriel Wells et d'Hedy Lamarr descendent sur la planète sans atmosphère, sans océans, sans forêts, et se posent à la surface au niveau d'un cratère. L'actrice lui indique alors qu'il doit traverser l'épaisseur du sol.

– Vous ne venez pas ?

– Je vous l'ai dit : je suis du Moyen Astral, pas du Haut Astral, je n'ai jamais franchi cette limite. C'est ici que je reçois les directives que je dois transmettre à la Terre.

Il a envie de rester encore à ses côtés, mais il ne sait comment le lui dire.

— *Vous savez que j'ai une amie qui vous ressemble beaucoup ?*

— *Mademoiselle Filipini ?*

— *Elle vous ressemble, mais… maintenant que je vous vois, je me rends compte que vous êtes vraiment différentes.*

— *C'est un compliment que vous essayez de me faire ?*

— *Oui… enfin… je voudrais vous dire que si ma vie de Gabriel Wells et mon assassinat n'ont servi qu'à vous rencontrer comme âme errante, eh bien tout cela valait la peine.*

— *Merci.*

— *Pourrais-je vous revoir ?*

— *Cela dépendra de ce qui va vous arriver là-dessous.*

— *Et que va-t-il m'arriver, selon vous ?*

— A priori *vous allez rencontrer des êtres du Haut Astral. Je ne sais même pas s'ils seront plusieurs, tel un jury d'archanges, ou si ce sera une seule personne, une sorte de dieu ou de divinité. Pour être honnête, j'aimerais beaucoup vous accompagner, mais cela m'est interdit. « On » m'a juste demandé de vous amener jusqu'ici. Et je pense que j'ai été choisie parce que j'étais votre idéal féminin.*

— *J'aurais tant aimé à cet instant avoir un papier et un stylo pour vous demander un autographe,* ose timidement lui avouer Gabriel.

— *Cela fait partie des petits inconvénients d'être mort, on ne peut pas demander d'autographe aux célébrités qu'on rencontre dans l'au-delà…*

L'actrice laisse fuser un petit rire poli, puis elle se penche vers lui et l'embrasse. Il ne sent rien, voit juste son visage translucide à quelques centimètres du sien.

— *Cela remplacera l'autographe,* déclare-t-elle. *Allez, maintenant vous devez descendre. Et appréciez la chance que vous avez d'approcher du Haut Astral !*

Il lui fait un baisemain. Il a envie de lui dire tant de choses, mais il ne sait pas par quoi commencer.

— Jamais je n'oublierai cet instant. Même si je me réincarne, je garderai gravées ces secondes merveilleuses au plus profond de mon âme, quels que soient mes prochains corps d'emprunt.

Elle lui fait signe qu'il n'y a plus de temps à perdre. Alors, à regret, il s'enfonce sous la couche de roche du Purgatoire, et aboutit à une caverne qui ressemble à l'intérieur d'une géode améthyste. Toutes les parois sont hérissées de cristaux mauves translucides qui émettent une lueur bleutée.

Au centre se trouve un immense trône de quartz.

Quelqu'un est assis, unique silhouette dans cette salle démesurée.

Gabriel s'avance.

Il fait le tour du trône, voit la personne qui est assise dessus, la reconnaît et recule brusquement, dans un mouvement de surprise.

— VOUS ?! s'exclame-t-il.

— Contente de te revoir, Gabriel…

86. ENCYCLOPÉDIE : ÂMES LUMINEUSES

Si certaines personnes passent leur vie à se demander comment détruire un maximum de leurs congénères, d'autres ne pensent qu'à les aider. En voici trois peu connues :

— Irena Sendler était la fille d'un médecin polonais qui avait dédié sa vie à aider les défavorisés. En 1942, déguisée en infirmière officiellement chargée de repérer les traces de typhus, elle organisa l'évasion du ghetto de Varsovie de

411

1 200 enfants juifs. En 1943, elle fut dénoncée, arrêtée, torturée, mais ne livra jamais aucune information. Condamnée à mort, elle parvint à s'évader et continua sa résistance active. À la fin de la guerre, elle aida les enfants qu'elle avait sauvés à retrouver leurs parents (elle avait caché la liste de leurs noms dans une jarre enterrée dans son jardin). Elle mourut à 98 ans en exprimant le regret de ne pas avoir pu en sauver plus.

– L'Australien James Harrison avait 13 ans lorsqu'il dut subir l'ablation d'un poumon. Il fallut lui transfuser plusieurs litres de sang et il resta trois mois à l'hôpital. Durant cette période, James ne cessa de penser à tous les donneurs auxquels il devait sa survie ; cette dette morale l'obsédait. À sa sortie, il décida que, dès qu'il serait majeur, il donnerait son sang le plus souvent possible. Or James Harrison possédait un antigène rare, capable de sauver les bébés souffrant de la maladie de Rhésus, une forme mortelle d'anémie. Il offrit ainsi plus de 1 000 transfusions en cinquante-six ans, qui permirent de sauver 2 millions d'enfants. Grâce à son sang, les biologistes purent même mettre au point un vaccin.

– Shavarsh Karapetyan, né en 1953, était arménien. Il fut 17 fois champion du monde de natation, 13 fois champion d'Europe, 7 fois champion d'URSS, et il détenait 11 records du monde. Le matin du 16 septembre 1976, alors qu'il effectuait son jogging quotidien avec son frère, il vit un bus dévier de sa route et chuter dans les eaux glacées du lac d'Erevan. Les 92 passagers perdirent tous connaissance sous le choc. Shavarsh plongea, progressa dans l'eau sombre, repéra le bus à 10 mètres de profondeur, brisa la vitre arrière avec ses pieds, se blessant avec les morceaux de verre, et parvint à remonter 30 personnes qui furent ensuite secourues par son frère ; parmi elles, 20 survécurent. À la suite de cet exploit, épuisé, blessé et frigorifié, il tomba lui-même quarante-cinq jours dans le coma. Neuf ans après ce drame, il se trouva à proximité d'un bâtiment en feu, avec plusieurs personnes piégées à l'intérieur. Une fois de plus, il n'hésita pas et fonça, cette fois-ci dans les flammes, pour tenter de les sauver. Là encore, il dut passer plusieurs mois à l'hôpital pour se remettre de ses brûlures. Un astéroïde a été baptisé en son honneur.

Edmond Wells,
Encyclopédie du Savoir Relatif et Absolu, tome XII.

87.

L'écrivain la fixe, encore sous le choc.
– *Je crois que tu vas rater ton excipit, mon cher Gabriel.*
Silence.
– *Et tu sais pourquoi ? Parce que ton incipit était un défi impossible à relever.*
Il n'arrive pas à la quitter des yeux et balbutie :
– *Si... si... si j'avais su que c'était vous !*
– *J'ai tout fait pour que tu n'y penses même pas.*
Il l'observe dans les moindres détails et n'en revient pas. Pourtant, c'est bien elle. Il la reconnaît. C'est la petite vieille au bonnet péruvien à pompons roses qui promenait son caniche en laisse le matin de sa mort. L'animal dort d'ailleurs sur ses genoux en ronflant.
Elle a, derrière ses lunettes épaisses, un regard malicieux.

Gabriel se dit que, pour avoir choisi cette apparence, elle doit avoir le sens de l'humour. Lui qui voyait le monde du dessus peuplé d'anges sérieux aux longues ailes... Quel manque d'imagination de sa part !

— *Relève-toi, Gabriel. Pour commencer, il faut que tu saches deux choses : je me nomme Métraton et je suis fan de la Terre. Le concept, le lieu, la forme, l'emplacement, la couleur... Cette planète, c'est mon truc.*

Elle caresse son chien.

— *Moi aussi j'ai une jumelle. C'est elle qui a créé le chemin de la réincarnation. J'ai pour ma part mis en place le système de gestion des âmes qui ne veulent pas encore se réincarner. Le Bas Astral, le Moyen Astral, le Haut Astral, le Purgatoire... Tout ça, c'est moi.*

Elle esquisse une révérence.

— *Au début, la plupart des âmes voulaient renaître. Seuls les suicidaires et les amoureux voulaient stagner près de leur ancienne enveloppe charnelle. Ils représentaient tout au plus...*

— *10 % ?*

— *Exact. 10 % d'âmes errantes et 90 % de réincarnations.*

— *Alors j'avais raison.*

— *C'était ainsi au début, mais cela a vite évolué.*

Gabriel est soulagé de ne pas s'être trompé en donnant ce chiffre dans *Nous les morts*, même si cette donnée date un peu.

Métraton confirme :

— *Maintenant, c'est plutôt l'inverse,* dit-elle sur un ton attristé. *90 % des morts restent des âmes errantes et seulement 10 % veulent se réincarner. Par conséquent, nous avons rapidement été dépassés. J'ai dû engager du personnel.*

Elle se lève et lévite au-dessus des cristaux en forme de pointes.

— *J'ai lu tous tes livres, Gabriel. Mais je dois avouer que je suis loin de les aimer tous. Certains me semblent, comment dire, « bâclés ». D'autres m'ont déçue par leur dénouement, mais comme tu en as publié beaucoup, j'ai forcément mes préférences. De toute façon, j'ai du temps maintenant, et lire est un de mes passe-temps favoris.*

Elle baisse ses lunettes d'un doigt.

– Je dois quand même admettre que tu n'es pas mon auteur fétiche. Loin de là. Je n'aime pas ton style, il est trop sec. Tes phrases sont trop courtes. Tu vas à l'essentiel sans laisser le temps au lecteur de se promener dans tes scènes. Tu n'utilises pas assez de métaphores. Pas assez de poésie. Et puis tes fins ! Bon sang, Gabriel ! Il fallait soigner tes scènes finales ! L'imagination est ton point fort et pourtant tes fins manquent souvent d'audace. On les voit venir ! Il n'y a pas un seul de tes romans dont je n'aurais pu décrire précisément la scène finale, avec ses prétendues révélations.

Gabriel ne sait pas quoi répondre, alors il encaisse, en mimant un signe d'excuse.

– Cela dit, tu n'es pas le seul à rater tes fins ; la plupart des auteurs de romans à suspense se plantent avec leurs chutes. Le finale est pourtant déterminant, Gabriel. Comme l'instant où le magicien sort le lapin du chapeau : il ne faut surtout pas se louper !

– Désolé. Si j'avais su que j'étais lu par quelqu'un d'aussi prestigieux que vous, j'aurais évidemment soigné davantage mes sorties…

– Bon, je reconnais que je suis un peu dure avec toi. Ne vois en moi qu'une lectrice exigeante. Et puis je dois bien avouer qu'il y a quand même dans certains de tes romans des fins correctes. Ce que j'aime, c'est quand la solution a été donnée dès les premières pages, mais que les lecteurs sont passés devant sans y prêter attention. C'est tout le principe de diversion des magiciens.

Elle pose son chien sur son trône et glisse en lévitation dans sa cathédrale de cristaux d'améthystes. Elle se dirige vers une zone où se reflètent des pages imprimées.

— *Il faut que je te parle encore de mes impressions de lectrice « céleste ». Je dois dire que parmi toutes tes qualités, celle que j'apprécie le plus chez toi, c'est que… tu m'amuses. La première fois que j'ai ri en te lisant, c'est quand le lieutenant Le Cygne se demande s'il n'est pas un personnage de roman. Comment ça s'appelle déjà ?*

— *Une mise en abyme.*

Métraton rit encore au souvenir de la lecture de ce passage. Elle touche un quartz dont la surface ressemble à un écran recouvert de pages.

— *J'ai aussi beaucoup aimé, dans le deuxième volume, quand la fiancée du lieutenant Le Cygne le quitte parce qu'au bout d'un an elle vient d'avoir son premier orgasme et lui en veut pour cela. C'est si… « humain ». Tu as compris des éléments fondamentaux de l'esprit de tes contemporains : ils sont paradoxaux, ils sont le contraire de ce qu'ils prétendent être. C'est amusant à observer d'ici, mais c'est encore plus drôle quand je le lis chez toi.*

— *Merci.*

— *Dès que mes « employés de l'invisible » ont su que je m'intéressais à ton cas, ils n'ont cessé de m'abreuver d'informations sur ton compte. Ta vie devenait un feuilleton. Tu sais, comme ces séries à suspense qui deviennent addictives. Tes décisions étaient si surprenantes, si originales, si… bizarres.*

Métraton se rassoit sur son trône de cristal, et son caniche reprend sa position favorite sur ses genoux.

— *Pourquoi as-tu développé ton talent ? Parce que tu as souffert de la gémellité avec ton frère Thomas, tu as souffert de l'acharnement thérapeutique sur ton grand-père, tu as souffert de voir que tes révélations en tant que journaliste étaient méprisées, allant jusqu'à te valoir un licenciement, et que ton travail de romancier était dénigré. C'est tout ça qui t'a rendu rebelle et inspiré.*

— Cela signifierait donc qu'on ne peut pas créer sans souffrance ?

— Si, mais c'est plus rare. L'un de mes peintres préférés, l'Anglais William Turner, était heureux en couple, riche, célèbre, et pourtant tout le temps en quête de renouvellement, original, inspiré.

— Si je dois renaître, c'est cela que je veux : créer sans douleur.

La petite dame au bonnet à pompons roses laisse s'écouler un long silence pendant lequel elle fixe son vis-à-vis.

— Qui m'a assassiné ? demande enfin Gabriel.

— Ah, enfin… Je me demandais quand tu allais te décider à me poser la question. Après tout, c'est pour cela que je t'ai autorisé à me rendre visite.

— Qui ?

Elle caresse son caniche.

— Moi.

Gabriel n'en croit pas ses oreilles. Métraton laisse à nouveau un long silence s'écouler avant de reprendre :

— L'idée de t'assassiner m'est venue de la lecture d'une de tes nouvelles. Celle qui s'intitule « Et à la fin on découvre que c'est moi l'assassin ». Pour une fois, j'ai trouvé non seulement ton titre mais surtout ta chute excellents. Quand je l'ai lue, je me suis dit : Et si c'était moi qui le tuais ?

Métraton éclate de rire.

— Tu te souviens de l'intrigue ? Un meurtre dans une chambre close, où il était impossible d'entrer de quelque manière que ce soit : pas de faux murs, pas de faux plafond ou de faux plancher. Et dans ta nouvelle, à la fin, on découvrait que l'assassin était un ange. C'est-à-dire quelqu'un comme moi. J'ai alors considéré la possibilité de m'adonner à cette petite activité typique des vivants : le meurtre.

Métraton semble amusée par son récit.

– *Sache que je ne l'ai fait que pour toi. Tu pourrais considérer cela comme un privilège ; que quelqu'un du Haut Astral s'abaisse à agir sur un vivant est un événement unique et c'est toi qui en as bénéficié.*

– *Mais pourquoi ??*

– *J'ai dû t'assassiner à cause de ton dernier manuscrit,* L'Homme de 1000 ans. *Il a été repéré par mes administrateurs et je l'ai lu avant que tu ne le publies car il s'avère que tu as trouvé par hasard des idées qui sont un peu trop… avant-gardistes. En fait, dans ce roman, tu imagines qu'un scientifique crée un centre où il arrive à prolonger la vie en utilisant les gènes de trois animaux : le rat-taupe nu, pour vaincre le cancer et les infections ; l'axolotl, pour permettre les greffes et le remplacement de tous les organes abîmés ; la tortue des Galápagos, pour empêcher le vieillissement. Tu t'en souviens ?*

– *Bien sûr.*

– *Le problème est que tes inspirations du moment étaient un peu trop justes. Tu as actuellement un public potentiel d'1 million de lecteurs par roman. Or, sur 1 million, il y a forcément des scientifiques. Et il suffirait que l'un d'entre eux teste la formule telle que tu l'as décrite pour s'apercevoir que… cela marche ! Tu as cru faire de la science-fiction, mais rien qu'avec ton imagination et ta documentation tu as trouvé des réponses là où les vrais scientifiques cantonnés à leur domaine manquent de perspective.*

– *C'est la fonction de la science-fiction : anticiper le monde avant qu'il ne change. Jules Verne a décrit le voyage sur la Lune un siècle avant qu'il n'ait lieu !*

– *Oui, mais cela ne changeait pas fondamentalement l'aventure de son espèce, il n'a fait qu'accompagner un mouvement déjà amorcé, alors que toi tu es allé trop loin. Actuellement, l'espérance de vie en Europe est en moyenne de 80 ans. Il y a de plus en plus de centenaires, et l'humanité s'achemine doucement vers les 10 milliards d'individus. C'est la tendance naturelle que nous cherchons à freiner. Et toi tu proposes carrément de prolonger la vieillesse !*

– *Ce n'est qu'un roman, une fiction.*

– *Oui, mais je le répète : si quelqu'un teste ta formule, il s'apercevra que cela marche et il créera vraiment le centre de « Fontaine de jouvence » que tu décris. Alors, le nombre de centenaires augmentera, d'abord chez les plus riches, puis cela se démocratisera. Et de 80 ans on passera à une espérance de vie moyenne de 100 ans. Puis de 200 ans. Dès lors, en quelques dizaines d'années à peine, on passera de 10 à 20 milliards d'humains. Or la planète n'est pas extensible et ses richesses ne sont pas illimitées. 20 milliards d'êtres humains, cela signifie 20 milliards de bouches à nourrir, 20 milliards de consommateurs compulsifs. Il faudra plus de plastique, plus de pétrole, plus d'uranium, plus de bois, plus d'air, plus d'eau. Cela signifie qu'on gaspillera les ressources naturelles : les océans seront pollués, l'atmosphère irrespirable, les forêts dévastées, toutes les formes de vie sauvage éliminées, et la Terre sera bientôt une planète exsangue.*

– *À cause de mon roman !!!?*

– *À cause de tes idées qui arrivent trop tôt…*

Elle lâche un soupir désabusé.

– *Quand il y a trop d'humains sur Terre, nous devons « compenser ». Cela signifie encourager les guerres mondiales, les épidémies, les tremblements de terre. Tout cela s'avère indispensable pour clairsemer un peu ce troupeau humain devenu trop abondant.*

– *Vous appelez cela « clairsemer » !?*

– *Nous seuls ici semblons avoir pris conscience que la surpopulation est le pire danger qui guette l'humanité et la planète. Et toi, inconscient, en croyant faire un simple roman, tu étais sur le point de proposer une méthode pour l'accélérer !*

– *Je n'avais jamais pensé à cela.*

– *Heureusement que nous avons pu intervenir à temps.*

– *Et vous avez manigancé mon élimination…*

– *Il ne fallait surtout pas que* L'Homme de 1000 ans *soit publié.*

– *Comment avez-vous procédé pour m'assassiner ?*

La vieille dame au bonnet péruvien replace son chien sur ses genoux.

– *Tu avais déclaré au docteur Langman que tu ne voulais surtout pas mourir comme ton grand-père et que, si tu avais le choix, tu souhaitais partir sans douleur durant ton sommeil. Nous avons donc réalisé ton souhait.*

– *Et de manière pratique ?*

– *Première étape, nous avons repéré que Ghislaine était somnambule, ce qui pour nous signifiait influençable.*

– *Ghislaine ? Vous voulez dire l'assistante de Krausz ? C'est pour cela que mon grand-père Ignace a entendu dire qu'il y avait une femme à l'origine de mon exécution…*

– *Deuxième étape, Ghislaine, que nous avons manipulée, s'est levée dans la nuit pour se connecter avec son ordinateur aux fiches des patients. Elle a ouvert la tienne et en a modifié les données. Elle a inscrit un taux de marqueurs tumoraux qui signifiait que tu avais un cancer fulgurant incurable. Le document a été livré à Krausz qui ne l'a pas lu mais l'a transmis au docteur Langman. Lui l'a lu. Dès qu'il a compris combien ta maladie était grave, il a pris la décision que j'espérais : mettre fin à tes jours avant que tu ne connaisses les affres d'une longue agonie. Comme il a accès à des produits chimiques complexes, il les a combinés pour t'apporter la mort la plus confortable possible : durant ton sommeil, sans même que tu t'en aperçoives.*

– *Quand a-t-il agi ?*

– *Il a versé le cocktail létal dans ton champagne le soir de ton anniversaire. Tu as bu la coupe en même temps que tu plantais tes dents dans la première bouchée de ton gâteau. Ensuite, le produit a progressivement pénétré dans ton organisme, t'a fatigué, t'a donné envie de te coucher; tu as dormi, tu as rêvé, ton cœur s'est progressivement arrêté et tu ne t'es jamais réveillé. Voilà comment «je» t'ai assassiné.*

Gabriel Wells hoche la tête, tâchant de digérer toutes ces informations.

– *Mais alors pourquoi vous ai-je croisée le lendemain matin dans la rue avant de découvrir que j'étais mort?*

– *Je suis fan de cinéma. C'était juste un clin d'œil à Hitchcock, qui fait toujours une petite apparition dans ses films. J'ai choisi cette apparence car j'ai lu dans ton esprit que c'était celle qui te semblerait la plus anodine. Qui va penser que la petite dame au bonnet péruvien et au caniche est... la clef?*

Il s'approche.

– *Et la destruction du manuscrit?*

– *Nous avons agi sur ton frère par les rêves. Cela a marché. Heureusement, ton frère a beau se prétendre scientifique et cartésien, il est très influencé par ses rêves.*

Gabriel Wells ramasse ses jambes en position du lotus et lévite face à Métraton.

– *Donc, vous m'avez tué parce qu'à cause de moi l'humanité risquait de connaître une dangereuse prolongation de son espérance de vie?*

– *Et donc une croissance démographique rapide et incontrôlable. Maintenant que tu connais les raisons de ton assassinat, est-ce que tu me comprends?*

Gabriel tourne la tête, observe les cristaux mauves qui tapissent cette grotte étrange au creux d'une planète inconnue. Il plonge son regard dans celui de cette vieille dame qui semble si bienveillante.

88. ENCYCLOPÉDIE : L'HOMME INCONSCIENT

Si le docteur Ignace Semmelweis est, objectivement, l'humain qui a fait le plus de bien à ses congénères en suggérant de se laver les mains avant d'accoucher les femmes, puisque cela a permis d'éviter bien des cas de mortalité infantile, Thomas Midgley est probablement celui qui leur a fait le plus de mal... sans le savoir.

Thomas Midgley était un chimiste américain qui, au départ, ne souhaitait pourtant que le bien de l'humanité. En 1911, il est recruté par les laboratoires de General Motors, qui cherche à l'époque un moyen de réduire le bruit des moteurs à combustion. Midgley découvre qu'en ajoutant du plomb dans l'essence, les moteurs tournent de façon plus fluide. La célèbre multinationale commercialise alors ce nouveau carburant et en inonde le marché avec des millions de litres. Mais ce qu'il ignore, c'est que le produit qu'il vient de mettre au point est hautement toxique. Les fumées des pots d'échappement empoisonnent l'atmosphère. Des milliers de personnes à travers le monde ne tardent pas à en subir les conséquences, à commencer par les ouvriers de General Motors et Midgley lui-même.

Mais le chimiste n'en reste pas là : après l'essence plombée, il décide, à la fin des années 1920, de se pencher sur un autre problème, celui des gaz toxiques contenus dans les réfrigérateurs de l'époque, dont les fuites provoquent de nombreux décès. Pour les remplacer, il met au point le fréon, le premier des chlorofluorocarbures (CFC), et pour prouver que cette substance révolutionnaire est sans danger, le chimiste va même jusqu'à en inhaler en public. On ne

422

connaîtra les réels effets des CFC que dans les années 1970, lorsqu'un grand trou sera découvert dans la couche d'ozone. Selon l'historien John R. McNeill, Thomas Midgley eut plus d'impact sur l'atmosphère qu'aucun organisme vivant dans l'histoire de l'humanité. Il mourut en 1944, quand son génie involontairement destructeur finit par se retourner contre lui : atteint de poliomyélite, il avait fabriqué un système complexe de poulies pour sortir plus facilement de son lit. On le retrouva étranglé avec ses câbles.

Il faudra attendre le début des années 2000 pour que le carburant au plomb soit retiré du marché, après que sa nocivité catastrophique sur l'environnement aura été mesurée et démontrée.

Edmond Wells,
Encyclopédie du Savoir Relatif et Absolu, tome XII.

89.

Gabriel Wells est au Purgatoire et réfléchit au milieu des cristaux d'améthystes.

– *Tu es monté pour apprendre la vérité sur ta mort, et maintenant tu la connais, Gabriel,* lui dit Métraton. *Tu as dit à Lucy que tu accepterais ensuite de te réincarner. Il est temps pour toi d'accomplir le reste de ton voyage. Tout ce que je peux te garantir, c'est que je vais influer du mieux que je peux pour que, dans ta prochaine réincarnation, tu puisses encore être romancier. Cela me permettra aussi de continuer à lire tes histoires, et je ne manquerai pas de les comparer à celles de tes incarnations précédentes. À mon avis, tu composeras de meilleures fins dans ta prochaine vie.*

— *Mais je vais devoir revivre une enfance !*

— *Bien sûr. Quel est le problème ?*

— *Ne pas pouvoir marcher, les bouillies, les fessées, les vêtements trop petits, les parents qui ne comprennent rien et qui imposent leur vision du monde, les mauvaises notes à l'école, les batailles dans la cour de récréation...*

— *C'est nécessaire pour que tu développes le sentiment de révolte qui nourrira ton œuvre littéraire. Si ta jeunesse est trop facile, tu ne seras pas contestataire.*

— *Mais il n'est même pas certain que je comprenne qu'il me faut devenir écrivain !*

— *Tu auras toujours ton libre arbitre, en effet.*

Gabriel, après un temps de réflexion, finit par lâcher :

— *Non.*

— *Quoi, non ?*

— *Je refuse de me réincarner.*

— *Voilà autre chose !*

— *Je veux poursuivre mon existence de Gabriel Wells.*

Métraton fronce les sourcils ; son interlocuteur semble persuadé de son bon droit. Il reprend :

— *Et si je révisais ma copie ? Si je mettais dans* L'Homme de 1000 ans *des informations moins précises, une version censurée par le Haut Astral, à l'intrigue très romancée, avec beaucoup d'action, des sentiments, une version laissant peu de place aux développements scientifiques proprement dits, qui seraient réduits à la portion congrue ? Je dirais juste qu'un groupe de scientifiques effectuent des manipulations génétiques, sans plus de précisions. À la fin, l'expérience de prolongation de la vie échouerait. Cela démotivera ceux qui seraient tentés de reproduire le protocole décrit dans le livre.*

De nouveau, la vieille dame baisse ses lunettes d'un air dubitatif, mais Gabriel poursuit :

– *Ce serait l'histoire d'un fiasco : l'équipe qui veut prolonger l'espérance de vie humaine non seulement n'y arrive pas, mais prend conscience que c'est une mauvaise idée. Le message serait : « Mieux vaut une courte vie de qualité, qu'une longue vie faite d'une succession de jours insipides. »*

Métraton reste impassible, tandis que le caniche bâille à pleine gueule.

Gabriel surenchérit :

– *Après avoir lu* L'Homme de 1000 ans, *les lecteurs ne voudront même plus vivre vieux !*

L'écrivain a l'impression de prononcer la tirade la plus importante qu'il ait jamais dû improviser. Il cherche ses mots, qui d'habitude sortent trop vite. Il bafouille :

– *Ils voudront vivre intensément et en conscience. Ils voudront en priorité être utiles aux autres et à la planète. Surtout à la planète.*

Métraton ramasse ses jambes en position du lotus. Elle réfléchit longtemps, puis dit enfin :

– *D'accord.*

– *Vous acceptez ?*

– *Oui. Notamment parce que je ne suis pas sûre que ce que tu écrirais dans ta prochaine réincarnation me ferait autant rire que ce que tu as écrit jusque-là.*

– *Je vous promets de ne jamais oublier ma promesse. Je prendrai toujours en compte l'influence que peuvent avoir mes livres sur mes lecteurs.*

– *Tu ne mettras pas en scène de domination humaine qui entraînerait la destruction de toutes les autres espèces et l'épuisement des matières premières. L'humanisme, c'était bon pour la Renaissance, maintenant il faut passer à autre chose. On est bien d'accord ?*

– *Oui.*

– *Désormais, c'est un peu moi ton éditrice ! Beaucoup d'action, de psychologie, de personnages, d'intrigues amoureuses, de suspense, un* peu de spiritualité (pas trop pour ne pas passer pour un fou) et surtout peu voire pas de science efficace !

— Je me demande même si je vais évoquer l'existence de la salamandre axolotl, que la plupart des gens ignorent.

— Pas d'axolotl.

— Je ne parlerai pas non plus du rat-taupe nu ou de la tortue des Galápagos. Mon traitement sera à base d'aspirine.

— Tu ne pourras pas non plus faire référence à ce que tu as découvert ici sur les coulisses invisibles du monde. Tu ne pourras évidemment pas non plus parler de moi.

— De toute façon, même si je le faisais, personne ne le croirait, temporise Gabriel. Qu'en haut de la Hiérarchie des âmes siège une petite dame avec un chien, ce n'est pas crédible.

Métraton éclate de rire.

— C'est vrai… On penserait que c'est de la fiction.

— Ma devise a toujours été : « Comprenne qui pourra ».

Métraton semble amusée.

— Tout compte fait, je t'autorise à évoquer certains éléments de ce qu'il t'est réellement arrivé.

— Même mon arrivée ici ?

— Après tout, j'aime bien l'idée que, quand tu dis la vérité, les lecteurs croient que c'est de la fiction.

— Donc je peux même parler de vous ?

— Cela donnera peut-être envie aux gens d'être plus aimables avec les vieilles dames à petit chien… De toute façon, je crois que c'est bien que tes lecteurs aient le vague sentiment qu'il existe autre chose là-haut. Mais pas plus. Je te le répète, je préfère les cartésiens aux superstitieux ou aux mystiques ! Je préfère les Houdini aux Doyle ! Éveille chez tes lecteurs le sentiment de mystère. C'est, à mon avis, ce qu'il y a de plus précieux. Mais si jamais, à cause de toi, l'humanité voit son espérance de vie prolongée, je transformerai ta requête en gigantesque *regret. Je l'ai déjà fait pour Oppenheimer, qui voulait maîtriser l'énergie nucléaire sans en assumer les conséquences.*

— Donc je peux continuer à être Gabriel Wells ?

— Ton corps, qui est déjà en putréfaction au Père-Lachaise, ne peut évidemment pas revivre. Tu resteras une âme errante. À toi de trouver un vivant capable de t'entendre et de retranscrire tes idées. Je pense que tu vas choisir ton frère, maintenant qu'il a mis au point son nécrophone. Je lui ai interdit de révéler au public son existence, mais il peut l'utiliser en privé du moment que personne ne le sait.

Elle le fixe intensément.

— Tu imagines ce qu'il se passerait si les nécrophones étaient en vente libre dans les supermarchés, comme les téléphones ? Toutes les âmes errantes qui s'ennuient (et elles s'ennuient toutes) se précipite-raient pour discuter avec les vivants. Cela serait la foire aux casse-pieds... Tu n'as pas idée de la mesquinerie de la plupart des morts ! Si ton frère diffuse son nécrophone, tous les ectoplasmes auront l'occasion de se faire connaître. Ils risquent alors de faire des révéla-tions, ce qui créerait encore plus de problèmes chez les vivants.

Nouvel éclat de rire de Métraton.

— Donc, Gabriel, débrouille-toi pour que ton frère soit discret... Sinon je devrai le tuer comme je t'ai tué.

— Je lui ferai passer le message quand il me recontactera. Toute-fois, ne vous en déplaise, je ne compte pas faire appel à lui ni à son nécrophone. Je préfère passer par Lucy. Elle peut aussi entendre ma voix. Je lui dicterai ma nouvelle version de L'Homme de 1000 ans *et elle l'apportera à mon éditeur.*

— À toi de choisir. Bon, qu'est-ce que tu attends ? Je t'ai assez vu. Tu n'es pas le seul dont je doive m'occuper. File, maintenant, et va créer ton roman. Et s'il te plaît, rien que pour moi, trouve une fin un peu surprenante, d'accord ?

L'écrivain se sent envahi d'un immense sentiment de gratitude.

Dorénavant il sait, et il peut agir. Il regarde Métraton qui lui fait un petit clin d'œil avant de poser son doigt sur ses lèvres : motus et bouche cousue.

– *Une dernière chose : j'ai un incipit à te proposer. Le héros pourrait dire : « Qu'ai-je appris de cette existence passée ? »*

90.

Lucy Filipini se réveille.

Elle se masse les épaules avec ravissement, effleure ses bras, ses mains, ses cuisses, elle se passe la main dans les cheveux et pro-nonce son mantra matinal.

Elle se lève et aperçoit, accrochée au mur, la pancarte :

« IL FAUT FAIRE DU BIEN À SON CORPS
POUR QUE SON ÂME AIT ENVIE D'Y RESTER. »

Elle effectue alors quelques exercices d'assouplissement et de musculation tout en écoutant l'album de Dead Can Dance, puis fait des mouvements de yoga : la salutation au soleil, la posture du chat.

Une fois douchée, elle revêt ses vêtements les plus colorés : une robe fendue rouge au large décolleté, un collier orné d'un cygne noir, des chaussures à talons hauts, du vernis rouge. Elle quitte son appartement.

Quelques minutes plus tard, elle est devant l'immeuble des éditions Villambreuse.

Elle demande à voir Alexandre, qui aussitôt la reçoit.

– Vous êtes de plus en plus belle, mademoiselle Filipini. Chaque fois que je vous vois, mon cœur bat plus fort.

Elle accepte le compliment d'un hochement de tête impatient et passe au sujet qui l'intéresse.

– J'ai une bonne et une mauvaise nouvelle. Laquelle voulez-vous entendre en premier ?

– La mauvaise.

– Vous allez devoir renoncer à votre programme Gabriel Wells Virtuel. Il est obsolète et cela déplaît à l'âme errante de Gabriel Wells qui ne veut pas que sa pensée soit galvaudée par votre machine.

Alexandre de Villambreuse ne cherche même pas à la contredire.

– Et la bonne ?

– En tant que médium, je peux vous annoncer que l'âme errante de Gabriel Wells se sent prête à composer elle-même le texte de *L'Homme de 1000 ans*.

Il hausse les sourcils.

– Et comment ce miracle pourrait-il s'accomplir ?

– Il va m'utiliser comme scribe et me dicter le roman depuis les limbes. Ce sera du pur « Gabriel Wells » ; vous reconnaîtrez bien sa patte, et les lecteurs aussi.

– En admettant que vous disiez vrai, comment vais-je présenter cela au public ?

– Vous allez faire croire que c'est le programme GWV d'Immortal Spirit qui l'a écrit. Tout le monde pensera que votre logiciel est vraiment opérationnel, ce qui est une bonne chose pour vous.

L'éditeur toussote et s'accorde un léger temps de réflexion.

– Cela me rappelle une nouvelle d'Edgar Poe, « Le joueur d'échecs de Maelzel ».

Il observe la jeune femme et ne cache plus son enthousiasme.

– Vous êtes quelqu'un de vraiment extraordinaire, mademoiselle Filipini. Plus j'apprends à vous connaître, plus je vous apprécie.

Le roman écrit par le logiciel GWV est désormais achevé. Je l'ai lu. Et je vais vous dire la vérité : c'est nul. Le système d'intelligence artificielle n'a pas su trouver ce je-ne-sais-quoi qui fait tout l'intérêt des romans de Wells et les distingue des autres.

– La « petite musique » ?

– Plutôt la « petite folie »… À mon avis, Wells est une somme de névroses et d'anomalies psychologiques qu'aucun système d'intelligence artificielle informatique ne peut imiter. Ce sont ces faiblesses qui font sa différence. Le programme GWV écrit automatiquement des intrigues impeccables servies par un style au vocabulaire beaucoup plus riche que celui de Gabriel. Mais tout cela est trop propre.

Lucy se penche en avant.

– Alors… Vous êtes d'accord pour que nous travaillions ensemble, Alexandre ?

– Simple petite question pratique : je négocie le contrat avec qui ?

– Avec moi, mais Gabriel le relira par-dessus mon épaule, évidemment…

Ils se serrent la main, en prenant tous deux conscience que quelque chose de complètement inédit est en train de se produire dans le monde de l'édition.

91. ENCYCLOPÉDIE : LE JOUEUR D'ÉCHECS DE MAELZEL

En 1770, l'ingénieur hongrois Wolfgang von Kempelen présenta à la cour de l'impératrice d'Autriche un automate capable de jouer aux échecs. L'appareil se présentait sous la forme d'un gros buffet en érable surmonté d'un échiquier auquel était fixé un tronc de mannequin. Ce dernier

portait un turban et une cape en fourrure ; sa bouche était ornée d'épaisses moustaches noires ; sa main gauche tenait une pipe, tandis que le bras droit restait posé sur la table, prêt à jouer. Les trois portes de la commode renfermaient un ensemble d'engrenages qui s'animaient lorsque le joueur était en action.

Kempelen avait baptisé son automate « le Turc ». Il prétendait que sa machine pouvait non seulement jouer une partie d'échecs, mais aussi battre les meilleurs joueurs du monde, déclaration qui ne suscita que moqueries et quolibets.

Lors de sa première présentation à la cour d'Autriche, l'automate vainquit tous ses adversaires et joua si vite qu'aucune partie ne dépassa la demi-heure. Quand un joueur tentait un coup interdit, le Turc secouait la tête en signe de réprobation et remettait la pièce à sa place, ce qui participait au caractère spectaculaire de cette prestation.

En 1783, Kempelen emmena son automate en tournée à travers l'Europe. Il battait systématiquement tous les joueurs, même les plus renommés. Il n'y eut qu'à Paris que le Turc fut vaincu par André Philidor, considéré comme le meilleur joueur d'échecs au monde. Cependant, Philidor avoua que ça avait été la partie la plus difficile de toute sa carrière. Le Turc battit même Benjamin Franklin, alors ambassadeur des États-Unis à Paris.

Durant sa tournée européenne, Kempelen laissa des scientifiques examiner sa machine, mais aucun ne parvint à trouver le secret de sa réussite. Après sa tournée, le Turc fut installé au palais de Schonbrunn, près de Vienne. Lorsque

Napoléon envahit l'Autriche, il voulut jouer une partie d'échecs contre lui. L'empereur fut vaincu.

Quand Kempelen mourut, son fils vendit l'automate à Johann Maelzel, un musicien allemand à qui l'on doit l'invention du métronome. Ce dernier perfectionna son mécanisme – le Turc roulait désormais des yeux, ouvrait la bouche pour prononcer le mot « échec » – et il lui fit faire une nouvelle tournée en Italie, en France et en Angleterre, où il affronta Charles Babbage, l'un des meilleurs mathématiciens de l'époque. Maelzel, accablé de dettes, s'enfuit avec sa machine aux États-Unis, où il poursuivit ses exhibitions du Turc. Il affronta là-bas d'autres automates joueurs d'échecs et parvint à tous les vaincre. En 1836, Edgar Poe s'inspira de ce personnage pour écrire une nouvelle, « Le Joueur d'échecs de Maelzel ». Le Turc fut finalement détruit lors de l'incendie du Théâtre national de Philadelphie. Certains témoins prétendent qu'en brûlant, le Turc aurait prononcé plusieurs fois le mot « échec ».

Son secret fut révélé en 1857 par Silas Mitchell, fils du dernier propriétaire de la machine. Il avoua que le meuble était muni d'un double fond où se cachait un joueur d'échecs de petite taille qui manipulait le bras du Turc grâce à un système complexe de tringles et de leviers. Il pouvait ainsi saisir une pièce et la déplacer. Le premier occupant fut un officier polonais amputé des deux jambes à la suite de blessures de guerre ; quinze joueurs se succédèrent ensuite pour prendre place dans le double fond durant les quatre-vingt-quatre années de carrière du Turc. La difficulté pour Kempelen et les autres propriétaires était de trouver des génies de petite taille qui ne risquaient pas de trahir leur secret.

Il fallut attendre 1997 pour qu'un ordinateur – Deep Blue – batte le champion du monde russe, Garry Kasparov.

Edmond Wells,
Encyclopédie du Savoir Relatif et Absolu, **tome XII.**

92.

Les chats sautent avec agilité de meuble en meuble. Un noir gratte avec la pointe de ses griffes l'intérieur de l'oreille d'un chaton qui secoue la tête. Un orange mâchonne une page de magazine people. Deux autres surveillent par la fenêtre les allées et venues des oiseaux.

Lucy Filipini rentre de son rendez-vous. Elle se déshabille en chantonnant, enfile un peignoir et s'installe dans un fauteuil.

– *Alors, il a dit quoi ?* demande Gabriel, impatient.

– Il vous accorde tout ce que vous avez demandé.

Gabriel se sent soulagé.

– *Pendant que vous étiez chez mon éditeur, j'étais avec mon frère et je l'ai convaincu de ne pas révéler au grand public l'existence de son nécrophone. Je lui ai expliqué les enjeux. Il a compris. Le problème, ça a été Edison.*

– Je n'aime pas ce type.

– *Saviez-vous que sa chaise électrique ne marchait pas bien et que les premiers à l'avoir testée recevaient une dizaine de décharges avant de succomber ou brûlaient vifs ? Et si ce n'était que ça ! Mon frère m'a aussi dit qu'Edison lui avait avoué avoir volé ses brevets à Nicola Tesla qui voulait les offrir gratuitement au public.*

– Et vous avez parlé avec lui de votre assassinat ?

433

– *Ma mort ne m'obsède plus. Désormais, je prends ça pour une étape nécessaire de l'évolution de mon esprit.*

– Quand même, se faire assassiner par quelqu'un du Haut Astral, c'est autrement plus classe que de mourir d'un cancer de la prostate dans un hospice.

– *Si je devais choisir, j'aurais quand même préféré rester vivant.*

– Bon, je n'ai pas osé vous le demander, mais là-haut… vous avez vu quoi ?

– *« On » m'a demandé de ne pas en parler. Tout ce que je peux vous dire, c'est que ce qui est important quand on meurt, c'est de se rappeler tout ce qu'on a appris.*

Elle se lève et se dirige vers la fenêtre, vexée de ce manque de confiance.

– Et justement, qu'avez-vous appris ?

Gabriel lui en énumère la liste :

1. *La vie humaine est courte et on a intérêt à en rentabiliser chaque seconde.*
2. *Nous récoltons ce que nous avons nous-même semé. Les autres peuvent tenter de nous influencer, mais c'est nous qui prenons les décisions et qui sommes responsables de leurs conséquences.*
3. *Ce n'est pas grave d'échouer, cela participe au contraire à la construction de l'individu, car chaque échec nous apprend quelque chose.*
4. *On ne peut pas demander aux autres de nous aimer, c'est un travail à faire seul, sur soi-même.*
5. *Tout bouge, et il ne faut pas tenter de bloquer ou de retenir quoi que ce soit, ni les objets, ni les animaux, ni les humains.*

434

6. *Apprécions ce que nous avons plutôt que de vouloir ce que nous n'avons pas. Chaque vie est unique et parfaite à sa façon, il n'y a pas besoin de la comparer à une autre, il faut juste essayer d'en tirer le meilleur parti.*

– Dites-moi, en montant dans le Haut Astral, vous êtes devenu philosophe ? Si c'est le cas, nous sommes fichus ! J'espère juste que vous ne me demanderez pas de mettre ce genre d'idées saugrenues dans vos prochains romans ! plaisante-t-elle.

93.

Il est minuit.

Lucy s'est endormie, quelques chats tièdes et ronronnants roulés en boule à ses pieds.

Elle ronfle et remue les lèvres.

Gabriel la regarde dormir et la trouve encore plus ravissante qu'avant. Presque aussi belle qu'Hedy Lamarr.

Que souhaiter de plus que vivre à côté d'une femme aussi extra-ordinaire et travailler avec elle ? C'est elle l'élément qui manquait dans ma vie. Dommage que je ne l'aie rencontrée qu'après ma mort. Mais mieux vaut tard que jamais…

Il a un agréable frisson en se souvenant de ce qu'il a ressenti quand il était à l'intérieur de son corps.

Il traverse le plafond et s'envole au-dessus des toits. Il apprécie d'être une âme errante, capable de tout voir, tout entendre, et de pouvoir décider du jour où il voudra se réincarner.

Il rejoint le Père-Lachaise, observe sa pierre tombale et son énigmatique inscription. Il n'a plus peur de la maladie, de la

435

souffrance, de la vieillesse. Surtout, il a maintenant cet excitant projet : poursuivre son œuvre littéraire, autrement, depuis les limbes.

Contrairement à ce qu'il croyait jusque-là, il lui semble désormais que la priorité n'est pas de trouver la réponse à la question :

« Pourquoi suis-je mort ? »

L'important lui apparaît plutôt de répondre à cette autre interrogation, encore plus mystérieuse :

« Pourquoi suis-je né ? »

FIN

REMERCIEMENTS

Ce livre est dédié à la mémoire de mon grand-père, Isidore Werber, dont la mort m'a toujours amené à m'interroger sur l'acharnement thérapeutique tel qu'il est actuellement pratiqué dans nos sociétés (ce qui m'a aussi inspiré dans le passé les romans *Les Thanatonautes* et *L'Empire des anges*).

Avec mes remerciements à :

Patricia Darré, qui m'a expliqué son métier de médium et tous ses enjeux auxquels je n'avais jamais songé auparavant. Elle m'a permis d'imaginer ce que peut être le quotidien d'une personne sollicitée en permanence par les âmes errantes (même la nuit) et les vivants.

Patrick Baud, grand collectionneur d'histoires extraordinaires, qui m'a donné envie de monter sur scène pour poursuivre mon travail de raconteur d'histoires face à un public.

Jonathan Werber, qui m'a raconté l'histoire des sœurs Fox et du nécrophone.

Gilles Malençon, dont les conversations spirituelles ont toujours nourri mon travail.

Sylvain Timsit, lecteur de mes premières versions et Webmaster du site Internet bernardwerber.com.

Tous ceux, parmi mes amis, qui ont lu mes versions brouillons pour me donner un premier avis ou m'ont servi de sources d'inspiration pour mes personnages : Amélie Andrieux, Vanessa Biton, Vincent Baguian, David Galley, Frédéric Saldmann, Zoé Andrieux, Stéphane Krausz, Sylvain Ordureau, Alex Berger et Julien Hervieux.

Mon éditeur, Richard Ducousset, qui me suit depuis mon premier roman, et toutes les équipes d'Albin Michel qui ont travaillé sur ce projet.

MUSIQUES ÉCOUTÉES
DURANT L'ÉCRITURE DE CE ROMAN

Dead Can Dance (groupe de rock qui compose sur des musiques mortuaires, avec la voix de la fabuleuse Lisa Gerrard) : *Sanvean*, *The Host of Seraphim*, *Sacrifice*.

Thème de la musique du film *Gladiator*.

Camille Saint-Saëns, *La Danse macabre*.

Samuel Barber, *Adagio pour cordes*.

Woodkid, *I Love You*.

Sites Internet : www.bernardwerber.com
www.esraonline.com
www.arbredespossibles.com
Facebook : bernard werber officiel.

Rédigez ici l'épitaphe idéale que vous souhaiteriez voir figurer sur votre pierre tombale :

Rédigez ci-dessous la nécrologie qui résumerait au mieux votre vie :

Composition : IGS-CP
Impression en septembre 2017
Éditions Albin Michel
22, rue Huyghens, 75014 Paris
www.albin-michel.fr
ISBN : 978-2-226-40030-7
N° d'édition : 22825/01
Dépôt légal : octobre 2017
Imprimé au Canada chez Marquis imprimeur inc.